「木」から辿る人類史

ヒトの進化と繁栄の秘密に迫る

The Age of Wood
Our Most Useful Material and the Construction of Civilization
Roland Ennos

ローランド・エノス
水谷淳 訳

NHK出版

「木」から辿る人類史

ヒトの進化と繁栄の秘密に迫る

The Age of Wood
Our Most Useful Material and the Construction of Civilization
by Roland Ennos

First published in the United States by Scribner,
an imprint of Simon & Schuster, Inc, in 2020.
Japanese translation published by arrangement with Roland Ennos
c/o The Science Factory Limited through The English Agency (Japan) Ltd.

装幀　木庭貴信＋青木春香(オクターヴ)

最高の師
ロビン・ウットンへ

目次

第2部 木を利用して文明を築く
（1万年前〜西暦1600年）

第4部 木の重要性と向き合う

●本文中の*は訳注を表す。注番号は巻末の原注を参照。
●本文中の書名のうち、邦訳のあるものは邦題を表記し、邦訳がないものは原題と逐語訳を併記した。

プロローグ

どこにもつながっていない道

何十年も昔のこと、兄と一緒にフレンチ・ピレネーの険しいトレッキングツアーに参加したときの話だ。トレッキングも終わりに近づいたころ、はからずも、人類史の道筋を変えて現代の世界を方向づけたある工学的偉業の跡と出合った。尾根からエツォ村を目指して下っていくと、道は山腹の草原地帯からアスプの針葉樹林に入った。すると、それまで広くて歩きやすかった道が一変する。谷が深くなっていくのに対して道はそのままの高さを保ち、ほぼ垂直の岩壁に穿(うが)たれただけになっていった。まもなくすると、眼下に立ち並ぶ木々やアンフェール谷の急流から一八〇メートル上に頼りなさげに張り出した、狭い通り道を歩く羽目になった。そんな感じの道が一・五キロメートルほど続いた末に、ようやく峡谷が開けた。川と同じ高さまで下りてきて、ほっと息をついた。

するとそこに、いままでたどってきたのが「マチュールの道」だったことを示す看板が立っていた。何もない場所に、どうしてこんな見事な道が造られたのだろうか？　そもそも「マチュール」とは何だろうか？

その答えは、一八世紀に勃興してきた西洋の二つの超大国、フランスとイギリスのあいだで深まった対立にある。そしてそれは、人類の歴史が木によって方向づけられたことを示す顕著な例の一つにすぎない。カリブ海沿岸や北アメリカに築かれつつある植民地や海外領土への支配力や影響力をめぐってこの二つの国が張り合い、海軍が次々に増強されて軍拡競争が始まった。両国ともに、巨大な大砲を最大一〇〇門も搭載して相手の艦船や沿岸の要塞を撃破できる、大型で重量級の戦列艦を躍起になって建造した。

だが、どちらの国も同じ問題に直面する。建造に必要な木をどうやって調達するかという問題だ。木材そのものはけっして不足していなかった。とくにフランスには広大な森が広がっていて、国土の約三〇パーセントを覆っていた。問題は、高さ三〇〜四〇メートルのマストを作れるような、背が高くてまっすぐな木が少ないことだった。ヨーロッパの森林の大部分にはすでに人の手が入っていて、いまだに高い木が生えていそうな原生林を見つけるのはどんどん困難になっていた。

フランスにとってその解決法は、まだ巨大なモミの木が生えているピレネー山脈の未開の地にあった。そこで技術者のポール＝マリ・ルロワが、それまで人がたどり着けなかったアスプ谷の断崖に大胆にも道を通して、木を運び出すという計画を提案した。その道は一七七二年に完成し、マチュールの道（直訳すると「マストの道」）と名付けられた。すぐに、この新たな道を通ってマストなどのための木材が運ばれ、筏（いかだ）で海まで流された。こうしてフランスの木材調達の問題は、少なくとも一時的には解決した。

一方のイギリスでは、マスト調達の問題はさらに急を要していた。イギリスでは森林が国土の一〇パーセントにも満たなかったし、かなり昔から人の手が入っていた。針葉樹はほとんど育っておらず、船のマストに使えるような高くてまっすぐな木は見当たらなかった。そのため早くも一六世紀から、ほぼすべてのマストをバルト海沿岸諸国から輸入せざるをえなくなっていた。しかしその補給線は、北方の対立国であるオランダとスウェーデンの艦隊につねに脅かされていたし、そのうえ高い木はどんどん希少になって値段が上がっていた。そこでイギリスは、アメリカ植民地に目を向ける。ニューイングランド地方の老齢林には、幹がまっすぐで巨大なストローブマツの木が数えきれないほど生えていたのだ。そうして一七世紀半ばから、高さ七〇メートル、直径一・五メートルを超える木がイギリス海軍によって選び出された。

海軍のトップだったサミュエル・ピープスも有名な日記の中で、木の取引について何度となく言及している。一六六六年一二月三日には、護衛艦がオランダの海上封鎖をかいくぐってマストを無事運んでくれたと喜んでいる。

> とてもよい知らせがあった。ニューイングランドの四隻（せき）の船が、国王のためのマストを載せて無事コーンウォール州ファルマスに帰港した。それはまさに僥倖（ぎょうこう）で、もしもそのマストが

届かなかったら、ほかの手がないかぎり来年は困ったことになっていたに違いない。しかし神がこれほどの幸運を授け、何よりも引き続きわれわれに恩恵をもたらしてくれたのだ！

残念ながらイギリス政府は、マストを確実に調達したいがあまり次々と失策を犯し、大惨事を招いた。入植者たちは大きくて扱いづらい木の幹を川で何キロメートルも運ぶよりも、その場で切って木材にしてしまうほうを好んだため、イギリス政府が木の幹を一般市場で購入するのは難しかった。一帯の森林を買い上げて自ら管理してもよかったのだが、実際には一六九一年、「ブロードアロー（太い矢印）」と呼ばれる政策を打ち出した[1]。幹の直径が六〇センチメートルを超えるストローブマツの木に、小型の斧で上向きの矢印を刻みつけて、国王の所有物であるとみなしたのだ。

あいにくこの政策は激しい反発を受け、まったく実効性がなかった。入植者たちは相変わらず高い木を切り倒しては、証拠が残らないよう、幅六〇センチメートル以下の板に切り刻んだ。そうして独立精神の証しとして、幅の広い床板が大流行した。それを受けてイギリス政府は法律を改正し、直径三〇センチメートルを超えるストローブマツの伐採をいっさい禁じた。だが町区（タウンシップ）の境界内に生えている木は対象外だったため、ニューハンプシャーとマサチューセッツの住民は、ほぼ全土がいずれかの町区に含まれるよう、即座に境界線を引きなおした。辺境の入植者の多くは、法律を無視するか、規制なんて知らなかったと言い訳をするか、あるいは高値で売れる矢印つきの木をわざと狙って伐採するかした。「国王の木材」の主任監督官は、何万平方キロメートルもの森林を監視しようにも人手が足りなかったため、入植者による略奪にはほぼ打つ手がなかったし、地元当局のほうにも評判の悪い法律を執行する気などなかった。そうして緊張が高まった末の一七七二年、マチュールの道が開通したのと同じ年に、「マツの木暴動」と呼ばれる事件が発生する[2]。

ニューハンプシャーの街ウェアーの製材所経営者たちが、大きなストローブマツを切り倒したことに対する罰金の支払いを揃って拒否した。そこで、ヒルズバラ郡保安官のベンジャミン・ホワイティングと保安官代理のジョン・キグリーが、運動のリーダーであるエベニーザー・マジェットの逮捕状を携えてサウスウェアーに派遣された。するとマジェットは先手を打ち、二〇〜四〇人ほどの男を引き連れて、保安官たちが宿泊しているパインツリー・タバーンを襲撃した。そして保安官たちの顔に煤を塗りたくり、問題視された木の本数と同じ回数、小枝の鞭で保安官を打ち、二人が乗ってきたウマの耳を切り取ってたてがみと尻尾を剃り落とした。保安官たちは住民にヤジられながらウマに乗って町から逃げ出すしかなかった。のちに八人が罰せられたが、罰金は一人あたり二〇シリングと軽く、イギリス当局の力が弱まったことを示す結果となった。

この暴動の知らせはニューイングランド一帯に伝わり、一七七三年一二月のもっとずっと有名なボストン茶会事件の大きな引き金となった。マツの木をあしらった旗は植民地の抵抗のシンボルとなり、その後の独立戦争では植民地民兵に使われた。ジョージ・ワシントンの補佐官ジョーゼフ・リード大佐がデザインしたその旗は、植民地側の軍艦のマストのてっぺんに掲げられた。
独立戦争が勃発したことで、ニューイングランドからイギリス海軍へのマストの供給が遮断された。海軍はバルト海沿岸から調達したもっと低い木を使わざるをえなくなり、鉄の輪で幹を何本もつなげて「組立マスト」を作るしかなかった。それは贔屓目に見ても不十分な代物で、戦争が続く中、何隻もの戦艦がマストの損傷のために出港できなかった。さらに悪いことに、入植者たちはマツの木をフランスに売りはじめ、フランスもそれに乗じて植民地側を支援した。フランス軍はいくつかの重要な海戦でイギリス軍を破り、中でも一七七九年のグレナダの海戦では、イギリス海軍が一六九〇年のビーチー岬の海戦以来もっとも手痛い敗北を喫した。イギリス海軍と植民地軍の戦いも勝敗が決しなかった。イギリス海軍のいつもの優位性は鳴りを潜め、アメリカが勝利して一七八三年に独立した。

こうして、のちに世界一の力を誇ることとなる国家が誕生した。イギリス海軍はマストの調達先をカナダやニュージーランドといったほかの自治領に切り替え、まもなく優位性を取り戻すかに思われたが、世界が以前の状態に戻ることはなかった。ピレネー山脈の岩壁に穿たれた道からは、このような地政学上のターニングポイントが読みとれるのだ。

歴史的な重要性を考えると、この「大マスト危機」があまり知られていないのはなんとも驚きだ。ボストン茶会事件のことはイギリスでもすべての小中学生が教わるが、マツの木暴動については誰一人教わらない。だがそれは珍しいことではなく、人類の進化、先史時代、歴史の解説において、木の果たした役割は決まって無視されている。たとえば人類学者は、石器の進化や、石器を作るのに必要な知性と手先の器用さについては熱を込めて語る一方で、初期の人類が食料を調達するのに実際に使っていた掘り棒や槍や弓矢にはほとんど目もくれない。考古学者も、現生人類（ホモ・サピエンス）が調理や金属製錬の技術を獲得するうえで焚き火が果たした役割を見くびっている。技術史家は、新たな金属製の道具によって木細工の技術が向上したことで、車輪や板張り船といった新技術が開発されたという経緯を無視している。そして建築史家は、中世の大聖堂の屋根葺きや、住宅の断熱、都市全体の基礎工事に、木が重要な役割を果たしたことを見落としている。

　三五年前にマチュールの道を歩いたときの私も、木の重要性についてはほとんど無知だった。木の組織構造や力学的性質、そして構造材としての用途なら知っていた。しかし木のことをもっと学びはじめたのは、植物を支える根の力学的メカニズムに研究対象を移して、大学で終身の職に就いてからだった。大学教官になることの最大のメリットは、自分の研究や教務、そして喫茶室（残念ながらいまではめったに見られないが）での同僚とのおしゃべりを通じて、幅広いテーマに触れられることである（少なくともかつてはそうだった）。私の場合はというと、学生のさまざまな研究課題を監督したことで、生体力学の知識を深めていった。優秀な学生たちには、人体の力学的構造、木材や木の力学、あるいは最近では都市林の利点といった研究テーマを課した。樹木に関する本も書き、木材の用途や、人間と木の関係についても知見を深めた。また教務を通じて、私たちの親戚である類人猿と木との関係について深く考えたり、類人猿が木でさまざまな道具を作って利用することを明らかにした刺激的な研究について学んだりした。幸運にも、類人猿が林冠[*1]を移動して木で巣を作る様子を調べている研究者と親しくもなった。そして、初期の人類がどうやって効率的な木細工道具を作ったり、槍や斧（おの）の柄を削り出したりできたのかを考えはじめた。

　そうしてわかってきた事柄が、子供のころから木に関係するさまざまな観光地を訪れた楽しい記憶と結びついた。各地の考古学博物館には、斧頭（ふとう）や、「古代人」の生活を再現した展示が並んでいた。スカンディナヴィアの野外博物館には、農場の木造家屋、水車や風車、スターヴ教会[*2]が立ち並んでいた。ヴァイキング船、ゴシック様式の教会や大聖堂の屋根、中世の納屋や城、古典様式風の田舎の邸宅も見物した。そうして、木はたしかに人類史の中で中心的な役割を果たしてきたのだという確信を深めていった。森の中を移動する類人猿から、槍を投げる狩猟採集民や斧を振るう農耕民を経て、屋根を葺く大工や論文を読む学者へとつながる、私たちの進化と文化の長い歴史に連続性を与えているのは、ほかならぬ木という素材だ。

　木材の性質や木の成長について知識を深めた私は、その理由を探りはじめた。人類と木との関係は、木材の持つ数々の驚くべき特徴に根ざしている。木材は、ほかに太刀打ちできるもののない万能な構造材だ。水よりも軽いのに、重量比では鉄と同じくらいの剛性・強度・靭性（じんせい）[*3]を持っていて、張力にも圧縮力にも耐えられる。成形がしやすく、木目に沿って割るのも容易だし、とくに伐採したばかりなら柔らかくて簡単に曲げられる。大きく切って建材にすることもできれば、爪楊枝のような小さな道具も作れる。つねに湿気を一定に保っていれば何百年ももつ一方で、燃やして暖をとったり、調理したり、さまざまな産業機械を動かしたりもできる。このような利点を考え合わせると、人類史において木が中心的な役割を果たしてきたことは、単に理にかなっていただけでなく必然だったのだ。

いまや、木の役割を見直すべきときだ。本書は、このもっとも汎用性の高い素材と私たちとの関係性に基づいて、人類の進化、先史時代、歴史を新たに解釈しなおしたものである。この新たな見方、いわば樹木中心的な見方で世界を見渡せば、私たちが何者で、どこからやって来て、どこへ進んでいくのかを、ずっとはっきりととらえられると思う。

読者には何よりも、石・青銅・鉄という三種類の素材との関係によって人類の歴史が方向づけられたとする従来の定説に惑わされずに、この世界を見つめてみてほしい。木材は遠い過去の古くさい遺物にすぎないという決めつけをはねのけてほしい。そうすれば、地球上で私たちが暮ら

＊1　樹木の頂部が重なり合った森林の最上層。
＊2　太い支柱で支えられた中世の木造教会（一六二ページ参照）。
＊3　剛性とは力を加えられたときの変形のしにくさ、強度とは壊れずに耐えられる力の強さ、靭性とは力を加えられたときの亀裂の入りにくさ（粘り強さ）を指す。

してきた期間の大部分は、このもっとも汎用的な素材に支配された時代だったということ、そしていろいろな面でいまもそうであるということがわかってくるはずだ。環境のために、そして自分たちの身体的・精神的健康のために、私たちは木の時代に戻るべきなのだ。

第1部

木が人類の進化をもたらした

（数百万年前〜1万年前）

第1章 樹上生活の遺産

西洋世界に生きていると、自然から距離をとって、自分たちを動物界から完全に切り離された高位の存在とみなしたがるものだ。創世記の中でも神はこんなふうにいっている。「わが形とそっくりに、われに似せて人を造ろう。そして、海の魚、空の鳥、家畜、地上のあらゆる生き物、地を這うあらゆる生き物を支配させよう[1]」。聖書を書いた人たちが、人間を無類の存在として際立たせたのも無理はない。その人たちが目にした、ヒツジやヤギ、ラクダやウマなどの草食動物、イヌやネコなどの肉食動物、そしてネズミなどの齧歯類といったすべての哺乳類は、ことごとく四本脚で歩き、四肢の先に蹄や鉤爪を持っているのだから。

しかしヒトがサルと共存する熱帯の国々となると、様子はまったく違ってくる。そのような国で暮らす人は、霊長類との類似性や自然との一体性を強調するものだ。たとえば、西アフリカに棲む原始的な霊長類のガラゴは、俗に藪の赤ん坊（ブッシュベイビー）と呼ばれているし、オランウータンはマレー語でまさに「森の人」という意味だ。また、中国の孫悟空、インドのハヌマーン、古代エジプトのバビなど、多くの宗教にはサルの神が登場する。ヒトとほかの動物との境界線がとりわけあいまいなボルネオ島のダヤク族の言い伝えによれば、オランウータンはその気があればしゃべることができるが、働かされたくないから黙っているのだという。なんて賢いのだろう。

霊長類とその他の哺乳類との大きな違いは、霊長類が樹上生活に適応したことで生じた。私たちはいまでこそ地上で暮らしているが、それでもほかの霊長類と似ているのは、この樹上生活への適応形質の大部分を残しているからだ。驚くことに、私たち人類が最初から地上での生活に適応していたのは、近縁の霊長類が林冠での生活、つまり木で作られた世界での生活に合わせて身体や脳を進化させてくれたおかげなのだ。

霊長類の身体的変化の大部分は、その進化の最初の一〇〇〇万年ほどで起こった。それはいまから六〇〇〇万年前、恐竜が絶滅して新たに出現した熱帯雨林に、ネズミに似た小さな霊長類が棲みついてからまもなくのことだった。どうしてそれがわかるかというと、まさに毛むくじゃらの小人のような愛らしいガラゴも、そして私たちも、それらの適応形質を共通して持っているからだ。ガラゴはいろいろな点で私たちに似ているが、それでもかなり遠縁である。化石記録やDNA解析によって、ガラゴの系統とヒトの系統はいまから約五〇〇〇万年前に分かれたことが明らかとなっている。それなのにどちらとも、両目が前方を向いていて両眼視ができ、直立姿勢をとり、移動のための後肢（脚）や足と、ものをつかむための前肢（腕）や手が分化していて、手指の先端には鉤爪でなく指腹と平爪がついているというように、いくつもの重要な特徴を共通して受け継いでいる。これらの特徴はヒトの適応形質だと思われがちだが、じつは最初は、霊長類が樹上で生活するために進化させたものなのだ。

樹上生活に適した身体とは

考えてみると、木というのは暮らすにはなかなかやっかいな場所だ。木は複雑に枝分かれした構造である。垂直の幹が、もっと細くて水平に近い大枝、枝、小枝へと次々に分かれていき、最後は栄養分を生産する葉で終わっている。両眼視ができれば、距離を判断して林冠の中を素早く安全に移動するのに役立つ。直立姿勢をとっていて、ものをつかむ腕があれば、幹にしがみついて上り下りできる。そして細い枝が密集する林冠のてっぺんでは、変形した手と指が役割を果たす。

現代のリスやツパイやキツツキが持っている鋭い鉤爪は、幹や枝の樹皮に引っかけるのには適しているが、細い小枝をつかむのには向かない。そのためこれらの動物は、葉や果実が豊富にある林冠のてっぺんにはなかなかたどり着けない。初期の霊長類はこの難点を克服するために、一連の重要な特徴を進化させた。そしてそれらの特徴はすべての子孫に受け継がれ、いまでは私たちが道具を作るうえで欠かせないものとなっている。その特徴とは、指紋に覆われた柔らかい指腹がついていて、鉤爪でなく平爪で補強された、ものを握れる手(大半の霊長類は足も)である。

霊長類では手の先端に指がついているが、そのような構造になっている理由や、柔らかい指腹がついている理由について深く考察した科学者はほとんどいない。物理学の教科書をひもとけばわかるとおり、表面が硬くてざらざらのほうが、その突起部が対象物の突起部と嚙み合ってしっかりとつかめるはずだ。しかし、つかもうとしている対象物がつるつるの場合は、けっしてそうではない。鋲釘を打ったブーツがつるつるした岩の上でどれだけすべりやすいか、思い出してみてほしい。直感に反する話だが、つるつるの面をしっかりとつかむには、鉤爪のような硬い素材でなく、皮膚のような柔らかい素材を使うのがよい。柔らかい素材は対象物の形に合わせて変形するため、接触面積が広くなって表面どうしの原子間力が強くなり、摩擦力が大きくなる[2]。柔らかければ柔らかいほど、大きく変形して接触面積が広がるのだ。

ものをしっかりと握る方法としては、エラスチンのような弾力性のある物質で指腹を覆うという手もあったが、それではあっという間にすり減ってしまう。霊長類が進化させた解決法はもっと巧妙だった。指腹の中のぶよぶよした流動体を、もっと剛性の高い層で覆うことで、少し空気の抜けたタイヤのような構造にするという方法だ。指先の表面下にある脂肪の層が容易に変形することで、剛性の高い皮膚の接触面積が広くなるのだ。この構造がいかに効果的かを知るには、ワイングラスを持った指をガラスの反対側から見てみればいい。接触面がかなり広いことがわかるだろう。私たちはこの構造のおかげで、ガラスのような硬い面を蹄や鉤爪に比べて一〇倍うまくつかむことができる。ヒトはつるつるしたコンクリートやタイルの上でもしっかりと立っていられるが、ウマは馬房の中でよく足をすべらせるし、イヌはキッチンの床で脚をバタバタさせてもなかなか動けずにパニックになるものだ。

ヒトの指腹と手足の内側には、もう一つ独特の特徴が添えられている。パターン状の起伏、すなわち指紋（および掌紋と足紋）である[3]。ガラスのようなつるつるのものをつかむ際には、指紋があると接触面積が減り、かえってうまくつかめなくなってしまう。ちょうど、路面が乾いているときにレーシングカーが溝つきタイヤを履くと、スリックタイヤを履いたときに比べてグリップ力が下がってしまうのと同じだ。それでも指紋にはいくつか重要な利点がある。表面がぬれているときには、水の膜が指紋の溝を通って流れ去ることでグリップ力が上がるし（溝つきタイヤと同じ）、木の枝などのざらざらした表面では、指紋の隆起が樹皮のでこぼこと嚙み合ってくれる。さらに、触覚受容器が隆起の上にあることで、皮膚のひずみが増幅されて指先の感覚が鋭くなる。最後に、頑丈な隆起としなやかな溝が交互に並んでいることで、ものをつかんだときに皮膚がなめらかに変形し、まめができるのを防いでいる。指紋の隆起はグリップ力を高めるのにとても有用なため、ヒトとかなり遠縁であるコアラの指腹にも似たような隆起があるし、新世界ザルがものをつかむのに使う尾の内側にも指紋のようなものがついている。

霊長類は指腹を使って細い枝をうまくつかめるようになったことで、もはや鉤爪を必要としなくなった。そのため爪が平らに変形して、タイヤのリムのように指腹を支える硬い裏板としての役割を帯び、小さなものをつまんだり操ったりできるようになった[4]。さらに私たちは、爪の先そのものを道具として使って、ものを引っかいたり小さいものをばらしたりすることもできる。

そのため霊長類は、すでにいまから五〇〇〇万年前には、のちに私たちが地上生活に役立てることとなるさまざまな身体的変化を済ませていた。だがそれでも、初期の霊長類は私たちとかなり違う姿をしていた。身体は小さく、体重は数百グラムしかなかった。それに対して、現代の一般的なサルの体重は一〜一五キログラム、ヒトを含む大型類人猿では四〇〜一二〇キログラムもある。知能の点でも大きくかけ離れていた。ガラゴの脳は、身体の大きさが同じであるほかの哺乳類と比べてわずかに大きいだけだし、大脳の表面に位置して高いレベルの思考をおこなう大脳皮質の占める割合は四七パーセントにすぎない[5]。ハリネズミなどの食虫目の脳ではもっと少なくて一八パーセントほどだが、マカク*では七〇パーセント、チンパンジーでは七六パーセント、そして私たちヒトでは八〇パーセントにも達する。身体の大きさ、大脳皮質の割合、そして知能というこれらの三つの特徴は、じつは互いに結びついていて、霊長類は大型化するにつれて賢くなっていった。そしてこれらの変化は樹上生活と関係していたことが、徐々に明らかになりつつある。

食物の変化と脳の発達

サルが進化するにつれて大型化していったのは、食物の変化と関係していることがわかってきた。ガラゴやその近縁のロリスは虫などの無脊椎(せきつい)動物を食べるが、虫は見つけるのも捕まえるのも難しいし、しかもかなり小さい。ガラゴなら虫だけで十分なエネルギーを摂取できる。しかしもっと大型の動物となると、虫を見つけて捕まえて食べる能力はガラゴとさほど変わらないのに、そのために動き回ることで消費されるエネルギーはずっと多くなってしまう。大型のサルが昆虫食だったら、身体を動かすための十分な食物を確保できないだろう。そこで霊長類は、林冠の中でほかに食べられるものを見つけた。植食性になって、葉または果実を食べるようになったのだ。現代のサルはそのどちらを食べるかによってかなり異なる形に身体を適応させていて、まったく異なる知能を持っている。

常緑樹ばかりの熱帯雨林では、葉は豊富にあって容易に見つけられるが、食物としてはあまりふさわしくない。葉はおもにセルロースでできていて消化されにくいし、葉の細胞には糖がほとんど含まれていない。当然ながら木のほうも、エネルギー生産器官である葉を草食動物から守ろうとする。葉は完全な大きさまで成長すると、葉脈にセルロースやリグニンを増やして堅くすることで、嚙みづらくして細胞の中身を守る。それを受けて多くの草食動物も、枝の先端に生えて

＊ニホンザルやアカゲザルなどの総称。

いる成長中の若葉だけを食べるという対抗策をとる。すると植物はその報復として、若い葉にタンニンやフェノール誘導体などの毒を蓄える。これらの毒は苦味があるし、食べた動物の腹の中で消化酵素を不活性化させてしまう。そのため葉を食べる霊長類は、若葉を大量に食べては、解毒と消化のために胃の中に何日も蓄えておかなければならず、エネルギー摂取量が限られてしまう。葉を食べる霊長類は大型で太鼓腹をしており、代謝が遅くて知能が比較的低い。大きな脳を発達させる余裕がないからだが、葉は簡単に見つかるため、その必要もない。葉を食べる霊長類の代表例が、ボルネオ島に棲むテングザルである。この風変わりなサルは小さな集団で移動し、リーダーのオスは名前のとおりの奇妙な姿をしている。鼻はピンク色で細長く、股のまわりにはパンツのような模様があり、何よりも腹がふくらんでいる。地元インドネシアの先住民はこのような姿から西洋人入植者を連想し、このサルを「オラン・ベランダ（オランダ人）」と呼ぶようになった。

熱帯雨林では果実も豊富で、しかも果実はエネルギーに富んでいるため、葉でなく果実を食べるようになった霊長類も大型化した。しかし果実食になったことで、脳にはもっと大きな変化が起こった。果実には食物としての長所がいくつもある。植物が果実を実らせるのは動物へのご褒美(ほう)のためで、果実とともに種子を呑(の)み込んで糞(ふん)と一緒に撒(ま)き散らしてくれるよう促している。そのため果実には糖がたっぷり入っているし、熟すと軟(やわ)らかくなって簡単に嚙んだり消化したりできる。さらに、果実が熟したことを動物に知らせるために、色を変えたり、おいしそうな匂いを発したりする。

果実食の唯一の難点といえるのは、熱帯雨林にはあまりにも多くの種類の木が生えていて、それぞれの種類が森じゅうにまばらに散らばっていることだ。さらに季節の変化がないため、いつ果実が実るかわからない。そのため果実を実らせている木はわずかしかなく、見つけるのが難しい。果実食の霊長類は、ほかの動物に食べられてしまう前に果実を見つけることができるよう、果実が熟した頃合いを見抜くだけでなく、森の中のどこに果実を実らせる木が生えているかを記憶して、いつ実りそうかを予測できなければならないのだ。

そのため果実食の霊長類は、脳の中に大量の情報を蓄えて、周囲の空間的・時間的な地図を思い描く必要がある。野外調査や捕獲した動物の実験によって明らかになっているとおり、果実食の霊長類は果実を実らせる何本もの木の場所を覚えて、果実が熟(う)れている次の木へ素早く効率的に移動する経路を正確に計算できる。したがって当然ともいえるが、マカクやクモザルなどの果実食の霊長類は、ラングールやホエザルなど葉を食べる近縁の霊長類と比べて、脳が平均で約二五パーセント大きい[6]。そのため、より高度な社会行動を発達させて、より結束の強い集団で暮らすことができる。さらにオマキザルなど一部のサルは、単純な道具を作って利用する術(すべ)も身につけている。石をハンマーとして使って、木の実や貝を割るのだ。

類人猿の脳はなぜ大きいのか

しかしこれらのサルの知能ですら見劣りしてしまうのが、私たちにもっとも近縁の大型類人猿であるオランウータン、ゴリラ、チンパンジー、ボノボの脳で、その大きさは体重比でほかのサルの二倍に達する。おおかたの霊長類学者が考えているところによると、類人猿が大きな脳を獲得したのは、仲間と意思疎通をしたり相手を操ったりするためだったという。類人猿が集団内で複雑な社会交流をおこなっているのは間違いないし、さらには共感を抱いたり、自分自身をイメージしたりすることもできるうえに、鏡を見て自分だと気づける程度の自意識も持っているらしい。しかしこの「社会脳仮説」では、なぜ類人猿以外のサルや地上で暮らす哺乳類でなく、大型類人猿だけがこれほど賢くなったのかを説明できない[7]。また、めったに近隣の個体と出くわさないオランウータンの知能があれほど高い理由も説明できない。最初に何か別の要因が働くことで類人猿の知能が向上し、そのあとでその一部が高いレベルの社会性を発達させたのではないだろうか。

私が類人猿の知能の進化について考えはじめたのは、いまからだいぶ前、研究者としてまだ駆け出しのころ、まったく別の研究のためにボルネオ島サバ州の森林を訪れたときのことだ。熱帯雨林の樹木が幹と根のあいだに巨大な板根(ばんこん)を作る理由を探るという研究である。滞在した研究センターには何人かの若いイギリス人研究生がいて、オランウータンがその巨大な脳を何に使っているかを調べていた。彼らはある仮説を検証しようとしていた。その仮説とは、類人猿は森の中のどこでいつ果実が熟すかを地図として思い描いて予測するために、より高い知力を必要とするようになったというものである。

だが私には納得がいかなかった。すでに同じ仮説に基づいて、果実食のサルが葉を食べるサルよりも知能が高い理由が説明されていた。そのため、オランウータンが同じ森に暮らしてほぼ同じ食物を食べているマカクよりもさらに脳が大きい理由を、この仮説では説明できそうになかった。そこで私は、動植物の身体の工学的なしくみを研究する生体力学の研究者として、この問題にまったく異なる観点から迫った。類人猿以外のサルと大型類人猿との身体的違いのうち、尾の有無を除いてもっとも目につくのは、身体の大きさである。大型類人猿はいずれも、類人猿以外のサルに比べてずっと身体が大きくて体重が重い。この違いが知能にどのような影響をおよぼすかは、容易にわかるものではない。そもそもトラは野生のネコよりも賢くはないし、世界最大の齧歯類であるカピバラもハツカネズミより賢くはない。

しかし霊長類はこれらの動物と違って、林冠で暮らしている。身体の大きい動物は小型の動物に比べて、林冠の中を、とくに木から木へと移動するのが難しい。自分の体重で枝が大きくしなって、折れる恐れも高まるからだ。また、大型の動物のほうが墜落したときの影響もはるかに深刻である。偉大な進化生物学者のJ・B・S・ホールデンは、「適切なサイズであることについて（On Being the Right Size）」（一九二八年）というタイトルのエッセーの中で次のように述べている。

「深さ一〇〇〇ヤード（約九〇〇メートル）の立坑にハツカネズミを落としても、底がかなり軟らかければ、ちょっと衝撃を感じただけで歩いていってしまう。しかしクマネズミだと死んでしまうし、ヒトだと身体が砕けてしまうし、ウマだと肉が飛び散ってしまうだろう」

小型のサルなら落ちてもほとんど無傷で済むような高さの林冠でも、オランウータンが落ちたらきっと死んでしまうだろう。そこで私はひらめいた。初期の類人猿が大きな脳を進化させたのは、危険に満ちた樹上環境の中を安全に渡り歩き、木々のあいだの最適な経路の計画を立ててその経路をたどるためだったのではないか。そのためには自分自身をイメージする能力も進化させなければならないし、自分の身体を支える枝が自分の体重でたわんで力学的環境が変化することも理解できなければならない。要するに類人猿の知能は、社会的でなく物理的な要因、つまり木の力学的性質に関する感覚に根ざしているのだ。私はこのアイデアを論文にまとめたが、当然ながら学術誌に掲載を拒否された。そもそも私は霊長類学者ではなかったし、熱帯雨林を訪れたのもこれが初めてだったし、類人猿の実際の行動に関するデータも持っていなかった。門外漢の当てずっぽうにすぎなかったのだ。私は本来のテーマである、木などの植物が自らを支えるしくみの研究に戻った。

だがそれから何年もたったころ、驚きつつもうれしいことに、私のアイデアがいまや類人猿の知能の進化に関する正真正銘の理論になっていることを知った。ダニエル・ポヴィネッリとジョン・キャントによる「よじ登り仮説」である[8]。この二人のアメリカ人霊長類学者もオランウータンについて考察したが、私と違ってこの気高い生き物を野外で長時間にわたり観察した。そして、オランウータンがかなり念入りな方法で隣の木へ移動することに気づいた。手と、ものをつかめる足で、何本かの枝を一度につかんでは、ゆっくりと慎重に身体を動かしていくのだ。ポヴィネッリとキャントも私と同じく、類人猿が自己の概念を発達させたのは、林冠を安全に移動できるようになるためだったと推論した。一九九五年に二人の仮説が発表されて以降、何人もの研究者がおこなった野外観察によって、オランウータンがとくに木の力学的性質を高いレベルで理解していることを示す証拠が次々と集まっている。

現在はバーミンガム大学に所属しているスザンナ・ソープは、スマトラ島に棲むオランウータンの身体の動かし方を長年にわたって研究し、彼らが枝の直径に応じてまったく異なる方法で移動することを明らかにした[9]。太くて堅い枝では、四本すべての脚でその上を歩いたり、枝にぶら下がって自分の身体を揺らしながら移動したりする。一方、直径四センチメートル未満の枝では、身体を水平に保ちながら枝を何本かまとめて握り、這うようにして移動するか、または頭上の枝を手でつかみながら後肢で直立して歩く。いずれの方法でも、体重が何本もの枝に分散されてはるかに安全に移動できる。さらにオランウータンは、木の幹の柔軟性を利用した方法も使う。林冠の高いところに登って身体をリズミカルに前後に動かすことで木を揺らし、隣の木との間隔を縮めて手が届くようにするのだ[10]。

木の複雑な構造を理解する

大型類人猿にとって、木の枝の力学的性質を理解できるともう一ついいことがある。枝を使って、安全に眠れる巣を作ることができるのだ。すべての大型類人猿は、林冠にお椀形の複雑な巣を自力で作ることができる(ただし、図体の大きいシルバーバックのオスゴリラは林床[森林の地表面]にとどまるのを好む)。そしてそのような巣を作ることで思いがけないメリットが生まれ、新たな可能性が開けるのだ。

類人猿以外のサルは、林冠の高いところにある枝の上で眠る。たしかにヒョウやジャガーなど地上の捕食者からは身を守れるが、危険だし眠り心地も悪いはずだ。できるだけ太い枝を見つけてその上に座り、臀部の分厚くなった皮膚に体重を預けるが、それでも夜中に何度も目が覚めてしまう。しかしお椀形の広い巣の中で眠る類人猿はずっと安全で、長く深く眠ることができる。現在はトロント大学に所属しているデイヴィッド・サムソンらは、類人猿以外のサルと類人猿とで睡眠中の神経活動を比較し、類人猿のほうがノンレム睡眠とレム睡眠が頻繁に切り替わることを明らかにした[11]。これらの睡眠のタイプは、記憶を整理して定着させるうえで重要な役割を果たし、ひいては認知能力の向上につながる。類人猿は巣を作ることでますます賢くなったのかもしれない。

巣作りなんて単純作業のように思えるし、霊長類学者もこれまでそう決めつけてほとんど関心を向けていなかった。しかし巣を作るには、枝を何本か折り取って編み合わせるだけでは済まない。庭師なら誰でも知っているし、私もカブスカウトで薪を集めるときに教わったとおり、そもそも生きている枝を曲げて木から折り取るのはほぼ不可能だ。それは枝が頑丈だからではなく、木の組織の構造ゆえ折れ方に特徴があるからだ。

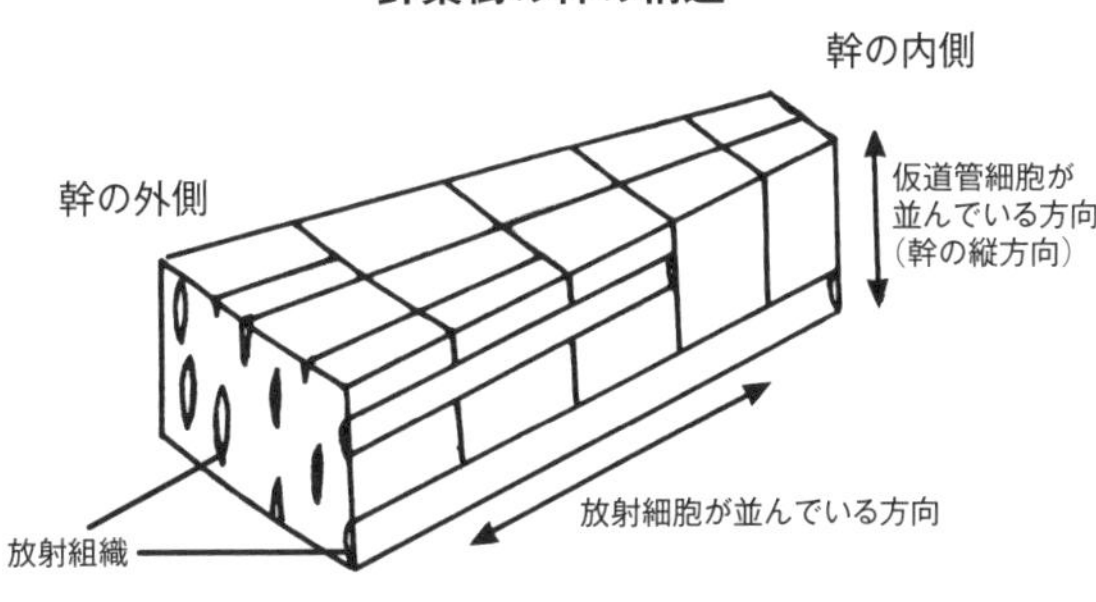

仮道管細胞は幹の縦方向に沿って並んでいる。放射細胞は中心から年輪を貫いて、樹皮に向かって放射方向に並んでいる。

木の組織はかなり複雑な構造をしているが、力学的な折れ方にもっとも大きく影響するのは、細胞のマクロな並び方である[12]。木を構成する細胞のほとんどは、幹や枝の縦方向に並んでいる。木に強度を与えている細長い仮道管や、水を通す広葉樹の太い道管などがそうだ。それと異なる方向に並んでいるのは、放射細胞だけである。放射細胞は髄から樹皮に向かって伸びる車輪のシャフトのような放射組織を作っていて、この方向における幹の強度を高めて年輪どうしをつなぎ留め、幹がばらばらになるのを防いでいる。

このような複雑な構造をしているせいで、木は方向によって力学的性質が異なる[13]。木目を断ち切るように折ろうとしても、仮道管の壁が邪魔してなかなか折れない。しかし木目に沿って割るのは、仮道管どうしが簡単に離れるし、放射組織を何本か折るだけですむので簡単だ。枝を縦に細く裂くのは、放射組織どうしのあいだに亀裂が走るため、とくに容易である。このため木は横方向よりも縦方向のほうが強度が八〜一〇倍高いし、ほとんどのタイプの木は、年輪と接する「接線方向」よりも、中心から広がる「放射方向」のほうが、強度が二〇〜五〇パーセント高い。これと同じ傾向が、耐えるべき力の大きさにも当てはまる。幹や枝が重力や風による曲げの力に耐えられるのは、木目の走る方向の強度と剛性が高いからだ。縦方向に走る繊維は、枝が曲がる際にかかる縦方向の張力や圧縮力に耐えられるような、理想的な並び方をしているのだ。

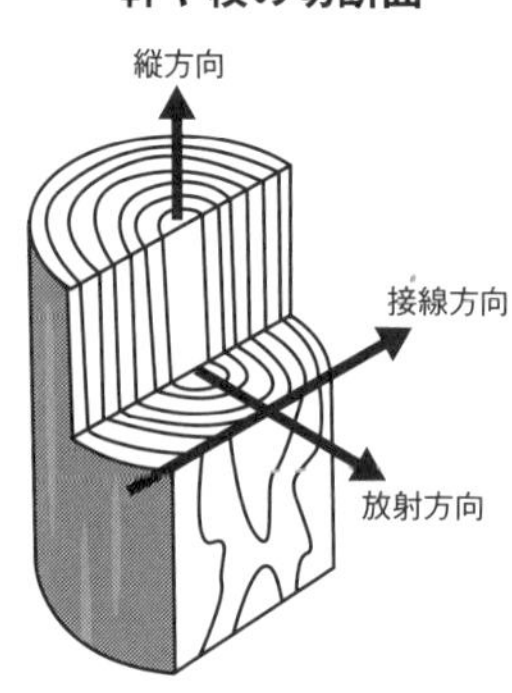

生きている枝を折り取るのがほぼ不可能なのも、このような構造をしているせいだ。まだ乾燥していない枝を曲げると、外側の組織は引き伸ばされて、内側の組織は押しつぶされる。すると一般的に、まず張力に屈し、ニンジンやセロリのスティックのように横方向に亀裂が入りはじめる（次ページの図参照）。しかしそれだけでは完全には折れない。亀裂が枝の中心まで達すると、亀裂の伸びる方向が変わって、仮道管と放射組織のあいだの弱い中心線に沿って広がっていく。どんなに力を入れても縦方向に裂けるだけで、半分はつながったままだ。子供の長い骨が折れるときも、これと似たような折れ方をする。それを若木骨折といい、奇しくも木から落ちたときによ

く起こる。私が面倒を見ていた博士課程の学生アダム・ヴァン・キャステレンは、スマトラ島に滞在しながら、オランウータンが枝の柔軟性を使ってどのようにして木から木へ移動するかを調べていた。そこで彼に、オランウータンは巣作りをする際にこの「若木破砕(はさい)」の問題をどうやって克服しているか調べるよう指示した。

アダムはインドネシア・アチェ州の熱帯雨林で、日中にオランウータンを追跡しては、日暮れに彼らが巣を作る様子を観察し、翌朝にその木に登って巣を調べ、その構造の力学的試験をおこなった。そうして得られた知見は、スザンナ・ソープの博士課程の学生ジュリア・マイアットが撮影した、オランウータンの巣作りの様子を収めた動画でも裏づけられている。オランウータンは、身体を預けられる水平で頑丈な枝を探してから、それを支えにして巣を作っていく[14]。初めに、身を乗り出して片方の手で太い枝を引き寄せ、若木破砕の要領でその枝を折って内側に曲げ、最後に枝どうしを編み合わせる。そうして、長さ約一二〇センチメートル、幅約八〇センチメートルの楕円(だえん)形をしたお椀形の巣を作る。しっかりした構造体ができたらその中に座り、腕を伸ばしてもっと細い枝をつかみ取り、両手で持って、まずは若木破砕の要領で折り、それ

枝を曲げたときの折れ方

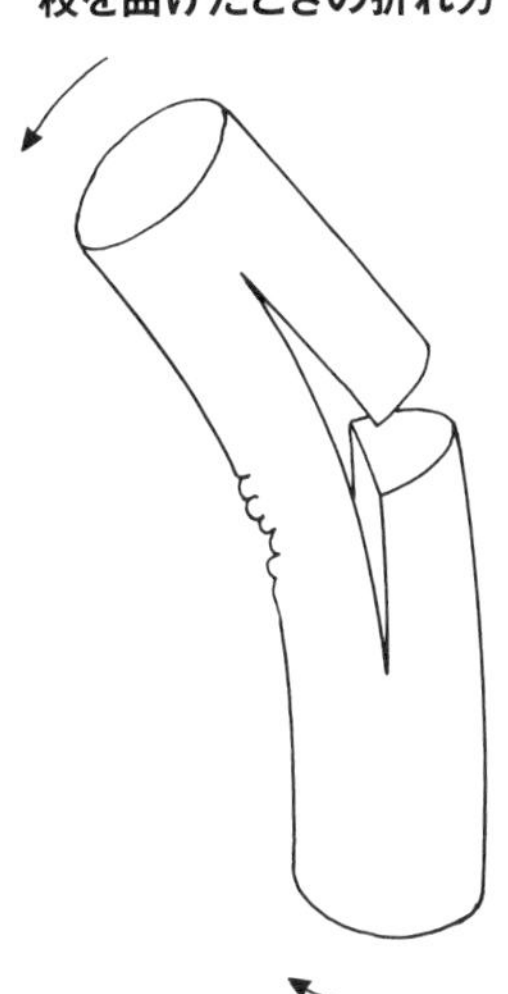

半分まで折れてから、縦方向に裂ける。これを若木破砕という。

からねじって切り離す。そして、小枝や葉がついたままのその枝を自分の身体の下や周囲に詰めてマットレスや枕を作り、最後に膝（ひざ）の上にかけてブランケットにする。この作業全体はあっというまに終わる。ジュリア撮影の動画では、オスのオランウータンはたった五分で巣を作り上げ、しかもその半分の時間は途中で休んでいる。若いオランウータンは母親の行動を観察したり自分で練習したりしながら、何年もかけて巣作りの技術を習得する。そして成体になるころまでに、見事な実践知識と、乾燥していない木の力学的性質に対する感覚を身につけるのだ。

類人猿は高度な巣作り行動をするくらいなのだから、単純な木製道具を作って使うことができたとしてもべつに不思議ではないが、霊長類学者はこれまでこの二つの能力を結びつけようとはしてこなかった。それは、彼らが厳密な定義にこだわりすぎていたからかもしれない。霊長類学者が定義する道具とは、環境と独立した特定の機能を持ち、通常は手で握るもののことを指す。この定義によれば巣は明らかに道具ではないが、それでも巣を作るには、道具作りと少なくとも同等の技術を要する。理由はともあれ、残念なことに霊長類学者は最近まで、道具作成技術の進化において巣作り行動がいかに重要であるかに気づけなかったのだ。

野生のオランウータンはほかの類人猿と比べて、作る道具の種類がかなり少ない[15]。小枝を折り取り、その先端を穴に突っ込んでシロアリをほじくり出す行動は、たびたび観察されている。また、スイス・チューリッヒ大学のカレル・ファン・スハイクは、スマトラ島スアクの湿地林に密集して暮らすオランウータンの集団が、二種類の木製道具を開発していることを発見した。一つは、木の洞(うろ)からハチミツを掻(か)き出す道具、もう一つは、セメンガンという木の果実の殻(から)をこじ開けて栄養豊富な種子を取り出すための道具である。ファン・スハイクはさらに、彼らオランウータンが季節に合わせて道具のデザインを変え、果実の殻が開いていくにつれて太い棒を選ぶようになることも発見した。ほかの集団はここまで創造的ではなく、それはおそらく動機と機会がないためだろう。ふだん果実を食べるのに道具はほとんど必要ないし、一頭ずつ孤立して暮らしていたら、道具作りの文化が発展する機会もほとんどない。それに対して飼育下のオランウータンは、手先の器用さで研究者をよく困らせる。科学機器をたやすく分解したり、頑丈なつくりの檻(おり)から脱出したりするのだ。

　野生の類人猿の中で木製道具をもっとも巧みに工夫を凝(こ)らして使うのは、チンパンジーである。チンパンジーの多くの集団が、オランウータンの使っているものに似た棒を使ってシロアリを掻き出す。またあるチンパンジーは、その目的のために二種類の道具を使う。太くて頑丈な棒を使って穴を開けてから、端のほつれたもっと細い棒を使ってその穴からシロアリを掻き出すのだ。アフリカのガボンに暮らすハチミツ好きのチンパンジーは、さらに高度な技を使う[16]。ライプツィヒにあるマックス・プランク進化人類学研究所のクリストフ・ブッシュは、彼らが一揃えの木製道具をこしらえては持ち歩き、それを使ってハチの巣を壊してハチミツを横取りしていることを発見した。細い棒を刺して巣の中に探りを入れ、先が丸くて重い棒で穴を開け、梃子(てこ)のような道具で穴を広げて奥の部屋に到達し、端のほつれた棒の先端をハチミツに浸(つ)け、細長い樹皮の切れ端をモップのように使ってハチミツをすくい出すのだ。

しかし、とりわけ創造的な道具を作るのは過酷な環境のもとで暮らすチンパンジーで、その中には現代の狩猟採集民が使っている道具にしか見えないものもある。東アフリカ・タンザニアのサバンナに暮らすチンパンジーは、雨期になると長さ三〇〜六〇センチメートルほどの掘り棒を使って土の中に探りを入れ、植物の塊茎（かいけい）を掘り出す[17]。セネガルのサバンナに暮らすチンパンジーは、さらに人間に近い驚くような能力を発揮する。テキサス州立大学のジル・プルーエッツは、メスのチンパンジーが槍を作って使う様子を観察している[18]。長さ六〇〜一二〇センチメートルほどの枝を折り取って葉をむしり取り、細いほうの端を歯で尖（とが）らせる。そしてその道具を木の洞に差し込んで、ガラゴを外に追い出したり、さらには突いたりするのだ。そうして狩ったガラゴは、植物食の栄養を補うために食べる。

大型類人猿は、その他のサルから分岐して以降、明らかに大幅に知能を向上させてきた。そのおかげで、棲み処（すみか）のまわりにある枝のしなりやすさや折れやすさに対処したり、複雑な木製の巣を作ったり、初期人類が使っていた石器よりもさまざまな点で高度な木製道具を作ったりできる。いまからおよそ五〇〇万〜七〇〇万年前にチンパンジーやボノボにつながる系統から分岐した、私たちの最古の祖先も、間違いなくそのような能力を持っていたことだろう。彼らは木を素材として選ぶ建築家や職人だったのだ。

二足歩行はどのように始まったか

このように私たちと大型類人猿には似ている点がいくつもあるが、それでもなお、私たちに特有のものとみなせる能力が一つある。二本の脚で直立歩行する能力だ。腰ほどの深さの水中をボノボが歩いているテレビ映像を見ると、その得もいわれぬさまに心を揺さぶられてしまう。ほとんどの類人猿は短い距離しか二足歩行できず、すぐに脚を曲げて前かがみの姿勢になる。チンパンジーやボノボは、開けた場所では四本の手足をすべて地面につけて移動する。掌でなく拳の角を地面につける、いわゆる指背歩行（ナックルウォーキング）だ。大型類人猿の中で、私たちのように脚をまっすぐ伸ばしてある程度直立して歩くのは、驚くことにもっとも樹上生活を好むオランウータンだけである。

最近集まりつつある証拠によると、二足歩行の進化は地上で起こったのでもなければ、よく見かける進化の図のように指背歩行を中間段階として徐々に進んだのでもないらしい。スザンナ・ソープとリヴァプール大学のロビン・クロンプトンは、私たちの祖先はまだ樹上で暮らしているあいだに二足歩行の能力を獲得したという説を提唱しており、それを裏づける証拠もある[19]。さらに私たちの祖先は、直立歩行できるようになってすぐに平原に歩み出したのではなく、長いあいだ深い森の中にとどまって林冠で暮らしていたことも、徐々に明らかになりつつある。

この仮説を支持するほとんどの証拠は、現生類人猿の研究、とくにスザンナ・ソープによる、オランウータンが林冠の中を移動する方法に関する調査から得られている。先ほど述べたとおり、オランウータンはしばしば細い枝を直立歩行で渡り歩き、そのときには手で高いところの枝をつかむ。こうすることで複数の枝に体重を分散させ、安全に移動できる。しかしそれとともに、ばねのような枝のしなりを利用することもできる。足を踏み込むと、体重で枝が下にたわんでエネルギーが蓄えられ、足を上げると枝が跳ね上がってエネルギーが戻ってくる。そのためオランウータンは、ヒトがトランポリンの上を歩くときのように、枝の上で難なく飛び跳ねることができる。

アダム・ヴァン・キャステレンは、樹上二足歩行仮説のこの面を検証するために、枝の力学的性質を調べ、オランウータンは枝をばねのようにして使ったほうが効率的に歩けるのか、そして実際にそのように歩いているのかどうかを確かめた。具体的には、何本もの枝の縦方向の曲げ剛性（曲がりにくさ）を測定し、オランウータンがその上に立ったらどれだけの速さで跳ね返るかを調べた[20]。そして、枝は複雑な動きを示すものの、枝のどの場所でも太さから曲げ剛性をうまく予測できることがわかった。オランウータンも、太さを見るだけでその枝がどれだけしなりやすいかを判断できるはずだ。また枝が素早くしなることで、歩行中のオランウータンに十分な量のエネルギーが戻ってくることもわかった。アダムはさらに、オランウータンが枝の上で跳ねている様子も何度か動画に収めた。それを受けてスザンナは、イングランドのチェスター動物園で飼育されているオランウータンを特製の梁（はり）の上で歩かせてその様子を再現し、動画に収めた。

スザンナと研究助手のサム・カワードはさらに、二足歩行を進化させるうえでのもう一つの大きな難題を解決するためにも、頭上の枝を手でつかむことが役立ったことを明らかにした。その難題とは、いかにしてバランスをとるかである[21]。この研究では実験動物としてヒトを利用した。周囲の壁に、風でわずかに揺れる木々の映像を投影しておいて、被験者に飛び込み板の上でバランスをとってもらう。うち半数は、手がかりとなる枝を模したしなやかな棒をつかむことができ、残り半数は何も手がかりがない。そうして被験者の行動を動画に収めるとともに、飛び込み板が揺れているときの大腿筋（だいたいきん）の神経活動を測定した。結果、飛び込み板が揺れると、バランスをとるために大腿筋を激しく働かさなければならないが、手がかりがあるとその活動が最大で三分の一にまで下がることがわかった。手がかりがあることで効果的にバランスをとれるようになるのだ。

したがって、樹上で直立歩行することには明らかにメリットがある。また化石の証拠からも、私たちの祖先は胴体や上肢がいまだ樹上生活に適応しているうちから、直立歩行できるよう下肢を徐々に変化させたことがわかっている。たとえば、いまから約六〇〇万年前に樹上生活をしていた最古のヒト族*の一種、オロリン・トゥゲネンシスは、大腿骨の上端が現生人類と同じく内側に曲がっていて、二足歩行できたことがうかがえる[22]。しかし手足の指はいまだ内側に湾曲し

＊本書では、チンパンジーの系統と分岐して以降のヒトの系統に属する種を指す。

ていて、木の枝をつかめるよう適応している。いまから四四〇万年前のアルディピテクス・ラミドゥスは、腰と下肢の骨がさらに直立歩行に適応しているが、足の親指はいまだ大型類人猿のようにほかの指と向かい合わせになっていて、林冠で四足歩行したり這ったりすることによく適応している[23]。最近になって、林冠での直立歩行の能力はさらにずっと昔に進化したのかもしれないことを示す発見がドイツであった。いまから一二〇〇万年前の類人猿ダヌヴィウス・グッゲンモシの下肢がアルディピテクスに似ていて、大型類人猿の中で二足歩行が何度もくり返し進化したことをうかがわせているのだ[24]。

矛盾しているようにも思えるが、このように私たちの祖先は、地上で繁栄するのに必要な身体的および知的な特徴を、いまだ林冠で暮らしていたころに発達させたことになる。だがこれから見ていくとおり、開けた場所へ進出するにはこれではまだ不十分だった。次の章では、私たちが木との関係を活かしていかにして木から下り、足で地面に立ち、真の人間になったのかをひもといていく。

第2章 木から下りる

二〇一六年、人類学者のあいだに衝撃が走った。彼らの愛娘（まなむすめ）の中でもとりわけ有名なルーシーが、高い木から落ちて非業の死を遂げていたことが明らかとなったのだ[1]。ルーシー本人は人類学者ではなく、もっとも名高い初期人類の化石である。初期のヒト族、アウストラロピテクス・アファレンシスに属し、一九七四年にクリーヴランド自然史博物館のドナルド・ジョハンソンの手で、エチオピアの三二〇万年前の地層からその骨格の大部分が発見された。そのとき発掘チームのキャンプで流れていたビートルズの『ルーシー・イン・ザ・スカイ・ウィズ・ダイアモンズ』にちなんでルーシーと名付けられ、私たちと同じく直立歩行できたのは間違いないということであっという間にスターとなった。腰の骨がヒトに似て、腸骨板が短くて仙骨（せんこつ）が幅広く、大腿骨の上端が股関節に向かって内側に曲がっており、脚を垂直に下ろすことができた。近年のさらなる生体力学的研究によって、ルーシーは現生人類と同じように歩くことができたという当初の説が裏付けられている。マンチェスター大学のビル・セラーズは、コンピュータ上でルーシーの下半身を復元し、ヒトとそっくりの歩き方ができることをシミュレーションによって示した[2]。

二〇一一年にはリヴァプール大学のロビン・クロンプトンによって、さらに古い、いまからおよそ三六〇万年前の猿人が砂の上に残した、現代のヒトとそっくりの足跡が発見された[3]。踵と母指球の跡からは、彼らがヒトに特徴的な、脚をまっすぐに伸ばした歩き方をすでにしていたことがわかる。このような圧倒的な証拠と、雨がほとんど降らないエチオピアのアファール盆地という発見場所とを考え合わせると当然だったのだろうが、当初の復元図ではルーシーは、低木が点在するだけでほかには草しか生えていない痩せた大地を歩いていたことになっていた。人類進化の晴れ舞台に最初にその脚で歩み出した少女だと思われていたのだ。それだけに、彼女が木から落ちるどころか、木の上で暮らしていたなんて、ありえない話だと思われていたのかもしれない。

しかし、ルーシーの死因を裏付ける証拠にはかなりの説得力がある。これまでずっと、ルーシーの化石骨は死後何百万年も経ってから折れたのだと決めつけられていた。ところが、テキサス大学のジョン・キャップルマンらがMRIでルーシーの骨格をスキャンしたところ、墜落死した成人の死体に見られる特徴的な骨折の跡が見つかった[4]。脚と腕の骨が圧迫複雑骨折していて、骨折面が骨の長軸に対して四五度の角度で走っていたのだ。また、木から落ちた子供に見られる若木骨折の跡も見つかった。骨が曲がるように骨折しているが、骨折面は半分まで進んだところで骨の縦方向に二手に分岐しており、ちょうど乾燥していない小枝を曲げたときと同じような折れ方をしている。

ルーシーは木から落ちたのだというキャップルマンの解釈と合致するような発見として、彼女とその近縁種は完全に地上で暮らしていたのではなく、半樹上生活をしていたことをうかがわせる証拠がいくつも見つかっている。まず、当時の東アフリカはその後の時代よりも雨が多く、サバンナ林で覆われていたらしい。また、ルーシーを含む猿人の上半身に見られる解剖学的特徴も、彼女が半樹上生活をしていたことを説得力のある形で示している。ルーシーはチンパンジーのような強い腕と曲がった指を持っていて、それらは頻繁に木登りをする生活にとって理想的だったと思われる。二〇一二年、ミッドウエスタン大学のデイヴィッド・グリーンとカリフォルニア科学アカデミーのゼレゼネイ・アレムセジドも、ルーシーの肩甲骨が類人猿のものに似ていることを明らかにした[5]。さらに二〇一六年、ジョンズ・ホプキンズ大学のクリストファー・ラフらがルーシーの骨をCTスキャンにかけたところ、腕の骨の骨壁がヒトと違って薄くなく、チンパンジーのように分厚いことがわかった[6]。ルーシーはその骨を使って木登りをしていたに違いない。極めつきに二〇一八年、いまから三三〇万年前の幼いアウストラロピテクス・アファレンシスの足の骨の分析によって、中足骨(ちゅうそくこつ)関節がルーシーのものよりもさらに湾曲しており、親指を内と外に動かして手のように枝をつかむことができたらしいことが明らかとなった[7]。かなりの時間、木に登ったり母親の身体にぶら下がったりしていたはずだ。

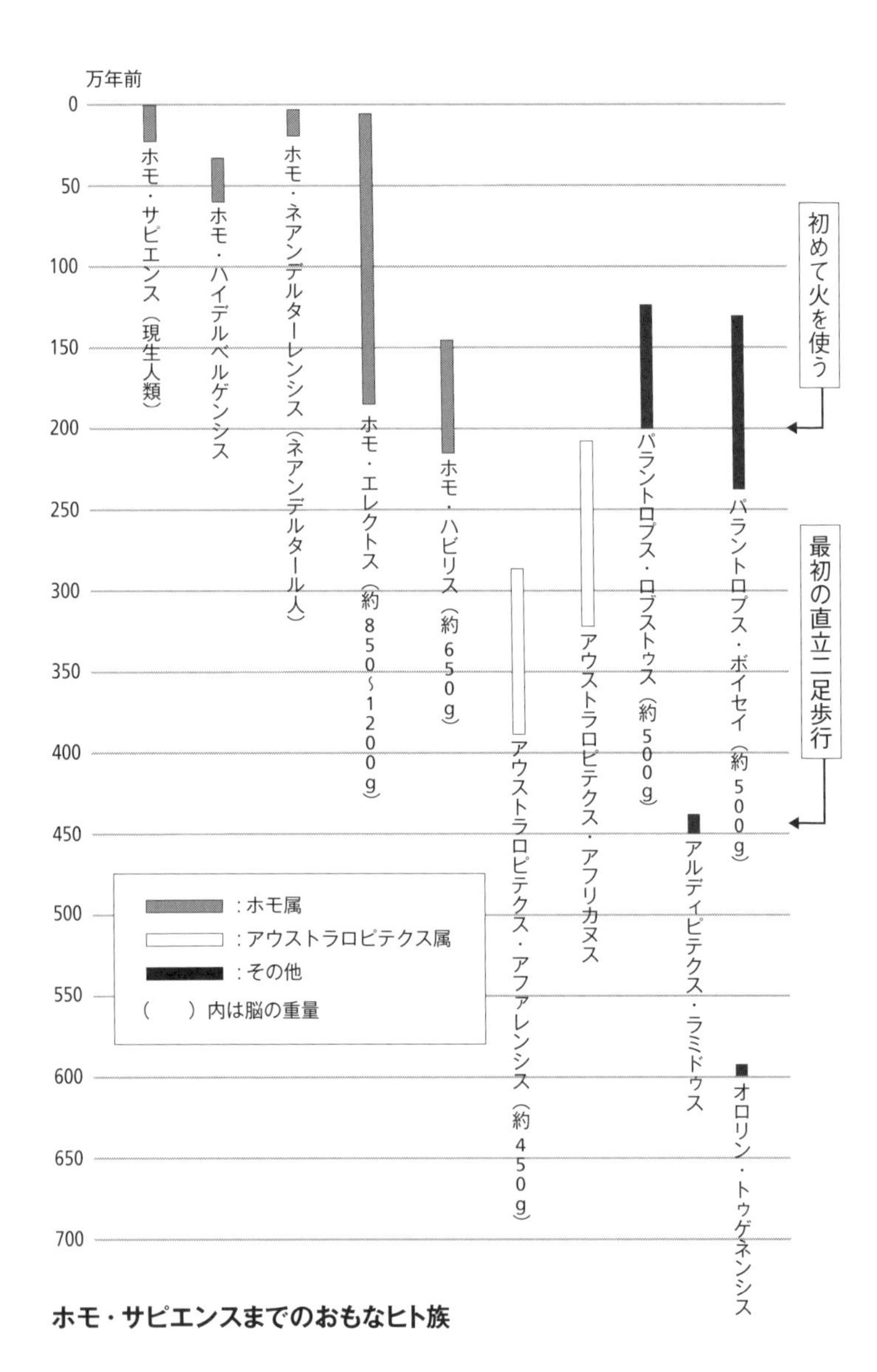

ホモ・サピエンスまでのおもなヒト族

このようにルーシーなど初期の猿人は、腰より下は私たちに似ていて、腰より上は類人猿に似ていたと思われる。それはもっと最近のヒト族にも当てはまるらしい。いまから二〇〇万年ほど前まで生きていたアウストラロピテクス・アフリカヌスも、木登りに適した長い腕と曲がった指をしている。二一〇万〜一五〇万年ほど前まで生きていたホモ属の最初の種、ホモ・ハビリスも、私たちより腕が長くて強かった。人類がようやく完全に地上生活に適応したのは、ホモ・エレクトスが出現した、いまから二〇〇万年足らず前だったらしいのだ[8]。

しかし、ヒト族が三六〇万年前にはすでに直立歩行できていたとしたら、なぜそれから二〇〇万年も木登りの能力を持ちつづけたのだろうか？　人類の歴史を解明するには、そもそも初期のヒト族が木から下りた理由だけでなく、彼らが地上にとどまりつづけるのを嫌がった理由も説明できなければならない。さらに、ホモ・エレクトスがようやく樹上生活から解放されて真の地上生活者になった経緯も説明する必要がある。

植物をとるために道具を使う

地球環境史に関する近年の研究によると、ヒト族が木から下りた理由を解き明かす鍵は気候変動にあるという。ここ二〇〇〇万年のあいだ、おもにプレートの移動によって地球全体が寒冷化してきた。インドがユーラシアプレートに衝突してヒマラヤ山脈が隆起したことで、陸上に露出したケイ酸塩岩石が大気中の二酸化炭素を吸収し、温室効果が弱まった。気候が寒冷化して、熱帯および亜熱帯地方に季節が生じ、雨期が短く、乾期が長くなっていった。その傾向がもっとも顕著だったのが、大地溝帯の形成によって山脈が隆起し、インド洋からもたらされる降水がさえぎられた東アフリカである。それまで熱帯モンスーン林ばかりだった場所が開け、川沿いの湿った土地以外では樹木が長い乾期を持ちこたえられなくなった。

そうして林床に光が射したことで、イネ科植物などの草が幅を利かせる新たな生態系、サバンナに移り変わった[9]。草は雨期にだけ成長し、乾期には枯れて、地下の球根や球茎（きゅうけい）や根にエネルギーを蓄えることで生きのびる。

この植生の変化は、森に暮らす類人猿にとって明らかにやっかいな出来事だった。前の章で取り上げた現代のサバンナに暮らすチンパンジーと同じく、彼らも林床に下りざるをえなくなったことだろう。最初はまばらに生える木のあいだを移動するだけだったが、やがて果実食を補うためにほかの種類の食物も探さなければならなくなった。現代のチンパンジーのように食物の種類を増やし、サバンナに大量にいるシロアリを食べたり、ハチの巣からハチミツを横取りしたり、ガラゴのような小型の哺乳類を狩ったりするようになったに違いない。そしてチンパンジーのように、そのための掘り棒や鑿（のみ）や槍などの木製道具をこしらえたり、乾燥に強い新たなタイプの植物が実らせる硬い実や種子を割るのに石のハンマーを使ったりしたと思われる。しかし乾期のおもな食料源は、同様のサバンナ林に暮らすタンザニアのハザ族など現代の狩猟採集民と同じく、地下の根や球根だったのだろう。

残念ながら、植物は根を食べられても何も得をしないため、根は食べづらいようにできている。根を掘り出して食べると、その植物は死んでしまう。したがって、簡単に食べられるよう適応した果実と違い、根は堅固な防御をそなえている。第一に、中に切れにくい繊維を増やして物理的に身を守っている。初期の猿人やホモ・ハビリスは、その物理的な防御を破るために歯列を進化させた。果実食の類人猿が持っていた鋭い犬歯と尖った大臼歯(きゅうし)が、分厚いエナメル質に覆われた小さい犬歯と板状の大きな大臼歯に替わり、植物の切れにくい組織を嚙みちぎってすりつぶすのに適した歯になったのだ[10]。のちの猿人、たとえばパラントロプス・ボイセイやパラントロプス・ロブストゥスはさらに、現代のハイエナと同じく、巨大な顎(あご)の筋肉の付着点となる大きな矢状稜(しじょうりょう)を頭頂部に発達させた。そのおかげで、切れにくい根をすりつぶしたり、硬い実や種子を割ったりできたと考えられている。

植物はまた、消化酵素を不活性化させる収斂(しゅうれん)物質や、食べた動物にとって毒となる物質を生成することで、化学的にも地下の貯蔵器官を防御している。猿人は、胸郭下部が広がっていることからわかるとおり、消化器官を大きく発達させることでこのやっかいな食物を消化していた。テングザルのように太鼓腹だったに違いない。しかし根を食べるうえでもっとも難しいのは、そもそも地中に埋まっている根を手に入れることである。アフリカの平原に現生する唯一の霊長類であるヒヒは、手で土を掘るが、掘り出せるのは浅いところにある球根や球茎に限られる。イボイノシシはその目立つ牙を使って、もう少し深くまで掘ることができる。ヒト族はさらに長くて深い根を掘り出すために、新たな技術を編み出さなければならなかったはずだ。前の章で取り上げたとおり、現代のサバンナに暮らすチンパンジーの中には掘り棒を使うものもいるが、その多くは太さ一・五センチメートル、長さ三〇センチメートルにも満たない[11]。そのような短くて華奢(きゃしゃ)な道具を、なぜか細くて折れやすい端のほうで持つため、浅いところの根や球根しか掘り出せないし、しかも雨期で土が軟らかいときに限られる。猿人にはもっとましな技術が必要だったはずだ。

どんな構造の掘り棒が最適であるかを実験的に調べた研究は一件もないが、さいわいにも、土から何かを掘り出すという作業は、力学的には根が太くてまっすぐな直根性の植物を引き抜くのと似ていて、それなら私自身が調べたことがある[12]。単純な力学からわかるとおり、初期のヒト族が土を掘る技術を高めるには、もっと長くて丈夫な棒を折り取って利用しなければならなかったはずだ。太さが二倍になれば、剛性は一六倍、強度は八倍になる。土を掘るのに使えば二倍の深さまで掘れるだろう。さらに、棒の先端を尖らせて土の中に簡単に刺し込めるようにする必要もあった。しかし木材が朽ちやすいことを考えると、初期のヒト族の進化した時代から掘り棒が一本も見つかっていないのも当然だろう。発見されている最古の掘り棒はいまからわずか一七万年前のもので、イタリア・トスカーナ州南部のポジェッティ・ヴェッキ遺跡で私たちと近縁のネアンデルタール人が作ったものである[13]。長さは一〜一・三メートル、直径は二・五〜四センチメートル、細いほうの端を火にかざして焦げた部分をこすり落とすことで先端を尖らせている。

ハザ族の女性など現代の狩猟採集民が使っている掘り棒は、さらに大きくて洗練されている[14]。長さは九〇センチメートルを超え、太さは四センチメートルほど、重さは五〇〇グラム〜一キログラムほどだ。ハザ族はこの道具を使って、ニンジンやパースニップですら見劣りするような見事な根を掘り出す。彼らの好物であるササゲ属の根は、長さが約一・二メートルもあって栄養価が高い。ハザ族の女性は、掘り棒の尖った先を地面に何度も突き刺して土を砕いてから、軟らかくなった土を梃子の原理で掘り出す。とても効率的な方法で、一族が一日に食べる量の根を二、三時間で収穫できてしまう。

これらの掘り棒はかなり洗練されているが、それもそのはず、ハザ族は鉈などの鉄器を使って、週に一度ほど新たな掘り棒を切り出しては先端を尖らせている。一方で猿人は金属も使えなかったし、初期にはおそらく石器も持っていなかっただろうから、ネアンデルタール人やハザ族の掘り棒のような大きなものは作れなかったと思われる。それでも初期のヒト族には、もっと太くて長くて頑丈な棒を作る術を身につけるという、強い選択圧*がかかったに違いない。それが推進力となって、木の枝を切ったり先端を尖らせたりできる鋭利な刃の石器が作られるようになったのかもしれない。そしてそのような石器を作るためと、掘り棒を効率的に扱うためには、親指がほかの指と完全に向かい合った、握力の強い手を進化させなければならなかっただろう。

木の組織構造を利用する

初期のヒト族は掘り棒を使う際に、木の優れた力学的性質を活用したと思われる。前の章で述べたように、枝を曲げたときに折れる様子は木の組織構造に左右される。しかし枝の強度、剛性、靭性は、つまるところ細胞壁自体の分子構造によって決まる[15]。細胞壁の剛性が高いのは、ヘミセルロースを主成分とする軟らかい基質の中にセルロースの結晶性微小繊維が埋めこまれていて、その基質がさらにリグニンという高分子によって固定されているためだ。その構造の美しい点は、繊維が細胞の長軸に対して約二〇度の角度でコイル状に巻きついて、長軸方向での細胞の強度を高めていることである。また細胞壁が壊れると、繊維のコイルが引き伸ばされたばねのようにほどけて、組織から何千本もの髪の毛状の繊維が突き出し、破断面がざらざらになる。このときに大量のエネルギーが吸収されることで、靭性がガラス繊維のおよそ一〇〇倍にもなり、さらなる破断を防ぐ。もっと剛性の高い人工建造物をも破壊するようなハリケーンにも樹木が耐えられたり、木製ボートがガラス繊維製のボートよりはるかに衝突に強かったりするのも、このおかげだ。

木の組織には、木自体にとっては役に立たない二つの性質があり、初期のヒト族は思いがけずそのうちの一つにも助けられたようだ。木が折れて乾燥しはじめると、力学的性質が向上するのだ。これは生物材料としてはかなり珍しい性質で、骨や角(つの)や爪は水分を失うと弱く脆(もろ)くなる。しかし木の細胞壁が乾燥すると、ヘミセルロースの基質から水分が蒸発して堅くなり、セルロース繊維どうしがずれにくくなる。そうして剛性は上がる一方で、セルロース繊維自体によって決まる強度や靭性は変わらない。サバンナの乾期に湿度が六〇パーセントに下がると、一般的に木の水分量は三〇パーセントから一二パーセントに低下し、剛性は三倍になる。初期のヒト族もそれ以降の人類と同じく、この性質の変化を活用したのだろう。まだ乾燥していないうちに掘り棒の先端を歯や鋭利な石で尖らせておき、乾燥して剛性が上がってから使ったのかもしれない。完全に乾燥した掘り棒なら、乾燥していないものに比べて約一・五倍深い穴を掘ることができただろう。

　このように、初期のヒト族は二足歩行をしながら半樹上生活を送る類人猿だったととらえるのが一番だろう。脳は現代のチンパンジーと比べてさほど大きくはなかった。ルーシーの脳は重さ約四五〇グラム、のちのパラントロプス・ボイセイやパラントロプス・ロブストゥスは約五〇〇グラム、ホモ・ハビリスは六五〇グラムだった[16]。彼らは現代のサバンナに暮らすチ

木の細胞の構造

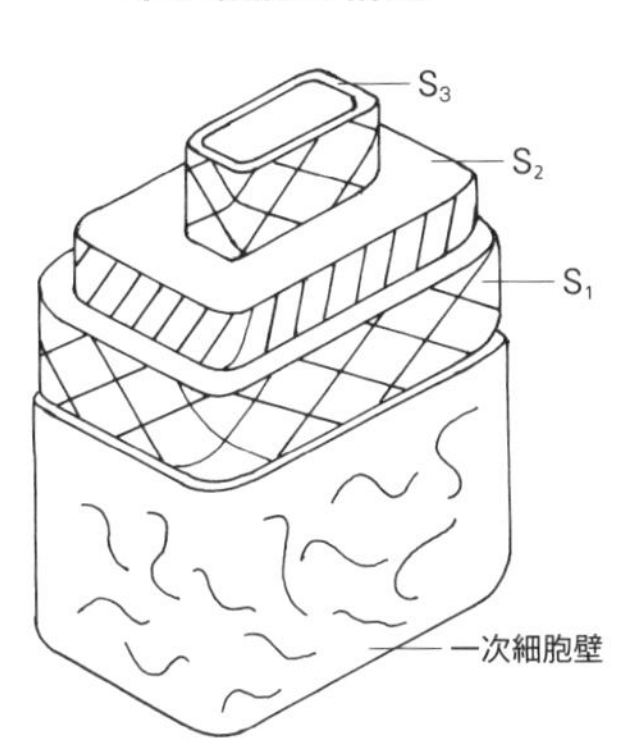

二次細胞壁（S_1〜S_3に分かれる）のS_2層の中にあるセルロース繊維が、細胞の長軸方向に対しておよそ20度の角度でらせん状に巻きついている。

＊自然選択を促す作用。

ンパンジーに似た行動をとって、幅広い植物質を食べていたが、中でも根の割合が多く、木製道具を作って扱う能力も高かったはずだ。第4章でくわしく述べるが、いまから三二〇万年前にはオルドワン石器と呼ばれる原始的な石器も使っていて、手もそのような石器を握るのに適した形に進化していた。

しかしまだ全身が毛で覆われていたし、腕と肩が強く、指が曲がっていて枝をつかめるようになっているなど、上半身が林冠に登れるようなつくりになっていたのはほぼ間違いない。ルーシーたちが暮らしていたサバンナでは、草原の中に森が点在していたり木がぽつんと生えていたりしていたはずだ。しかしそれだけ地上や地中で食物を探し回っていたとしたら、依然として樹上に戻ることがあったというのも変な話だ。ずっと木から下りていてはまずいような、何か大きな問題があったに違いない。

現代のアフリカの平原を見渡せば、その問題が何だったのかは明らかだ。サーベルや三日月刀のような剣歯を持ったネコ科動物、および現代のライオンやハイエナの祖先といった捕食者に食べられる可能性がとても高かったのだ。アフリカの平原に現生する唯一の大型霊長類であるヒヒは、捕食者の問題にひどく悩まされている。初期のヒト族と比べると、身を守る力ははるかに高い。犬歯は巨大だし、完全に成長したオスは体重が四〇キログラムと、多くの大型ネコ科動物よりも重い。それでもヒヒは身を守るために二〇～二〇〇頭の集団で暮らさざるをえないし、夜もぐっすりとは眠れない[17]。睡眠の専門家であるデイヴィッド・サムソンらによれば、動物園に飼われているヒヒですら、一晩で一八回も目を覚まし、休眠時間のうち実際に眠っているのはわずか六〇パーセント、そのうち深いレム睡眠に入るのは一〇パーセントほどしかないという。それに対し、巣の中で眠るチンパンジーではその割合は一八パーセント、現代のヒトでは二二パーセントである。

大きな脳を働かせるうえで深い眠りが重要であることを考えると、比較的無防備だった初期のヒト族にとって木に登る能力は、生きのびて知的なふるまいを発達させるうえで欠かせないものだったのだろう。彼らもサバンナのチンパンジーのように、依然として林冠に巣を作ってその中で眠っていたのは間違いない。林冠に登るのは、果実を探したり、掘り棒を折り取ったり切り取ったりするためだけでなく、一晩中安全に休める巣を作るためでもあったと思われる。ルーシーはきっと、朝か夕方、樹上での日課の最中に事故で死んだのだろう。

木を燃やす

では初期のヒト族は、どのような経緯で木から完全に下りるようになったのだろうか？　私たちの祖先が夜間に地上で捕食者から身を守る方法として考えられるのは、火を使うことくらいである。ここで木の思いがけない第二の性質が関わってくる。木は、とくに乾燥していると燃えやすく、燃えるときに大量の熱と光を発するのだ。

木の組織が燃えやすくても、木自体にとっては何の役にも立たない。それはもう一つの幸運な偶然にすぎないが、生きているほとんどの木、とくに熱帯雨林に生えている木は、じつはきわめて燃えにくい。前にも述べたとおり、生きている木の細胞壁には大量の水分が含まれていて、乾燥重量のおよそ三〇パーセントにも達する。しかも、幹や枝の表面近くにある辺材の細胞内は水で満たされているため、木の幹には乾燥重量の三倍もの水が含まれている。木を燃やすにはその水をすべて加熱して蒸発させなければならないが、そのためには、木が燃えるときに放出される量の三分の一ものエネルギーが必要となる。乾燥していない枝を火にかざすと、温度が上がるのにしばらく時間がかかり、それからようやくしてパチパチシューシューと音が出はじめて、両端から水や水蒸気が出てくる。雷が落ちると木が裂けるのは、細胞内の水が蒸発するからだ[18]。雷の電気エネルギーによって水が加熱され、水蒸気が発生してそれが爆発的に膨張し、枝の先端から水蒸気が出てくる間もなく幹が裂けるのだ。だが、落雷そのもので木に火がつくことはめったにない。森林火災が発生するとしたら、それは木のまわりにある乾燥した草や小枝に火がつくことによる。

乾燥した木が燃えるプロセスはとても複雑だが、どのようにして火をおこして制御すればいいかはそれで決まるため、ここでくわしく説明しておきたい。細胞壁の素材は化学的に安定で、一〇〇℃を超えても分解しない。セルロース繊維がリグニンによってしっかりと束ねられているため、木をぐつぐつと煮込んでも食べられるようにはならない。水の沸点を超えると、細胞の中に閉じ込められていた水分が蒸発するが、一五〇℃まではそれ以外の変化は何も起こらない。その後、セルロース繊維のあいだにあるヘミセルロースが結晶化してさらに堅くなる。それによって木の組織自体は硬度が上がるが、同時にセルロース繊維が細胞壁から飛び出せなくなるため、はるかに脆くなる。第4章で説明するが、人類はこの「火で硬くなる」効果を活用してきた。

二〇〇℃くらいになるとようやく木の組織が分解しはじめる。セルロース、ヘミセルロース、リグニンという巨大高分子が切れはじめ、もっと小さいさまざまな液状物質の分子が生成してくる。熱分解と呼ばれるこのプロセスでエネルギーが放出され、燃焼を引き起こす熱がようやく発生する。温度がさらに三〇〇℃まで上がると、これらの小分子が蒸発してその一部が空気中の酸素と反応し、炎が上がってさらに熱が発生する。このとき、気体の一部が炭素の微粒子とともに出てきて、煙となって放出される。細胞壁が完全に分解すると、最後には炭素だけが残り、木の組織が木炭に変わる。炭素は、熱分解で発生する揮発性の化学物質と違って蒸発せず、四八〇℃になってようやく燃えはじめる。このとき表面の炭素が酸素と反応して、二酸化炭素とエネルギーが発生する。だが木炭からは蒸発するものが何もないため、炎も煙も上がらない。燃えさしが赤熱するだけなのはそのためだ。

燃焼のプロセスが理解できたところでおわかりのとおり、焚き火をおこすうえで重要なのは熱分解が始まる温度にまで加熱することだが、いったんついた火を燃やしつづけるには木の表面に酸素を供給しなければならない。また、その火を大きくするには、そばに十分な量の木を置かなければならない。そのため、火をおこすにはまず、簡単に温度が上がって火がつく細かい木切れを、隙間（すきま）を十分に空けて積み上げる。火がおこったら、徐々に大きい木切れをくべていく。温度が上がって熱分解が起こり、木切れが燃えはじめたら、もう温度は十分に上がっているので、丸太をくべても赤熱してくれる。これであとは勝手に燃えつづける。

マッチやライターを使わずに火をおこすのは容易ではない。現代の狩猟採集民がよく使うのは、木の棒どうしをこすり合わせて熱を発生させたり、火打石どうしをぶつけて火花を発生させたりするという方法だ。初期のヒト族にはどちらもできなかっただろうが、さいわいにもいくつもの要因が彼らに味方をしてくれた。第一の要因が、そもそも彼らを地上に導いた気候変動である。サバンナでは乾期、湿度が約六〇パーセントにまで下がって、強い日射しと風によって枯れ木があっという間に乾燥し、細胞壁の中に閉じ込められている水分がわずか一二パーセントにまで減る。そうしてはるかに燃えやすくなる。サバンナではまた、落雷によって枯れ草が燃えることで野火がたびたび発生する。そうするとチーターや猛禽（もうきん）類などの捕食者が集まってきて、炎に驚いて飛び出してきた小型の哺乳類や鳥を仕留める。サバンナのチンパンジーも野火に近づき、燻（いぶ）された豆を集めて食べる。初期のヒト族も現代の狩猟採集民と同じく、このような行動を手本にして、火で殻が割れて軟らかくなったさまざまな種子や木の実を集めては食べていたのだろう。

自然に発生した火を見つけて利用できさえすれば、その火を燃やしつづけるのはさほど難しくない。オーストラリアのアボリジニはずっと昔から、火を使って周囲の環境をうまく管理してきた。藪の一角に火をつけて種子や昆虫に火を通すとともに、食べられる植物の発芽を促すのだ。それによって一帯の風景は変化してきた。火に強いユーカリの木が成長して、いまではオーストラリアの低木地帯を支配するまでになったのだ。アボリジニはくすぶっている丸太を持って藪の中を移動し、必要な場所に火をつける。丸太の火を絶やさないようにできるのなら、定住式の宿営地で火を燃やしつづけ、夜になったら火を大きくして捕食者を遠ざけることなどたやすいだろう。初期のヒト族も、そうすることでようやく地上に安全にとどまりつづけられるようになったと思われる。

火を使った調理の始まり

定住式の宿営地を築き、焚き火を囲んで腰を下ろせるようになったことは、ほかにもいくつかのメリットをもたらしたはずだ。サバンナの夜は冷えるものだが、初期のヒト族は焚き火のおかげで暖をとれただろう。また火の明かりのおかげで、一人一人が道具の作成や修理などの作業に使える時間が延びた。さらに、食料を融通したり情報を交換したりと、さまざまな社会交流の機会も生まれた。火を絶やさなくなったことで、実用技術と社会的スキルの進化がどちらも加速したのだ。

しかし焚き火がもたらしたさらに重要な恩恵は、食料を調理できるようになったことだろう。

人類学者リチャード・ランガムは二〇〇九年の著書『火の賜物』の中で、調理をするようになったことが現生人類の進化における重要なステップの一つだったと、説得力のある形で論じている。半樹上生活を送る二足歩行の類人猿からヒトらしい姿になるまでにはいくつか大きな段階を経てきたが、そのうちの一つが調理だったのだという。ランガムが指摘しているとおり、肉や植物を調理することには、力学的性質と化学的性質に対する二つの効果があり、それによって初期のヒト族は消化器官と食事行動を大きく変えることができたのだろう。

食物を調理するには、その動物が生きていたときの体温よりもずっと高い温度にして構造材をばらばらにする。肉の場合、構造材の中でもっとも重要なのは長い鎖状のたんぱく質であるコラーゲンで、そのロープのような分子が組み合わさってシート状になった筋膜が筋細胞を取り囲んで構造を支えている。生肉のつなぎ目にあるスジはその筋膜でできていて、生きていたときには、筋細胞が生み出した力を筋肉の端から伸びる腱に伝える役割を果たしていた。肉を加熱するとこのコラーゲン分子が分解して筋膜が弱くなり、肉が軟らかくなる。とくにシチュー用の肉など硬くて安い肉は、筋線維が細くてスジが多いため、加熱して軟らかくする。ヒレやランプなど、もっと高い肉にあまり火を入れなくていいのは、筋線維が大きくてコラーゲンが少ないからだ。

植物も調理することで軟らかくなる。細胞壁どうしを接着させているペクチンが分解するとともに、細胞壁の中でセルロース繊維を束ねているヘミセルロースが弱くなる。しかし熱だけではセルロース繊維も分解されないし、木の細胞の細胞壁からリグニンが失われることもない。そのため、草や熟れすぎた豆に含まれる筋張った繊維は、どんなに長時間調理しても軟らかくはならない。

調理によって食物を力学的に分解することには、大きなメリットがある[19]。食物の剛性と靭性が大幅に下がり、力学的な処理がはるかに容易になるのだ。食物をばらばらにするために歯にかける力も小さくなるし、食物の細胞の中身もずっと簡単に出てくるようになる。食物をばらばらにするうえで最適な歯の形も変わってくる。太くて平らな板状の歯に大きな力をかけて、切れにくい食物をすりつぶしたり硬い食物を割ったりするよりも、咬頭(こうとう)*の突き出した大臼歯で軟らかい食物を嚙み砕くほうが望ましい。力もはるかに弱くて済むし、はるかに短い時間でばらばらになる。現代の狩猟採集民が食物を嚙んでいる時間は一日一時間にも満たず、比較的軟らかい果実を食べる類人猿の五〜六時間よりもはるかに短い。これによって、火の番をしたり定住式の宿営地を築いたり、道具を作ったりさらに食物を探したりするなど、ほかの作業に充てられる時間がかなり増える。

しかし、食物を調理することで起こる変化の中でさらに重要なのは、化学的な分解である[20]。

* 歯冠上部の突起。

現代のヒトで調べたところ、生の食物から吸収できるエネルギーが六〇パーセントであるのに対し、調理した食物では八〇パーセントと、はるかに多くのエネルギーを吸収できることがわかっている。しかも調理することで、食物の消化に必要なエネルギーは約一二パーセント少なくなり、消化にかかる時間は半分になる。初期のヒト族では、食物を調理できる個体のほうがうまく生きのびることができて、若いうちから繁殖でき、集団を大きくすることができただろう。短時間で効率的に消化できれば、腹部を大きくする必要がなくなって、繁殖や大きな脳の維持にエネルギーを振り向けられる。葉を食べるサルよりも果実食のサルのほうが脳を大きくできるのと同じように、食物を調理していたヒト族は、生の食物を食べつづけていた個体よりも大きな脳を維持できただろう。

調理をすることのメリットを知るには、生の食物しか食べない健康マニアの身体に何が起こるかを見るのがいちばんかもしれない。生食主義者は、食物を呑み込む前にいくら念入りに噛みつぶしたところで、消化にいくつもの問題を抱え、決まって体重を減らして体調を悪くする。一般的に、男性で約二〇キログラム、女性で約二五キログラムも体重が減るし、生殖可能な女性の半数以上で生理が止まり、明らかに健康を損なう。

このように、火を使うことにメリットがあったのは明らかだが、私たちの祖先が正確にいつ火を使いはじめて身を守ったり食物を調理したりするようになったのかは、そこまで定かでない。化石の証拠から見ると、食物を調理しはじめたことで予想される歯や骨格の形状の変化は、いまからおよそ二〇〇万年前に起こったと考えられる[21]。一目見てヒトとわかる最初のヒト族、ホモ・エレクトスが出現したころだ。

ホモ・エレクトスは、初めて火を使った者としてのチェック項目をすべて満たしている。第一に、つねに地上にとどまっていたことを示すような形で骨格が変化している。上半身も現生人類に似て、肩が華奢で指がまっすぐ、木登りは明らかに苦手だった。夜間に地上で身を守る何らかの術を持っていたのは間違いない。身を守るのにも、また調理をするのにも火を使っていたとすると、頭蓋骨、とくに歯の変化も辻褄（つじつま）が合う。猿人やホモ・ハビリスでは平らな板状だった大臼歯が、ホモ・エレクトスでは私たちのものとそっくりな、小さくて咬頭のある歯に変わっていて、調理した軟らかい食物しか嚙めないようになっている。顎の筋肉も大幅に小さくなっている。猿人にあった矢状稜や大きな筋肉の付着点は、ホモ・エレクトスにはもはや見られない。最後に、腰の形が私たちにそっくりで、生の食物を消化するための太鼓腹を支える必要がなくなったことをうかがわせる。

しかしホモ・エレクトスでもっとも際立った変化は、脳がはるかに大型化したことである。脳の重さは、初期のホモ・エレクトスで約八五〇グラム、もっとも新しい化石で約一二〇〇グラムもあり、最初のころに共存していたであろうほかのヒト族よりもはるかに重い。そのような大きな脳に栄養を与えるには、簡単に嚙み砕いて消化できる調理済みの食物を食べるしかなかっただろうし、それによって社会的・実用的なスキルを大幅に高めることができたのだろう。

化石の証拠によると、火が使われはじめたのがいまからおよそ二〇〇万年前であるというのはかなり確実だが、初期人類に関係する焚き火の跡という形の直接的な証拠はほとんど残っていない[22]。それはべつに驚くことではない。焚き火の跡はたいてい数日か数週間しか残らないし、もっと長く残りそうな洞窟の中でも二五万年以上残るのは稀(まれ)で、やがて風化して岩の上から消えてしまう。それでも驚くほどたくさんの遺跡に、いまから一五〇万年前の人類が木を燃やした証拠が残っている。そのような遺跡としては東アフリカのクービ・フォラ遺跡やチェソワンジャ遺跡などがあるが、ヒトが火を操っていたことを示す確定的な証拠が初めて見つかったのは、イスラエルのゲシャー・ベノット・ヤーコヴ遺跡である。いまから七〇万年前のその遺跡では、さまざまな深さの地中から木炭や木の切れ端とともに、焦げた火打石や、炉床(ろしょう)を縁取っていた小石が見つかっている。

このように、人類が火を使いはじめた時期に関してはいまだ決着がついていない。しかし正確な年代はさておき、初期人類に関する現代の研究で明らかになった事柄の中でももっとも注目すべきは、人類が地上で暮らすうえで鍵となったのが、木の利用、とりわけその思いがけない二つの有用な特徴を活用したことであるという点だ。初期のヒト族は地上生活の第一段階で、木が乾燥すると剛性が上がるという性質を利用して掘り棒を作り、地下の栄養貯蔵器官である根という新たな食料源を掘り起こすのにそれを使った。第二段階では、私たちの属するホモ属の初期の種(しゅ)が、乾燥した木の燃えやすさを活かして火をおこし、捕食者から身を守ったり、食物を調理したりした。私たちが木から脱出して地上生活に移行した際には、皮肉にもその木を形作っている材料との関係を深めたことが役に立ったのだ。

第3章

体毛を失う

デズモンド・モリスの著書につけられた『裸のサル』というタイトルは、ヒトのふるまいに関する彼の考え方を見事に表現していて、一九六〇年代に流行語となった[1]。人々の好奇心を刺激してとてつもない売り上げをもたらしただけでなく、私たちが自分自身に対して感じていることを完璧にとらえている。私たちを類人猿から分け隔てる身体的特徴の中でももっとも際立っているのは、体毛がないことである。体毛の有無は想像力を激しくかき立てるようで、現代社会では体毛は悪者扱いされているくらいだ。手の甲に毛が生えてくる場面は狼（おおかみ）人間の映画では定番だし、ロバート・ルイス・スティーヴンソンの小説の主人公ハイド氏の獣性の象徴でもある。また脱毛産業は、二〇一七年には世界中で推計八億八〇〇〇万ドル規模になっている。

しかし体毛がないという特徴は、陸上で暮らす哺乳類の中ではきわめて珍しく、ヒトのほかに思い浮かぶのはハダカデバネズミくらいだ。だから現生人類の進化について語るには、私たちがいつ、そしてなぜ体毛を失ったのかをどうしても説明しなければならない。これから述べるとおり、その答えはけっして完全には明らかになっていないが、またしても私たちと木との関係が大きな役割を果たしていたらしい。

毛は化石にならないため、私たちの祖先が正確にいつ毛皮を脱ぎ捨てたのかを知るのは不可能だ。しかし現代の分子遺伝学のおかげで、この問題にある程度光を当てられるようになっている。ここで注目するのは、発毛でなく皮膚の色を司る遺伝子である[2]。体毛を失ったこと（もっと正確にいうと、毛包（もうほう）が短く細くなったこと）による影響の一つが、皮膚に届く有害な太陽光が増えたことである。類人猿は分厚い毛皮に覆われて皮膚の色がかなり薄かったため、体毛を失ったばかりのヒト族は有害な紫外線を吸収するメラニンをもっと多く生成しなければならず、それによって皮膚が黒くなっただろう。

この変化には、メラノコルチン1受容体（MC1R）遺伝子の変異が関わっていたらしい。ユタ大学のアラン・ロジャーズらによると、現代のアフリカ人のMC1R遺伝子には、ヒト族が最初に体毛を失って以降に蓄積してきた非表現変異*が多数含まれているという。当時の人口が比較的少なくて、数百万でなく数千だったと仮定すると、そのような非表現変異はゆっくりと蓄積

＊形質が変化しないような遺伝子変異。

してきたとしか考えられない。それを踏まえてロジャーズは、ヒト族が体毛を失ってから現在までに少なくとも一二〇万年が経過したはずだと算出した。最初に体毛を失ったと考えられるホモ・エレクトスは、二足歩行をして、木がどんどん減っていくサバンナで小集団で暮らし、火を使って捕食者を遠ざけたり食物を調理したりしていた。

狩猟仮説と体温調節

では、体毛を失うきっかけとなったのはいったい何だろうか？　人類学者のあいだで広く受け入れられている説によると、初期人類は体毛を失ったことで、進出した暑いサバンナでも涼しく過ごせたのだという。この説はきわめて魅力的だし一見もっともらしいため、一九六〇年代にはリヴァプール・ジョン・ムーアズ大学のピーター・ウィーラーをはじめ、多くの人々に支持された[3]。なんといっても、寒ければ重ね着をするものだし、暑ければ服を脱ぐものだ。体毛も服と同じく、暖かい空気を身体のまわりに閉じ込めて優れた断熱効果をもたらす。したがって体毛がなくなれば、対流によってもっと素早く熱を発散できる。

また、体温を下げるもう一つの手段である発汗も可能になる。皮膚表面から水が蒸発するとエネルギーが奪われて、体温が下がる。一度毛皮をぬらすよりも、裸の皮膚から汗を蒸発させるほうが簡単だ。そのため、毛むくじゃらの身体よりも裸の身体のほうが、発汗によってより多くの熱を発散させることができる。霊長類を含め、毛皮を身にまとったほとんどの哺乳類は、あえぎ呼吸をして口の粘膜から水を蒸発させることでほとんどの熱を発散させるが、ヒトでは発汗が蒸発冷却のうちの大きな割合を占めている。私たちは発汗のおかげで、ほかの哺乳類の何倍も速く全身から熱を発散させられるのだ。

発汗によってあまりにも効率的に熱を発散させられるだけに、人類学者はこれまで、人類の進化におけるもう一つの進歩においても体毛の喪失は欠かせない役割を果たしたとすら提唱してきた[4]。その進歩とは、大型動物を狩る能力を獲得したことである。初期の人類はその体格のせいで、アンテロープやヌーやシマウマなど、アフリカの平原に暮らす大型哺乳類を狩るのに苦労していたと思われる。追いつけるほど足が速くはなかったし、押さえつけるほど力も強くなかっただろう。この狩猟仮説によると、初期の人類は汗をかいて体温を長時間低く保つことができたおかげで、暑い日中でも獲物の動物より長い距離を長時間走れたのだという。しばらく追いかけていれば、獲物のほうが体温が上がりすぎて動けなくなり、捕まえてやっつけることができる。カラハリ砂漠に暮らすサン族は、アンテロープを二～五時間にわたって追いかけ、倒れ込んだところを仕留めることで知られている。サン族がこの方法でネジツノレイヨウを追いかけて狩る様子を収めたBBCの動画もある[5]。

しかし、はたしてサン族は体毛がないおかげでこの能力を持っているのか、それは定かでない。サバンナでは彼らのほかに、リカオンとブチハイエナという二種類の哺乳類もこの方法で狩りをするが、どちらも獲物と同じく全身が毛で覆われている。さらに狩猟採集民の社会の中でも、このように持久力を使った狩りはあまりおこなわれていない。たしかに汗をかけば体温を低く保てるが、それによって大量の水分が失われてしまうという難点があるからだろう（アメリカ陸軍の新兵は、砂漠での訓練中に一時間で四リットル以上もの水分を失うという）。体重の二パーセント以上の水分が失われると、脱水によって命を落としかねない。現代の狩猟民なら水筒を持ち歩くことで身体の水分量を保てるが、初期の人類が水を持ち運べる容器を発明していたという保証はない。

しかしこの狩猟仮説には、人類学者がめったに取り上げない、さらに根本的な難点がある。日中の暑いさなかには、じつは体毛に覆われているよりも裸のほうが熱を多く吸収してしまって、もっと積極的に身体を冷やさなければならないのだ[6]。そのようなことになるのは、気温がヒトの体温である三七℃を上回って、対流により熱が体表に運ばれてくるときだけだと思われるかもしれない。サバンナでそこまで気温が上がるのは稀で、日中の通常の最高気温は三〇℃ほどである。

ところが、身体と外界との熱移動の中でもっとも大きな割合を占める放射について考え合わせると、話は違ってくる。晴れた暑い日、体毛のないヒトの身体は、熱い地面から発せられる長波長の放射（赤外線）に加えて、太陽からやってくる短波長の放射（ほとんどが可視光）をもっとずっと大量に吸収する。身体に吸収される放射の総量は一平方メートルあたりおよそ八〇〇ワットにも達し、体内で発生するエネルギーの量をはるかに上回る[7]。体毛のある動物では、毛包の層によってこの放射がほとんどさえぎられるため、毛皮の表面が熱くなっても皮膚は体温と同じ温度に保たれる。そのため、サバンナに暮らすほとんどの哺乳類は深い森に暮らす近縁種と比べて体毛が濃いし、胴体の上面は太陽光をさえぎるためにとくに体毛が密集している。彼らは分厚い毛皮に守られているおかげで、裸のヒトよりもはるかに少ない水分で体温を低く保てるのだ。

砂漠ともなると、日中に体温を低く保つことはますます難しくなる。そんな中でも、「砂漠の船」とも呼ばれるラクダは胴体の上面がとくに分厚い毛皮に覆われているし、そこにまたがる人はゆったりと垂れ下がったローブを身にまとう。もう一つ、体毛の断熱効果によって説明できるのが、ヒトの頭頂部が濃い毛で覆われている理由である。それは、私たちにとってもっとも重要な器官、脳を冷やすためだ。脳の温度調節をするうえで髪の毛がいかに重要か、それを聞いてイングランドのクリケットチームのサポーターたちが思い出す逸話がある。一九九四年、イングランドのオールラウンドプレーヤー、クリス・ルイスが、西インド諸島への遠征の最初に髪の毛を剃った。するとすぐさま熱射病で倒れ、ウォーミングアップだったはずの開幕試合を欠場したのだ。脳の温度を低く保つうえで頭髪はあまりにも重要で、アメリカ先住民やアフリカ人など暑い地域に暮らす人は、北ヨーロッパの寒い地方に暮らす白人と比べて男性型脱毛症の割合が低いくらいだ。おそらく、頭髪の断熱効果が失われることによるデメリットがあまりにも大きくて、禿(はげ)げ頭に不利な選択圧が強く働いているのだろう。

寄生虫対策

さらに、読者のうち少なくとも半数は、狩猟仮説のもう一つの問題点に気づかれているかもしれない。それは、性的偏見が組み込まれていることである。この理論を追究してきた研究者（ほぼ全員が男性）は、狩猟という、男性だけがおこなうものとされる活動にしか目を向けていない。ほとんどの時間を採集に費やすか、または男性が獲物を持って帰ってくるのをただ待っているだけとされる女性の役割は、完全に無視している。女性が根を掘り出したり、火をおこしたり、調理したりするうえで、体毛のないことがどのように役立ったのか、いっさい説明していない。狩猟仮説を信じるならば、女性は代謝を進めるうえで冷却の必要性がさほど高くないのだから、男性よりも体毛が濃くなければおかしいのに、実際にはその逆なのだ。

そこで近年、何人かの科学者がある代替仮説を支持しはじめた。一八七四年に博物学者のトーマス・ベルトが提唱したその仮説とは、ヒトはノミやシラミなどの外部寄生虫を減らすために体毛を失ったというもので、それならば男女ともに当てはまる[8]。この仮説によると、体毛の喪失が起こったのは、初期の人類が一人ずつ巣の中で眠るのでなく、半定住式の宿営地で集団で暮らしたり眠ったりするようになったからだという。それによって外部寄生虫が宿営地に集まり、深刻な問題になっていった。たしかに殺虫剤が登場するまで、私たちもそのような寄生虫にはかなり苦しめられていた。マットレスにはトコジラミが、髪の毛にはアタマジラミが、陰毛にはケジラミがたかっていた。さらに、一九三種の霊長類の中で唯一ヒトだけに寄生する、ヒトノミという寄生虫もいて、これはおそらく私たちが定住地で暮らしているからこそ生きていられるのだろう。幼虫が床に落ちて、有機物を含む室内のごみの中で暮らし、さなぎから成虫になると新たなヒトを見つけて嚙みつくのだ。

外部寄生虫は血を吸ういまいましい存在というだけでなく、発疹チフスやさまざまな紅斑熱、腺ペストなど、危険な感染症の病原体の運び手でもある。そのため初期の人類には、外部寄生虫の数を減らすような形態的特徴にとって有利な選択圧が強く働いたことだろう。この外部寄生虫理論によれば、そのための最良の方法は体毛を失うことである。たしかに私たちの歴史上の経験ともうまく合致する。第一次世界大戦中、兵士の髪の毛を短く刈ることで、シラミが大幅に減ったのだ。その「ショートバック・アンド・サイド」というヘアスタイルは、一九六〇年代まで男性のファッションの定番だった。体毛が短く細くなると、皮膚についているノミやシラミを目で見つけやすくなるだけではない。イングランド・シェフィールド大学のイザベル・ディーンとマイケル・シーヴァ゠ジョシーが最近おこなった研究によると、ヒトの細い体毛は優れた運動検出器として作用し、どこに寄生虫がいるかを感じとれるのだという[9]。最後にこの外部寄生虫理論では、男性よりも女性のほうが体毛が少ない理由も納得のいく形で説明できる。女性は男性よりも長く宿営地にいることで、寄生虫にたかられやすかったのだろう。

このように外部寄生虫仮説のほうが、ヒトが体毛を失った理由をうまく説明できると思うが、どちらの仮説を好むにせよ、体毛喪失のメリットがその重大なデメリットを補って余りあるものだったのは間違いない。ホモ・エレクトスの中でも裸の個体は、日中のオーバーヒートとはまったく違う体温調節の問題を抱えていただろう。夜になると身体がすごく冷えやすかったのだ。

現代の人類は断熱性の体毛を生やしていないため、気温の変化にうまく適応できない。すべての恒温動物は幅広い範囲の気温で快適に感じ、代謝量を上げなくても深部体温を一定に保てる。その気温の範囲内では、たとえば縮こまったり仰向けになったりするというように、ふるまいを変えるだけで体温を調節できる。ここまでの話から予想できるかと思うが、私たちヒトが快適に感じる気温の上限はかなり低くて、暗い日陰でも三六℃くらい、下限はかなり高くて二五℃くらいだ。そのため、気温が二八～三二℃くらいの熱帯雨林なら裸でも快適に暮らせる（熱帯雨林に暮らす人たちは衣服をほとんど身につけていない）が、それ以外の地域ではそうはいかない。

サバンナでは日中は暖かくて、たとえばセレンゲティの平均最高気温は二六～二九℃だが、上空にほとんど雲がないし熱帯雨林よりも空気が乾燥しているため、夜間には平均気温が一四～一六℃まで下がる。さらに困ったことに、晴れわたった夜には上空の気温が地上より二〇℃も低くなる。少なくとも風が吹いていないと、身体と周囲との熱移動はおもに放射によって起こるため、身体からは夜空に向けて大量の熱が放射される（日没後の祭りや野外劇でどんなに寒い思いをするか、首や肩がどれだけこわばるか、思い出してみてほしい）。このためセレンゲティでは夜間、体感気温が六～一〇℃くらいにまで下がってしまう。この地域に旅行する人は、寒い夜にそなえてセーターやジャケットを持っていくよう勧められる。いまから一二〇万年前に東アフリカのひらけた平原で暮らしていた裸のホモ・エレクトスも、夜は寒くてあまり眠れなかったことだろう。

木造の小屋と体温調節

この難題を克服する方法として考えられるものが三つある。その一つは、捕食者から身を守るために夜通し燃やしつづける焚き火のまわりに群がるという方法だ。たいていの人なら、若いころにキャンプファイヤーを囲んで、火に面した身体の側を暖かく感じた経験があるはずだ。しかし火と反対側の面や、空を向いている肩の上は冷たくなってしまう。野外では、冷たい地面にもあっという間に熱を奪われてしまう。

身体を温かく保てそうなもう一つの方法が、動物の毛皮を寝具として使うというものだ。だが、身体的な進化のせいで寒い思いをすることが多くなったのに合わせて、それを補うように行動も進化していったとは、ちょっと考えにくい。しかも衣服や、それを作るのに必要な針などの道具の具体的な証拠が登場するのは、もっとずっとのちのことである。なめし革は三〇万年前、縫い合わせた布はたった二万年前だ[10]。

そのため、ホモ・エレクトスは体毛を失う前からすでに、夜間に身体を温かく保つのに役立つ行動をしていたというほうが、はるかに可能性が高い。宿営地に雨よけのための設備を建てていて、それが身体を温かく保つのにも役立ったのだろう。雨期なら雨よけをしたくなるのも当然だ。

大型類人猿はみな、身体がぬれるのを嫌がる。たとえばスマトラ島のオランウータンは、眠るための巣の真上に二つめの巣を作り、それを天蓋(てんがい)にして雨をよける[11]。ずっと以前から眠るための巣を作っていた初期の人類なら、雨をよけるための単純な小屋を建てるのも苦ではなかっただろう。現在でも多くの狩猟採集民が、サバンナに生えている木から切った細い枝を使って半定住式の小さな小屋を建てている。まず、地面に円形に並んだ穴をいくつか掘って、そこに枝の太いほうの端を差し込み、類人猿が巣を作るのと同じ要領で上の端を結び合わせる[12]。骨組みができたら、葉や動物の毛皮をかけるか、泥を塗りつける。

旧石器時代の小屋はいっさい残っておらず、初期の人類が小屋を建てていたことは証明できないが、それはけっして驚くことではない。現代の狩猟採集民が建てる小屋も、使われなくなってから数週間ないし数か月で壊れてしまい、あとには何も残らない。しかしタンザニアのオルドヴァイ峡谷にある、いまから一八〇〇万年前の人類の野営地では、ヒトの骨とともに、建物が立っていたことをにおわせる証拠が見つかっている[13]。いくつもの石が直径四メートルの円形に並んでいて、円形の小屋または風よけを安定させて補強するのに使われていた可能性がある。この解釈には異論もあって、多くの人類学者がこのサークルは自然にできたものだと主張しているが、もしかしたらこれは人類が建築を始めた証拠なのかもしれない。

粗末な木造の小屋などでは、隙間から冷たい空気がどんどん入ってくるからほとんど暖なんてとれないだろうと思われるかもしれないが、じつはかなり効果があって、夜の冷たい上空の空気からさえぎってくれるものなら何であっても役に立つ。都市樹木が気候におよぼす効果を研究している、私の博士課程の学生デイヴィッド・アームソンが示したところによると、日中に木陰に入ると最大で一〇℃は涼しく感じられるが、夜間になると葉が冷たい上空からさえぎってくれるため、逆に一〜二℃暖かく感じられるという[14]。そのような理由から、タンザニアのハザ族など現代の狩猟採集民は、乾期だけではあるがいまだに木の下で眠る。

さらに、睡眠の専門家であるデイヴィッド・サムソンらの最近の研究によると、木の下で眠るよりも簡素な小屋の中で眠るほうがさらにメリットが大きいという。サムソンらは、ヒトが夜間にこれだけ長く深く眠れるようになった理由を明らかにしたいと思った。そこで、雨期には女性が建てた草葺きの簡素な小屋の中で夜を過ごすハザ族を調査し、彼らの睡眠がさまざまな要素によってどのような影響を受けるかを調べた。睡眠に影響を与えそうな雑音などの要素とあわせて、単純な気象観測装置を使って気温・湿度・風速も測定し、小屋の内外での体感温度を算出した[15]。その結果、小屋によって風が弱まり、また冷たい上空からさえぎられるおかげで、小屋の中では外よりも体感温度が四〜六℃高く、快適に眠れることがわかった。

したがって、初期のヒト族が体毛を脱ぎ捨てることができたのは、木造の小屋の中で眠っていたからこそだろう。そうして人類は木細工の技術への依存度を高めていって、火をおこしたり、もっと手の込んだ小屋を建てたりするようになり、やがてほかの素材を使ってシーツや衣服を作るようになった。話が逆のようにも聞こえるが、人類はこれらの作業の腕を上げていったことで、どんどん寒い地方に移住できるようになっていったのだろう。体毛を失ったことで私たちは否応なしにもっと器用になり、ほかの動物と違って環境に適応するのでなく、自分たちの知能に頼って環境を操るようになった。かなりか弱い霊長類が世界征服を果たした一因は、体毛の喪失にあったのだ。

第4章 道具を使う

人類の世界に魅了されている人たちにとって、各地の博物館よりも楽しい観光地はなかなかない。初めての町を訪れたとき、その土地の様子と歴史を体感するにはうってつけの場所だ。なぜこの場所に町が築かれたのか？　なぜこのような町になったのか？　魅力的で古風な博物館は、まさに町の威信と、地元の人々の情熱や好奇心の証しである。スーツに山高帽という恰好の男性と、ふくらんだスカートにエプロン姿の女性が写っている色褪せた写真、職人の道具、建物や船の模型、動物の剥製や人の骸骨といった過去のお宝を見ていると、何よりも私たちの祖先が甦ってくるようだ。

博物館に入ると決まって、まずはその土地の地理や地質に関するコーナーがあり、化石のコレクションを通った先には「石器時代初期のX村」といった大きな展示がある。想像で作られたジオラマには、何千年も昔のX村の様子が再現されている。毛皮の腰布を巻いた太古の男性が、槍を持ってマンモスなどの大きな獲物に忍び寄っているか、竿にシカを吊して宿営地に戻ろうとしている。女性はもう少し露出度の低い毛皮を着て、焚き火のもとで彼らを出迎えている。そのジオラマの正面にあるマホガニー製の展示ケースには、石器がずらりと並んでいる。ただの小石にしか見えない原始的なものから始まって、しずく型の美しい握斧(あくふ)、薄い剝片でできた矢尻、なめらかに磨いて作られた斧頭へと年代順に並んでいて、先史時代を学んだ学生にはきっとおなじみの、人類の石器の進化を教えてくれる。

石器の研究が人類学と考古学を席巻しはじめたのは一八三一年のこと、デンマーク人古物収集家のクリスチャン・トムセンが、石器・青銅器・鉄器と、道具の主要な素材に基づいて「人類の時代」を分類するという概念を導入したときだった。トムセンのこの考え方を、イギリス人のジョン・ラボック男爵が発展させて世に広めた。ラボックは一八六五年の著書『先史時代(*Prehistoric Times*)』の中で、石器時代をさらに旧石器時代と新石器時代に分けた[1]。ヨーロッパにおける中石器時代が定義されたのはそれからかなりのちのことだが、これには賛否両論がある。

ラボック以降、考古学者は膨大な時間と労力を費やして、石器を分類しては年代順に並べ、作り方や使い方を再現してはその進化をつぶさに追いかけてきた。そうして、太古の祖先たちの暮らし、とくに物質文化は石との関係性に支配されていたとする世界観を徐々に固めていった。道具を初めて使ったのは、「石器時代」初期の人類だと広くみなされるようになっていった。史上初の道具は石器であって、彼らの世界は石器に支配されており、初期の石器の精巧さは彼らが卓越した精神を持っていた証しであるとされていたのだ。

石器神話はどこが問題なのか

一九世紀から二〇世紀前半までは、このような考え方は完全に筋が通っているように思われていた。そもそも、初期のヒト族の時代から現在まで残っている人工物は石器くらいしかなかった。毛皮や植物の繊維や木材など、有機物でできたものは、とうの昔に朽ちてしまっている。しかしここ五〇年、霊長類学者や人類学者による数々の新発見のおかげで、一九世紀の人類学者によるこれらの考え方がことごとく成り立たないことがいまではわかっている。

第一に、私たちに近縁の類人猿もさまざまな道具を作っていることが明らかになっていて、「人類は最初に道具を作ったからほかの動物よりも優れているのだ」などと得意げになることはもはやできない。第二に、類人猿の作る槍や鑿（のみ）、掘り棒や巣などほとんどの道具は石でなく木でできているし、初期のヒト族が類人猿から木細工の技術を受け継いだのもほぼ間違いない。したがって、初期のヒト族が最初に使った道具も石でなく木でできていたと思われる。第三に、石器信者たちの手による初期のヒト族の生活の再現図にすら、彼らが動物を狩ったり、植物の根を掘り出したり、小屋を建てたりするためにもっぱら木製道具を使い、捕食者を遠ざけたり、暖をとったり、調理をしたりするために木を燃やしていたことが、はっきりと示されている。各地の博物館に展示されていたその手のジオラマを思い出してみると、たしかにほとんどの道具は木でできていた。男性は木製の槍を使って獲物を仕留め、それを木製の竿に吊して運んでいた。宿営地では、女性が木製の小屋のそばに立ちながら、焚き火で食物を調理していた。石器の使い道はというと、殺した動物を捌いたり、皮膚を剥いで毛皮をとったりするだけだった。

極めつきとして、初期の石器は考古学者の主張と違ってけっして洗練されてはおらず、とくに類人猿が手際よく作る巣と比べると見劣りしてしまう。最初期の石器の一つである、いまから三三〇万〜二五〇万年前のオルドワン石器は、そのへんで適当に拾った小石とそっくりだし、いまから二二〇万年前に起こったアシュール文化の剝片石器ですらかなり粗雑なつくりだ。何よりも、石どうしを叩きつけたり、骨や木片で石を叩いたりしただけで、適当に作られている。およそ二〇〇万年前から作られはじめた握斧はたしかにもっと見栄えがするし、明らかにデザインされて作られたことがわかる。しかし握斧ですら、たった二〇分で作ることができるし、要は両側が鋭利なしずく型の石の剝片にすぎない。そのつくりは何十万年もほぼ変わっておらず、知能が向上した証拠はほとんど見られない。幼い子供でも感動して博物館に持っていこうと思うような精巧な石器が出現したのは、それからかなりのち、いまからおよそ一〇万年前の後期旧石器時代に高度な二次加工技術が編み出されてからのことだった。そうしてようやく、現代の短剣や銛、返しのついた矢尻に似た鋭利な刃物が作られるようになったのだ。

このように石器は、これまで考えられていたのと違い、初期人類にとってけっして斬新でもなければ、その生活の中心にあったわけでもない。しかしどんな学問でもそうだが、ひとたびある考え方が定着してしまうと、新参者がそれを打ち崩すのはなかなか難しいようだ。いまだに人類学者は石器の重要性をことさらに強調し、それ以外の素材でできた道具を無視しつづけている。たとえばリチャード・リーキーが書いた、それ以外の面では驚くほど明快な著書『ヒトはいつから人間になったか』には、ホモ・エレクトスの集団生活の一日をかなり具体的に描写した一節がある[2]。そこでは、大人の女性は「頑丈な棒」を使って塊茎を掘り起こしているが、幼い少女はかなりの時間を石器作りの練習に費やしている。一方で男性は、アンテロープを石の「見事な一撃」で仕留め（どうも現実味がないが）、「先の尖った短い棒」を突き刺している。この本では木のことにはいっさい触れられていない。人類の進化に関するたいていの本と同じく、「木」という単語は重要視されておらず、索引にすら載っていない。なぜ初期の人類は、実際には石器をめったに使わなかったのか？　なぜ比較的小型の石器しか作らなかったのか？　なぜ、ものを切り刻むのにしか使わなかったのか？　それを知るには、石と木の構造や力学的性質を比較して、その違いをはっきりさせる必要がある。

　石の性質は、その構成、つまり無機物質の結晶や非晶質の塊でできていることに由来する。花崗岩などの火成岩は、融けた溶岩が固化することで形成される。砂岩や頁岩などの堆積岩は、火成岩などの破片が押し固められたもので、石灰岩は死んだ生物の無機質の骨格が化石化したものである。石の剛性と硬度がきわめて高いのは、原子どうしが強く結合しているからだ。そのため、衝撃を与える道具としては理想的である。石で木の実や骨を叩いたら、形が崩れるのは木の実や骨のほうで、石の運動エネルギーはすべてそれらを破壊するのに使われる。石にはいっさいエネルギーが吸収されない。しかし二個の石を互いにぶつけると、エネルギーの行き場がないため、結晶の中や隙間にあっさりとひびが入って、一方または両方の石が割れる。石は脆くて容易に割れるため、もとから弱い方向が決まっていない燧石などの石どうしをうまくぶつけることで、思いどおりの方向にひびを入れて鋭利な縁を作ることができる。石が硬いおかげで、そのような鋭利な縁はものを切るのに理想的である。尖った場所を肉や骨などもっと軟らかいものに押しつけたりすべらせたりして切っても、その大きな圧縮力に耐えてくれる。そのため、燧石で作った鋭利な石器は、動物を捌いたり皮膚を剝いだりするのにとても適している。

しかし石には、脆いという大きな欠点がある。表面の小さなひびが容易に反対側まで延びてしまうため、張力には弱いのだ。黒板のチョークのように棒状にすると、簡単に折れてしまう。そのため、石器の一種である石包丁は、張力が大きくならないよう短くて分厚くしなければならない。また、たとえ石槍を作れたとしても、あまりに壊れやすくて使えない。一回投げただけでばらばらになってしまうだろう。

それに対して木は、前に述べたとおり、圧縮力と張力の両方に耐えられるように進化してきた。とりわけ木目方向には強く、木の幹や枝は曲げの力に見事に耐えられる。乾燥した枝はさらに優れた性質を持っていて、強度と靭性は生の枝と同程度、剛性は三倍もある。そのため木は、掘り棒や槍を作るのに理想的な素材である。剛性が高いため曲げの力がかかっても折れ曲がらないし、靭性が高いため衝撃にも耐えられるし、毛皮や土に穴を開けられるくらいの硬度もある。道具を作るのも比較的容易である。乾燥前の柔らかいうちに、切ったり曲げたり細工したりして成形してしまえばいい。

　このため当然ながら、初期のヒト族が使っていた大型の道具のほとんどは木でできていて、石器は小型の刃物に限られていたものと推測できる。彼らの小屋は近縁の類人猿が作る巣を上下逆さまにしたものにほかならなかっただろうし、槍や掘り棒もサバンナのチンパンジーが作って使っているものに似ていただろう。さらに、木製道具と石器とで、製作の際の計画にはほとんど違いがなかったと思われる。現代の類人猿がこしらえる道具は、眠るにしても穴を掘るにしても狩りをするにしても、作ってすぐにその場で使われるし、枝や小枝の状態から手が加えられることもほとんどない。たとえば類人猿が槍を作るときには、葉や側枝を手で剥ぎとって、細いほうの先端を歯で尖らせるが、それ以外は「拾ったままの状態」で使う。いびつで曲がっているし、計画を立てて見通しを持って作ったようにはけっして見えない。初期の人類が動物の死骸を捌くときに使っていた石の包丁や掻器・削器にも、それと同じことが当てはまるだろう。その場で作って使っていたのだ。

　したがって、初期の人類が石器を作っていたという事実や、石器の詳細な作り方からは、知能の段階的な変化はほとんど読みとれない。人類が成功を重ねていった様子がもっともはっきりと読みとれるのは、木製道具、とくに武器の発達である。そのような道具の発達を踏まえれば、ヒトの知能の進化を描き出すこともできるだろう。

木製道具による知能の進化

ヒト族が初めて知能を大きく向上させたのは、石器を獲物の処理だけでなく、木製道具の製作にも使いはじめたときだったはずだ。それは、初期のヒト族がサバンナに進出したときのことだったと思われる。乾期に根や塊茎を掘り出すためにもっと太い掘り棒が必要になったうえに、ガラゴよりも大型の獲物を狩るためにもっと大きな槍が必要になった。また、身を守る小屋を建てるためにもっと太い枝を使わなければならなくなった。初めて完全な地上生活を送ったヒト族であるホモ・エレクトスは、そのために石器を使わざるをえなかったはずだ。小さな前歯では槍や掘り棒を尖らせることもできなかったし、樹上生活をしていた祖先よりも弱い腕では、小屋に使えるような太い枝を折り取ることもできなかっただろう。道具の先端を尖らせるには石の掻器・削器を、枝を切り落とすには石の包丁や斧や鋸（のこぎり）を使う必要があった。ホモ・エレクトスは史上初の木細工職人になるしかなかったのだ。そうして彼らは、その場で使う道具だけでなく、別の道具を作るための道具も作る初の霊長類になった。

木細工作業をしていた最古の証拠は、じつはホモ・エレクトスが出現して間もない時代に見つかっている。一九八一年にイリノイ大学のローレンス・キーリーとニコラス・トースが、ケニアのクービ・フォラ遺跡で発見されたいまから一五〇万年前の石器の表面に、木細工に特徴的な摩耗の跡を発見したのだ[3]。二〇〇一年にはマドリード大学のマヌエル・ドミンゲス＝ロドリゴらが、いまから一六〇万年前のタンザニア・ペニンジ遺跡で見つかった剥片石器や握斧の刃に、アカシア由来のシュウ酸カルシウムの結晶が付着していることを発見した[4]。それはこの握斧が木細工に使われていたことを示す証拠で、摩耗のパターンからも、枝を切るなどの過酷な作業に使われていたことが裏付けられている。

そんなことはたいした進歩ではないと思われるかもしれないが、石器を使って槍を作れるようになるためには想像力を飛躍的に向上させる必要があり、これは知能と社会構造が大きく前進したことを示している。テュービンゲン大学のミリアム・ハイドルによると、チンパンジーが槍を作るのと初期の人類が同様の道具を作るのは、一見したところ似た作業のように思えるが、じつはとてつもない違いがあるという[5]。チンパンジーは、いつどこで使うかに合わせて、槍のあらゆる特徴を変える。手で葉や側枝を剥ぎとり、歯で細いほうの端を尖らせる。一方、ヒト族が握斧を使って槍を作る際には、実際の作業こそ必ずしも複雑ではないものの、二つの工程を、ときに違う場所で違う時間におこなっていた。まず握斧を作り、それからその握斧を使って槍を作っていたのだ。したがってこの工程全体では、いわゆる作業記憶を使って過去の情報を統合するだけでなく、構成的記憶と呼ばれるものを使って未来の行動をイメージする必要もあった。

ハイドルはこの二つの工程をさらに細かく分析するために、槍を一本作り上げるのに必要なすべての作業ステップと作業対象を分類して数え上げ、「コグニグラム」というものをまとめ上げた。チンパンジーの槍作りは一四ステップからなり、作業対象は自分の身体・材料・道具と三つある。それに対してヒトの槍作りは二九ステップからなり、作業対象は八つと、二倍以上複雑なのだ。

握斧を作る工程と槍を作る工程は、必ずしも同じ人がおこなう必要はなかった。私がアーミーナイフ（ほかの人が作ったもの）を大事にしていつも持ち歩いているのと同じように、初期の人類も、誰か別の人が作った握斧を持ち歩いていたかもしれない。したがってこの槍作りの工程は、単にホモ・エレクトス一人一人の知能が向上したことだけでなく、社会構造が拡大したことの証拠でもあるのかもしれない。しかしハイドルらによる分析の大きな強みは、たとえほかに何も証拠がなくても、初期の人類の知能や社会的一体性が向上していった様子を追跡できることにある。道具製作の進歩を分析するだけで、知能の進化を推測できるのだ。

だが、このようにしてヒトの知能の進歩を追跡する方法には、木製道具そのものの証拠が欠けているという大きな難点がある。道具が作られていたことを示す最古の痕跡から一〇〇万年のあいだは実際の木製道具がいっさい見つかっていないため、ホモ・エレクトスがどのような道具を作っていたかはわかっていない。そのため多くの人類学者が、木製道具の重要性、とくに初期人類の狩猟能力に疑問を抱いてきた。おおかたの見解では、ヒト族は最近までせいぜいのところ日和見（ひよりみ）的な清掃動物であって、大型草食動物の死骸を奪いとることしかできず、刺し傷を与える小さな槍で肉食動物を追い払っていただけだろうと考えられていた。しかし近年になって木製の槍が次々に発見されたことで、初期の人類に関する私たちの考え方は大きく変わりはじめている。

チームワークによる狩り

木製道具の保存条件が満たされるようになったのは、人類がもっと寒くて湿った地域に移住してからのことだった。ヨーロッパに初期人類の優れた考古学的記録が残っている大きな理由の一つは、寒い地域に堆積した湿った酸性の泥炭土によって木などの有機物が腐食から守られ、驚くほど完全に近い状態で保存されたことである。八歳のとき、デンマークのオーフス近郊にあるシルケボー博物館で、完璧な保存状態のトーロンマンの死体を見てぞっとしたことをいまでも覚えている。とくに顔はまるで生きているかのようで、顎には無精ひげまで生えていた。いまから二〇〇〇年以上前に儀式の生贄(いけにえ)にされた人物で、私はそれから何か月も悪夢にうなされ、死のことが頭から離れなかった。

最初に記録された木製道具は、一九一一年にアマチュア先史学者のサミュエル・ハズルダイン・ウォレンがイングランド・エセックス州の四五万年前の堆積物の中から発見した、クラクトンの槍である[6]。これによって、初期の人類が木細工技術を持っていたことをうかがわせる初の手がかりが得られた。この「槍」は実際には長さ四〇センチメートルのセイヨウイチイ(以後イチイと略記)の木の切れ端で、もとはもっと長かったが、途中で折れて、尖った先端だけが残っている。この道具は、掘り棒や銛や槍などさまざまに解釈されてきた。よく見ると先端に向かってなめらかにすぼまっており、槍であるという最後の解釈がいちばんもっともらしい。イングランド・サウサンプトン大学のジョン・マクナブとハンナ・フラックによる再現実験によれば、同

1911年にイングランド・エセックス州で発見されたクラクトンの槍は、いまから45万年前のもので、知られている中で最古の木製人工遺物である。木がまだ乾燥していないうちか、または火で焦がしたのちに、石刃で先端を尖らせてある。用途については、掘り棒や銛や槍などさまざまな説が示されている。

じ遺跡で見つかったクラクトニアン・ノッチと呼ばれる大きな石刃を使って、先端に向かって削ぐという方法で作られたらしい[7]。乾燥した木を使うと最大で二時間もかかってしまうので、まだ乾燥していないうちに加工したのだろう。マクナブによると、あるいは火を使って加工を容易にしたとも考えられるという。先端を焚き火の燃えさしの中に突っ込んで表面を焦がし、それからこそぎ落としたのかもしれない。そのような工程を使えばわずか四五分で先端を加工できることを、フラックは見出した。

　また二人が指摘しているとおり、この方法には、先端が火で硬くなるというメリットもあったかもしれない。私はそれを検証しようと、学部生のマイケル・チャンに、火で硬くすることがどのような効果をおよぼすかを調べるという課題を与えた[8]。そこでチャンは、萌芽から育ったハシバミの枝を何本か用意して、うち半数をバーベキューグリルで加熱し、残り半数はゆっくりと自然乾燥させ、力学的性質を比較した。すると、加熱することで硬度がわずかに上がった。これは予想どおりの結果で、細胞壁内のヘミセルロースが結晶化したことによる。しかしそれと同時に、靭性は半分に下がってしまった。クラクトンの槍が途中で折れてしまっているのはそのせいだと考えられ、木製道具の火入れはさほど役には立たなかったらしい。まるで、火のパワーを道具に注入して人々にその威力を信じさせるための、儀式めいた作業だったかのようだ。

一九九〇年代になって、初期の狩猟技術と初期人類の生活に対する私たちの考え方を完全に覆す発見があった。ハノーファー近郊のシェーニンゲンにある中期旧石器時代の遺跡が褐炭（かったん）の大規模な露天掘りによって危機に瀕（ひん）しているのを受け、ドイツ・ニーダーザクセン州の文化遺産管理局に勤めるハルトムート・ティーメが一九八二年から長期的な救出作戦を進めていた。そんな中の一九九五年秋、かつての湖岸を発掘していたところ、美しく成形された多数の木製道具と二〇頭を超す殺されたウマの死骸が見つかり、ティーメらは腰を抜かした[9]。道具のうちの七つは、明らかに投擲（とうてき）用の槍だった。成長の遅いトウヒの若木の細い幹を削って作ったもので、長さは一・五〜二・一メートル、太さは三〜四センチメートル、両端がすぼまっていて、端から三分の一のところがもっとも太くなっている。現代の槍投げ競技に使われる槍にそっくりで、レプリカを使った実験から、安定に飛行して、最大二〇メートルの距離まで狙い定めて投げられたことがわかっている[10]。骸骨に残っていた衝撃の痕（あと）から、ウマはこの武器が当たって死んだと思われる。

発見された槍とウマの死骸がかなりの数に上ったことから、この場所では待ち伏せによる狩りがおこなわれていたと考えられた。ホモ・ハイデルベルゲンシス、または私たちにもっと近縁のホモ・ネアンデルタールレンシスのどちらかに属していたであろう彼ら初期人類は、集団で行動し、乾燥地と水場のあいだを行き来するウマの行く手をさえぎって仕留めていたに違いない。ただし、発見されたウマはすべて同じときに殺されたのではないだろう。この発見は、彼ら初期人類が高い知能を持っていたことをはっきりと物語っている。彼らは、木を精巧に刻んだり、木の中に槍の形を思い浮かべて石器でその形に成形したりできただけではない。効率的な狩猟チームを組織したり、獲物の行動を利用して遠くから安全に仕留めたりすることもできたのだ。

シェーニンゲンで発見された木製道具の中には、刃物の柄として使われていた痕が残っているものもある。先端に溝が刻まれていることから、先端の裂け目や周囲に小さな石の剝片をくくりつけて、より効果的に切り傷を負わせる武器としていたようだ。強度と剛性を持つ木製の柄と、縁の鋭利な石とを組み合わせたこのような「複合道具」は、同時代にアフリカ一帯のいくつもの遺跡など別の場所でも出現していて、中期旧石器時代の始まりを特徴づけている。

このころに考案された複合道具の代表例が、先端に石を取りつけた槍（石槍）で、いかにもハリウッドが気に入りそうな形をしている。事実、穴居（けっきょ）人が登場する映画では、初期人類が威嚇（いかく）のためにこのような武器を振り回すのが定番だ。ネアンデルタール人や初期のホモ・サピエンスは、木の棒の先端を尖らせるかわりに、槍の先端に握斧に似た鋭利な石器をくくりつけるようになった。そこでは、柄の端に受けの溝を刻み、動物の膠（にかわ）を接着剤、腱を縄として使って刃を固定するという方法がとられた。そのため複合式の槍の作り方はきわめて複雑で、いくつもの別々の作業や「モジュール」を必要とした。縄を用意して、膠を煮て、石の先端を尖らせ、柄に溝を刻み、最後に組み立てる。このことからわかるとおり、ネアンデルタール人は、系統立てる能力や技術的手腕、そして知能がさらに高かった。私ならだいぶ練習しないとこんなに複雑な作業はこなせないと思う。

だが不思議なことに、このような複合式の槍を使うことにメリットを見出すのは難しい。これまでに何人もの人類学者が、石槍と単純な木製の槍との殺傷能力を実験的に調べてきた[11]。ブタの死骸やゼラチン製の組織模型を使った実験は、とても楽しかったに違いない。ところが、実験者は当然、石槍のほうが肉によく突き刺さるものと予想していたのに、そのような証拠はほとんど見つからなかった。木も石も皮膚より硬いため、どちらも簡単に突き刺さるのだ。逆に木製の槍のほうが深く突き刺さるという研究結果もあるが、その一方で、幅の広い石槍のほうが広範囲にダメージを与えられるという証拠もある。血を流すにはそちらのほうがいいのかもしれない。しかし複合式の槍には、脆い石の穂先が折れやすいという欠点があり、たびたび修理が必要だっただろう。本当の長所は、石のほうが密度が高いことだったのかもしれない。柄が短くても、穂先を重くすることで重心が前方に移動する。そうすると効率的に投げられるとともに、手で持って突き刺すための槍としても使えるだろう。このように複合式の槍は近距離と遠距離の両方で有効だし、攻撃にも防御にも使えたと思われる。

しかし木製の投げ槍も複合式の槍も、射程距離に限界がある。ヒトは腕が短いため、槍を持った手を斜め上方に動かすには、腕の筋肉をもっとも効率のよいスピードよりもずっと速く収縮させる必要がある。しかも、腕と手を加速させるのに使ったエネルギーのうち約半分が無駄になってしまう。そのため、手でものを投げるスピードには限界があり、種類を問わず槍を二五メートル以上投げられる人はほとんどいない。だがさいわいなことに私たちの祖先は、この問題を克服して効率的なハンターになる方法をいくつか編み出した。腕の長さを人工的に伸ばすという手法を使ったのだ。

狩猟用の武器を極める

一九八〇年代にマーガレット・サッチャーの指示でサウスヨークシャー州の炭鉱が閉鎖される以前、若い炭鉱労働者の娯楽の一つは、意外にも矢を投げることだった[12]。矢柄(やがら)の後端にひもの一方の端を一回巻きつけて、もう一方の端を人差し指に結び、ひもがぴんと張られた状態で、矢の前端に近い場所を持つ。そして矢を投げると、矢柄が指から離れたあとも、ひもによって矢は加速しつづけ、やがて柄からひもがほどけて矢が飛び出していく。ひものぶんだけ腕が長くなったようなもので、投げることにさらに多くのエネルギーをつぎ込むことができ、矢をおよそ二〇〇メートルも飛ばすことができたのだ。

槍をこれとまったく同じ方法で投げようとしても、一本の指にかかる力が強くなりすぎるので難しいだろう。しかし古代ギリシャ人は、それと似たような方法を使っていた。軽装歩兵(ペルタスト)は、軽い投げ槍を従来の重装歩兵(ホプリタイ)よりも遠くまで投げることができた。アメンタムと呼ばれる革ひもを二本の指に巻きつけ、その助けを借りて投げていたのだ。また、いまからおよそ二万三〇〇〇年前の後期旧石器時代のホモ・サピエンスもほぼ同じ方法を使っていたが、ひもを固定するのに特別な道具を使っていたことが、徐々に明らかになってきている。二〇世紀初め以降、太いほうの端に近いところに穴を開けた装飾つきの木の棒やシカの角がいくつも発掘された。考古学者たちはその用途がわからず、当初はお決まりの立場をとった。儀式のために使われたのだと決めつけ、王の持つ笏(しゃく)に似ているからということで「支配者の杖」と名付けたのだ。その後、穴に槍を差し込んでまっすぐに整形するために使われたのではないかという説が出てきた。だが、そのようなものがなくても槍をまっすぐに整形することはできるのだから、このような道具が必要だったと考える理由はどこにもない。

さいわいにも、もっと実地に慣れた世界中の人たちがこれらの遺物に興味を持った。見事な工具類と工学的素養をそなえた「原始的技術」のアマチュア愛好家たちが、自宅や物置で実験をおこなっては、わかったことを自費出版で発表したり、最近ではYouTubeに魅力的な動画を投稿したりしている。そんな彼らが、この支配者の杖の穴にひもをくくりつけて、穴から遠いほうの端を手で持てば、炭鉱労働者の矢と同じ要領で小さな槍を飛ばして射程距離をおよそ五〇メートルにまで延ばせることを明らかにしたのだ[13]。実際にそのように使われていたことを示すさらなる証拠が、フランスのテュルサックにある有名なラ・マドレーヌ洞窟から発掘された文配者の杖の破片に見つかった。そこには、この杖を使って槍を投げようとしている人の姿が彫り込まれていたのだ。

さらに遠くまで正確に槍を投げて、もっと威力を高めるには、投槍器（とうそうき）を使えばいい[14]。やはり後期旧石器時代に考案されて、いまでも中南米やオーストラリアで広く使われている投槍器（中南米ではアトラトル、オーストラリアではウーメラと呼ばれている）は、長さ一五〜四五センチメートルの棒の後端にくぼみをつけた単純な道具である。投槍器を槍の下に揃えて水平に持ち、槍の柄の端をくぼみに引っかけたまま、手を前方に繰り出す。すると投槍器が腕の三つめの関節のような働きをするので、腕と一緒に手首を回すことで投槍器が前方に回転して槍が押し出される。

そのしくみは、イヌの飼い主ができるだけ苦労せずに調教をするために使う、現代のボール遠投用器具とまったく同じだ。そこで私はこれを使って、アトラトルの有効性が長さによって決まるのかどうかを安全な形で調べてみた。指導している修士課程の学生ハンナ・テイラーが、家族や友人たちに頼んで、長さ調節可能なボール遠投用器具でさまざまな重さのボールをどこまで飛ばせるかを試してもらい、その様子を動画に収めた。その結果、軽いボールでは器具が長ければ長いほどいいが、ボールが重くなるにつれて最適な長さが短くなっていくことがわかった。手首の強さに限界があるせいで、長い器具で重いボールを飛ばすことができなかったのだ。いまでも大勢の人が本物のアトラトルを趣味で使い、世界アトラトル協会主催の競技会に参加している。ウィキペディアによると、アトラトルを使った槍の投擲の世界最長記録は、一九九五年七月一五日にアメリカ・ミズーリ州のデイヴ・イングヴァルが叩き出した二五八・六四メートルである。

木製武器の射程距離をさらに延ばすもう一つの方法が、その武器そのものを腕の延長として使い、ちょうどイヌに取ってこさせる棒を投げるときのように、前方に回転させながら投げるというやり方である。この方法を使うと、手から離れるときの棒のスピードはかなり上げられるが、棒が空中で回転して空気抵抗が大きくなるため、槍よりもずっと速く減速してしまう。だがオーストラリアのアボリジニは、手法に磨きをかけてこの問題を克服した。遠くまで飛ばせるよう、断面を流線形にして空気抵抗を減らしたさまざまなブーメランを考案したのだ[15]。あまり湾曲していないものは直線的に飛んで最大一八〇メートル先の獲物も仕留められるし、大きく湾曲しているものは飛行中に空中でカーブを描いて手元に戻ってくるよう工夫されている。

しかし、木製の投射体の殺傷能力を高める方法の中でもっとも優れているのは、弓矢である。弓と矢の組み合わせが最初に発明されたのは、おそらくいまから約六万五〇〇〇年前のアフリカでのことだったが、ヨーロッパでの証拠は二万年ほど前までしかさかのぼれないようだ。腕や肩の筋肉は、急激に収縮させるよりもゆっくりと収縮させるほうが大きな力とエネルギーを発揮でき、弓はそれを利用している。弓の弦を引っ張ると弓本体に弾性エネルギーが溜まり、弦を離すとそのエネルギーが解放されて矢が前方に押し出される。弓のしくみがいかに複雑で、それがなぜ効率的なのかについてはいろいろなところで論じられているが、基本的なプロセスは単純である。弦を大きく引っ張ると後方に鋭角に折れ曲がるため、手を離すとそのエネルギーの一部によって矢が前方に加速されるとともに、弓本体も前方に移動する。しかしその後、弦がまっすぐになってくると、三角法からわかるとおり、弓本体がわずかに動くだけで矢は大きく動く。そして矢が飛び出すころには、弓本体はほぼ静止して、その弾性エネルギーと運動エネルギーはほぼすべて矢に移動している。

弓には、ここまで見てきたほかのどの手法よりも優れた点がおもに三つある。第一に、ヒトの筋肉はゆっくりと収縮させたほうがエネルギーを多く生み出せるため、弓を使えば投射体により多くのエネルギーを与えることができ、矢を二五〇メートル以上も飛ばすことができる（ウィキペディアによると、世界アーチェリー連盟の定めた条件のもとでの正確なショットの最長記録は、二〇一五年一二月九日にアメリカ・テキサス州マッキニーで開かれたクレイグ・ランチ・トーナメントプレイヤーズ選手権でマット・スタッツマンが叩き出した二八三・四七メートルである）。第二の長所として、弓はゆっくりとなめらかに引くことで、槍よりもはるかに正確かつ容易に狙いを定めることができる。最後に、矢を射ようとしている人を正面から見てもほとんど動いていないように見えるため、槍を投げる場合と比べて標的にはるかに気づかれにくく、こっそり仕留める武器としてははるかに優れている。弓矢は狩猟用の武器としてあっという間に普及し、サバンナや平原の狩猟民だけでなく、中石器時代、最終氷期の終わりに出現した深い森に入植していった人たちにも使われるようになった。

弓は武器としてきわめて効果的だが、作り方は複合式の槍よりもさらに複雑である。マーリザ・ロンバルとミリアム・ハイドルの計算によると、弓矢を一揃え完成させるには、全一〇二通りの作業によって一〇個のパーツを組み立てる必要があるという[16]。狩猟技術にかけて人類は、チンパンジーの単純な突き刺し槍から、柄と羽根をとりつけた矢、そしてガット弦を張った現代の弓へと、本当に長い道のりを進んできた。殺傷能力も、接近戦で小型霊長類を片づけられる程度から、二〇〇メートル先の大型有蹄類（あるいはほかの人）を殺せるまでに進歩してきた。

私たちは木製の武器を開発したことで、捕食者の頂点に立ち、世界中で大量絶滅を引き起こせるまでになった。人類は農耕によって環境に手を加える術を身につける前から、すでに木製道具を使って数々の巨大な獣を殺していた。ヨーロッパではマンモスやケサイや大型のヘラジカ、アジアでは大型のオランウータン、北アメリカではマストドンやウマやバク、南アメリカでは大型の地上性ナマケモノやアルマジロ、そしてオーストラリアでは大型のウォンバットやカンガルーなどだ[17]。また百年戦争のさなか、クレシーとアジャンクールの戦いでイングランド軍がフランス軍に勝利したことからもわかるとおり、木製の弓の最終進化形である、イチイでできた長弓（ロングボウ）は、一五世紀になるまでもっとも効果的な大量殺戮兵器だった。

第2部

木を利用して文明を築く

（1万年前～西暦1600年）

第5章 森を切り拓く

人類が農耕を開始して、初めて環境に大きな影響を与えた新石器時代。この時代を象徴するものがあるとしたら、それは磨製石斧（せきふ）だろう。最近では、ヨーロッパにおける新石器時代のことを「斧の物語」と表現するくらいだ[1]。磨製石斧の斧頭は世界中どの博物館にも展示されているので、実際に手にするチャンスがあればぜひ持ってみてほしい。研いだり磨いたりすることで、なめらかで美しく仕上げられていて、持つとずっしりと重みが感じられ、掌にぴったりと収まる。刃先は幅が広く、鋭くはないがなめらかに薄くなっていて、反対側の縁は丸くなっている。

そのような斧頭が何に使われていたのか現在ではわかっているが、発掘されて古物研究家の関心を集めはじめたころはいったい何なのか見当もつかなかった。それもそのはず、もっとずっと薄くて刃の鋭利な現代の斧頭とはあまり似ていないのだから。それどころか、何かを切るために使えるようには見えない。畑に埋まっているのを見つけた農民たちは、嵐の最中に神か何かが落としたものだと思って、それを雷石（かみなりいし）と呼んだ。古物研究家は当初から、祭礼用の道具だとみなしていた。中でもとくに細長いものは、神々への捧げ物のように思われた。新石器時代の長形墳*の中から、状態のよい斧頭が副葬品として発見されることが多かったからだ。

ここ六〇年ほどでようやく明らかになってきたのが、新石器時代の磨製石斧も木を効率的に切るのに適していて、文明の誕生、森林の開墾、世界中への農耕の拡大、そして農場や村や町の建設にきわめて重要な役割を果たしたことである。人類がずっと使ってきた材料である木が、その後もことあるごとに、別の材料の進歩によってさらに有効活用されていくこととなる。この章で見ていくとおり、磨製石斧の成功はその最初の例なのだ。

だが、もしもいまからおよそ一万五〇〇〇年前に地球規模の気候変動が始まっていなかったら、磨製石斧は誕生していなかったかもしれない。前の章で述べたとおり、そのころにヒト族の中で唯一生き残っていたホモ・サピエンスは、狩猟技術に熟達し、最終氷期に平原やツンドラを闊歩(かっぽ)していた最大の獣すら捕まえられるようになっていた。しかし気温の上昇と降水量の増加によって現在の間氷期が始まると、森林が広がりはじめる。そこで北半球のヨーロッパ・アジア・北アメリカ一帯の人々は、そのような森林で暮らして草木を食(は)むシカやウシやイノシシといったもっと小型の動物を狩るために、武器にも手を加えなければならなくなった。投げ槍の先端には、石の重い穂先のかわりに、細石器と呼ばれるもっと小さくて鋭利な燧石(ひうちいし)の破片をとりつけた。矢の先端には、削って尖らせた、返しのついた矢尻をとりつけた。しかしそれだけでなく、森の中に小さな空き地を切り拓(ひら)いて、芽吹いたばかりの植物で獲物をおびき寄せたり宿営地を建てたりするために、木の幹や枝を切るための道具も開発しなければならなくなった。細い若木だったら、最近まで北アメリカの先住民がやっていたように、刃先をギザギザにした石刃（せきじん）で切り倒せただろう[2]。しかしそのような粗末な道具では時間もかかって非効率だし、幹の太さがおよそ二センチメートルを超えると、あまりにも時間がかかりすぎて現実的ではない。

ヨーロッパの中石器時代の人々は、北へ北へと生育地を広げていくもっと太い木を切り倒すために、木製の柄に燧石の小さい剝片を取りつけた、直刃斧（すぐはおの）（トランシェ）と呼ばれる道具を生み出した。アメリカでも状況は同じだったが、紀元前一万年ごろ（ドルトン時代）にミシシッピ川流域に暮らしていた人々はさらに、斧に似ているが、刃先が柄と平行でなく直角を向いた、玄武岩を刃にした手斧（ちょうな）も作った[3]。このような斧や手斧の柄は、投槍器と同様に腕が長くなったような効果をもたらし、斧頭にもっと多くのエネルギーをかけることができる。木を切り倒すには、刃を角度をつけて振り下ろし、幹に斜めに切り込みを入れる。そしてその最初の切り込みの周囲を何度も削ぎ落として、切り込みを楔形（くさびがた）に広げていく。この作業を幹のまわりにぐるりと施すと、ビーバーがやったかのごとく鉛筆の先のように細くなり、最終的に幹が折れる。

＊長方形をした墳墓。

木を切り倒す能力を身につけた中石器時代の人々は、円形の広々とした家屋を建てることができた。ノーサンバーランド州のハウイックに復元されたこの小屋は、芝土の覆いの下に、円形に並んだ柱で垂木を支える複雑な構造体が隠されている。

木を切り倒せるようになったことで、世界中のほとんどの森林地帯でまったく新たな物質文化が起こった。その中でももっとも研究が進んでいるのが、中石器時代のヨーロッパである。考古学的調査によって、当時の人々が円形の広い家を建てられるようになったことがわかっている。たとえば二〇〇二年、ノーサンバーランド州の海岸にほど近いハウイックでクライヴ・ウォディントンが率いた発掘調査によって、円形に並んだいくつもの柱穴が見つかった。紀元前七六〇〇年ごろに建てられた、直径六メートルほどの円形の小屋の跡である[4]。

BBCがスポンサーとなって復元されたその小屋は、外から見ると北アメリカ先住民の暮らすテント小屋（ティピー）に似ているが、じつはもっと複雑な構造をしている。柱穴にマツの短い丸太を差し込み、その上に何本もの丸太を渡して多角形のリングを作る。そしてそれにもたれさせるような形で、もっと細いカバノキの棒を地面に斜めに立て、その真ん中あたりを多角形のリングに縛りつけて、先端が小屋の中央の真上に来るようにする。最後にもっと細い枝でそれらを結び合わせ、芝土で覆う。このような構造の小屋はくり返し建てられてきた。二〇〇八年にはイングランドのノースヨークシャー州にある中石器時代の有名なスターカー遺跡で、さらに古い紀元前九〇〇〇年ごろの小屋が発見されている[5]。

木舟による交易の始まり

切り倒した幹を縦に割れば、もっと薄くて使い勝手のよい桁梁（けたばり）*や厚板を作ることもできる。木をもっとも簡単に割るには、放射組織どうしのあいだを通って幹の中心の弱い髄を貫くように割れ目を入れ、パイのように放射状に割るのがいい。丸のままの幹を割るのも驚くほど容易だし、エネルギーもほとんど使わない。割れ目に木製の楔の先端を差し込んで叩けば、割れ目が広がって、最終的に幹が二つに割れる。スターカー遺跡で暮らしていた人々は、幹を割って平らな面を上にして並べ、湖畔につながる道を造っていた。半分に割った丸太は同じ方法で四分の一にもできるし、さらにどんどん細くしていくこともできる。ほとんどの木の幹は年輪の接線方向に割る

＊桁（長辺方向に渡す）と梁（短辺方向に渡す）を合わせた横材の総称。

こともできるが、放射組織を断ち切らなければならないのでもっと難しいし、エネルギーも多く要する。それでも二〇〇七年、イギリス・ワイト島にあるボールドナー・クリフ遺跡の八〇〇〇年前の堆積物の中から、接線方向に割られた長さ九〇センチメートルほどのオークの板が見つかり、中石器時代の人たちはこれまで考えられてきたより何千年も前にこの技術を習得していたことが示された[6]。

この新たな木細工技術によって二種類のまったく異なるタイプの舟を造れるようにもなり、移動と狩猟の能力も向上した。北方の森林地帯で最初に造られた舟は、木製の骨組みを動物の皮で覆ったものだったらしい[7]。その舟を使っていた人たちは、獲物であるトナカイを追って北方のスカンディナヴィアやシベリアやカナダへと分け入っていかなければならなかった。完全な形のものは一艘も見つかっていないが、のちの時代に彫られたノルウェーのいくつかの岩面彫刻に皮張りの舟が描かれている。トロンハイムフィヨルド沿いのエヴェンシュスではハンターと獲物が描かれているし、レッパーフィヨルド沿いのクヴァルシュンでは、船に乗った二人のハンターが泳いでいるトナカイを狩る様子が描かれている。

さらに南のドイツでは、中石器時代の人々がどのようにしてトナカイを狩っていたかを示すもっと古い証拠や、実際の舟の一部が見つかっている。ハンブルク北東のアーレンスブルクにある、いまから一万〜一万一〇〇〇年前の遺跡で、額に穴の開いたトナカイの頭蓋骨が発見されている。そのトナカイは、同じ遺跡で見つかった、シカの角で作られた小型の斧の一撃で死んだものと思われる。そんなに力の強い動物にこれほどまで接近するには、水面を泳いでいる隙にボートを漕いで近づくしかなかっただろう。いまでも北アメリカのイヌイットがトナカイを狩るために使っていることの手法は、移動しているシカを待ちぶせして狩るためにも用いられ、そうして手に入れた肉は自然乾燥や燻製で保存していたと思われる。

ドイツ・シュレースヴィヒ＝ホルシュタイン州のフーズムでは、紀元前九千年紀（紀元前九〇〇〇～前八〇〇一年）に造られた舟の骨組みの一部として使われていた、シカの角の曲がった部分を切り出したものが発掘されている。ブレーマーハーフェンにあるドイツ海事博物館の専門家たちが、その断片から舟を復元した。見つかったものに似た骨組み部材をシカの角で作り、カバノキの枝分かれ部位で作った木製の竜骨*にそれをつなぎ合わせ、さらにそこにカバノキの細長い棒をつなぎ合わせて、現代のイヌイットのカヤックと同じ要領で両舷を支えた。最後に、骨の針でそのまわりに動物の皮を縫いつけて、高速かつ軽量の舟を造り上げた。世界最古の舟である。

これとはまったく異なるタイプの舟である丸木舟が発明されたのは、もっとずっと南、ヨーロッパ低地に暮らしていた中石器時代の人々や、ミシシッピ川流域のドルトン時代の人々が、周

＊船底の中央を縦に貫く主要部材。

辺に生育するようになった高い木を活用する術を見出したことによる[8]。切り倒した木の幹をくりぬいて、舟として使ったのだ。もちろん言うほど簡単なことではない。幹の中心部から大量の組織を取り除かなければならず、そのために彼らは、最近までアメリカ先住民もおこなっていたように、火を利用したと思われる。火にくべると組織が焦げて弱くなり、斧や手斧でもっと簡単に取り除けるようになる。

これまでに見つかっている中で最古の丸木舟は、オランダのペッセ近郊で発掘されたもので、造られたのは紀元前六三〇〇年ごろである。まだ小型で、長さは約二・五メートルしかなく、直径わずか五〇センチメートルのマツの木から造られている。一人しか乗れなかったはずだ。それでも当時、丸木舟はかなり広く使われていたと思われる。ボールドナー・クリフ遺跡で発見された厚板は、中石器時代の舟造り場で造られた数々の製品の一つにすぎなかったのだろう。さらに大型の丸木舟がヨーロッパ全土のもっとのちの時代の遺跡で見つかっており、丸木舟の建造技術が急速に発達したのは間違いない。紀元前四千年紀までには、複数の部品から丸木舟を造るよう構造に工夫が加えられた。デンマークのテューブレン・ヴィーイで発見された長さ一〇メートル、幅六五センチメートルの丸木舟は、セイヨウシナノキ（以後シナノキと略記）製の船体の後端に、補強と防水のために船尾肋板（ろくばん）がはめ込まれている。丸木舟は南北アメリカからアフリカや東南アジアまで世界中で広く使われ、近代になるまで主要な交通手段でありつづけたに違いない。

ヨーロッパでは、皮張りの舟や丸木舟によって長距離の交易が可能となった証拠が見つかっている。ライン川やその支流などの主要な航路沿いで、遠く離れた原産地から運ばれてきたさまざまな品物が発見されていて、このような早い時期から木舟によって長距離の交易が可能となり、社会変革が起こったことが読みとれる。また、スターカー遺跡や、イリノイ州のドルトン時代の遺跡などからは、人々が定住生活を始めたことをうかがわせる証拠が見つかっている。彼らは宿営地を次々に移動させるのではなく、品物を運んでいたのだ。

農耕の開始

北半球の温帯地方では森林の拡大によって人々の生活が変化したが、世界のほかの地域では、気温の上昇と降水量の増加によって人々はさらに劇的な変化を果たし、文明に向けたもっとも大きな一歩を踏み出した。狩猟採集生活をやめて、農耕を開始したのだ。最初に農耕が始まったのは南西アジアで、その中でももっとも注目すべきがトルコ南部のアナトリア高原である。ここでは、暖かくて雨の多い春と秋の合間に挟まれて、暑くて乾燥した夏と凍えるような寒さの冬がやってくるという気候に変わった。

乾燥と低温のダブルパンチはたしかに樹木にとっては致命的だが、早春に芽吹いて短期間で成長し、夏の終わりに全エネルギーを種子に注ぎ込む一年草にとっては好ましい。一年草は樹木と違って木質組織を作る必要もなければ、多年草と違って根に糖を蓄える必要もないため、果実や種子をもっとたくさん作ることができて、繁殖力がはるかに高い。人々はこの地にすぐさま定住し、オオムギやコムギの祖先である一年草をカロリー源として、レンズマメやヒヨコマメやエンドウマメなど一年生のマメ科植物をたんぱく源として栽培・収穫しはじめ、農耕を開始した。収穫には単純な石の鎌を使い、苗床の準備には、狩猟採集民が使っていたものに似た木製の掘り棒や、ドルトン時代の人々の手斧に似たつるはし形の根掘り鍬を使っていた。

しかし農耕がさらに広い地域へ普及すると、もっと高度な道具を作る必要が出てきた。最初に農耕が伝わったのは南方の肥沃な三日月地帯、とくにユーフラテス川とチグリス川に挟まれた、一年に一時期だけ湿地になる三角形の地域だった。そこではナイル川流域と同様、毎年、水が退くと、運ばれてきた泥が顔を出して自然と苗床が作られる。その後、農耕に成功した人々は、チグリス＝ユーフラテス谷を北西へと上って、もう少し乾いた土地に移動した。彼らは木製の鋤を使って灌漑用の運河を掘ったり、木製のバケツや跳ね釣瓶のようなつり上げ装置を使って水を汲み上げ、耕作地に運んだりしていたに違いない。肥沃な三日月地帯はあっという間に世界初の文明の穀倉地帯となり、聖書にも出てくるウルやエリコなど、初の大規模集落を生み出した。

冬は寒くて乾燥し、夏は旱魃に見舞われる中央アジアのステップでは、多年草しか育たないため、東方には農耕はなかなか広まらなかった。そのような土地では、ヒツジやヤギやウマの世話をする牧畜民が幅を利かせるようになった。しかし西方には、農作物がもっと定着しそうな土地が広がっていた。冬の寒さが厳しすぎず温暖多湿な春が訪れる地中海沿岸は、一年生作物の成長に理想的だったし、さらに北方や西方の中央ヨーロッパや北ヨーロッパでは、高温多湿の夏が植物の成長にきわめて適していた。

唯一の問題は、これらの地域の条件が木の成長にとっても理想的だったことである。地中海沿岸にはオークやイナゴマメなどの常緑広葉樹が、北ヨーロッパには落葉性のオーク、ブナ、セイヨウトネリコ（以後トネリコと略記）、シナノキが自生していた。作物を栽培するには、その前に土地を開墾しなければならない。地中海沿岸ではそれはさほど難しくなかった。夏の旱魃から葉を守る芳香族化合物のために木が燃えやすくなっていて、乾燥した夏のあいだに野焼きをすることで開墾できたのだ。このため、ギリシャの低地からイタリア南部を経てスペインへは、農耕が比較的速く広がった。

どのようにして森を切り拓いたか

しかし中央ヨーロッパや西ヨーロッパでは、降水量が多いうえに樹木が大きかったため、野焼きがかなり難しく、開墾ははるかに困難だった。この地域の人々は木を切り倒すしかなかったが、アメリカ先住民のように、まず樹皮を環状に剥ぎとって枯らしておいてから幹の周囲に火をつけることで、切り倒しやすくしていた。再び生えてくる新芽は、ウシやブタを放して食べさせた。だが直刃斧では、木を倒すには不十分だった。鋭利なことは鋭利だが、表面がでこぼこで木の組織の中に引っかかりやすいし、衝撃応力が表面の隆起部に集中して割れやすい。そもそもあまりに小さくて軽いため、太い幹の深いところまで打ち込めない。そこでヨーロッパを北西に移動しおおせた人たちは、農耕技術とあわせてさらに二つの技術革新をこの地域に持ち込んだ。

彼らは、線を刻んで装飾を施した独自の土器を編み出したため、考古学では彼らの文化のことを線帯文土器(せんたいもんどき)文化という。しかし彼らの技術革新の中でもっと重要だったのは、直刃斧に燧石(ひうちいし)の斧頭を使うかわりに、ヒスイ・緑色岩・玄武岩・流紋岩など結晶粒の大きい変成岩や火成岩でできた、分厚くて重い斧頭を使ったことである。成形のしかたも、剥片を剥ぎとるのでなく、削ったり磨いたりしてなめらかにするというものだったが、さほど鋭利にはできなかった。斧頭を重くすると斧としての性能が上がることは明白だが、彼らが苦労して斧頭を削ったり磨いたりした理由はすぐにはわからない。わざわざ何百時間もかけて、見たところ切れ味の悪そうな斧頭を作ったのはなぜなのか？

それを解き明かす一つの方法が、石斧のレプリカで実験してみることである。案の定、実験考古学の先駆けとなる実験によって、磨製石斧は打製の直刃斧よりもはるかに効率的で耐久性が高いことが明らかとなっている。だがそれでも、木を一本切り倒すにはかなりの時間がかかる。たとえば一九五〇年代初頭にデンマーク人のスウェン・ヤーンセンらが示した結果によると、広さ一エーカー（約四〇〇〇平方メートル）のオークの森を一人で切り拓くにはおよそ八〇日、現代の鋼鉄製の斧を使った場合の四倍の時間がかかるという[9]。磨製石斧の使い方も打製の直刃斧とほぼ同じで、幹に斜めに切り込みを入れ、木の組織を削ぎとって切り込みを徐々に深くまで広げていかなければならない。

しかし考古学者による再現実験はたしかに有効だが、なぜ磨製石斧で森を切り拓けるのか、どんな形状の斧が最適なのかは、それだけではわからない。そこで私は、石斧のつくりについてさらに深く調べるために、木が割れる過程を理論的に解析するとともに、さまざまな形状や表面特性を持った金属製の楔を使って単純な切断試験をおこなうことにした[10]。まずは、私の研究室にあるインストロン型万能材料試験機を使って、萌芽から育ったハシバミの枝を中央まで割るのに必要な力とエネルギーを測定した。実験は学生のジョアン・オリヴェイラがおこない、いくつか驚きの結果が得られた。薄くて鋭利な楔では、最初に切れ込みを入れるのに必要な力は予想どおり弱かったが、木を割るためには太くて分厚い楔よりも強い力が必要だった。

考えてみればそれもそのはずだ。木を割るためのエネルギーの大部分は、楔と木の組織とのあいだの摩擦に打ち勝つために使われる。刃が薄いと、切れ込みの先端に近いところで木の組織と接触するため、切れ込みを延ばしていくには強い力で押し広げなければならず、そのせいで摩擦が大きくなってしまう。太くて分厚い楔のほうがエネルギーが少なくてすむのは、先端から遠い場所で切れ込みを押し広げるために、必要な力がはるかに弱いからである。磨製石斧は刃が鋭利ではないが、木を割るときに刃先が木の組織とあまり接触しないため、問題にはならない。一方、こちらはもっと予想しやすいが、表面がざらざらの楔よりもつるつるの楔のほうが、木の組織の中に簡単にすべり込んで摩擦が小さいため、木を割るのに必要なエネルギーは少なくてすむ。

　これらの結果をまとめると、新石器時代に作られた、刃が分厚くて表面がつるつるの磨製石斧は、木を割るのに効率がいい。今日の私たちも薪を割る際にはこの設計方針に従っている。現代の薪割り用の鉈(なた)にも、刃先の角度が三五度くらいの分厚くて重い斧頭がついている[11]。ふつうの鋼鉄製の斧で木を割るのはやめたほうがいい。細い刃先がいとも簡単に丸太の中に引っかかってしまうからだ。

　これらの結果からは、斧の柄のつくりについても重要なことがわかる。刃の鈍い斧頭が丸太を割るのに適しているくらいなのだから、木製の柄の穴に斧頭を押し込んで木の幹に打ちつけると、柄のほうが引き裂かれて二つに割れてしまうだろう。実験考古学者は研究を進めるうえで、この問題につねに悩まされている。新石器時代の人たちにとってもそれが問題だったことは、一九九七年にケンブリッジシャー州エットンで発見された斧の柄からわかる。穴の縁のところで縦に割れてしまっていて、どうやら捨てられたらしいのだ[12]。だが新石器時代の人たちは、そのようなことがあまり起こらないよう策を講じることに秀でていたに違いない[13]。柄の穴をかなり広くとって、石刃が両側面でなく上下の端で柄に接するようにし、斧を打ちつけても横方向に力がかからないようにしたのだ。さらに穴自体も、割れないよう工夫することが多かった。柄の先端の太い部分に穴を開けることで、穴の上下につばが出るようにしたのだ。使う木の種類も慎重に選んだ。放射組織の大きいオークなどの木を使い、年輪の接線方向に沿って穴を開けることで、放射組織によって穴の上下が補強されてひびが入らないようにしたのだ。ドイツ・コンスタンス湖のほとりにある新石器時代の村々で見つかった斧は、石刃と柄の穴とのあいだにシカの角のかけらが詰め込まれている[14]。シカの角が衝撃吸収材として作用して、柄に伝わる衝撃応力を抑えているのだ。

斧頭と柄を強く接合させる方法はほかにもある。アメリカ先住民は、斧頭と柄の先端にひもを巻きつけて固定することで見慣れた形の斧を作り、石刃が安定しながらも柄が割れないようにしていた[15]。のちのヨーロッパでは、まったく異なるタイプの斧も考案された。分厚くて重い斧頭に、木製の錐(きり)と研磨用の砂を使って円形の穴を開け、そこに木製の柄を差し込むのだ。ドイツ・ザクセン州考古学的遺産局のレンゲルト・エルブルクらがドイツ北部で最近おこなった実験によって、そうしたハンマーアックスを現代の斧と同じように使えば木を切り倒せることがわかっている[16]。水平に振って幹に垂直に当て、正面の組織を砕くことで、幅の広い切れ込みを徐々に入れていくのだ。

線帯文土器文化の人々が発明した木細工道具は、斧のほかにもたくさんある。中でもおそらくもっとも多く使われたのが、手斧だろう。木の枝分かれ部位を利用すれば、手斧の石刃は斧の石刃よりもさらに簡単にしっかりと柄に固定できる。この方法の鍵は木の枝分かれする叉(また)の部分の強度が高いことで、そのような構造は、私のもとで博士課程の学生として学んだ、イギリスのプレストンにあるマイヤーズコー大学の樹芸(樹木外科術)の講師ダンカン・スレーターによって

木の叉の構造

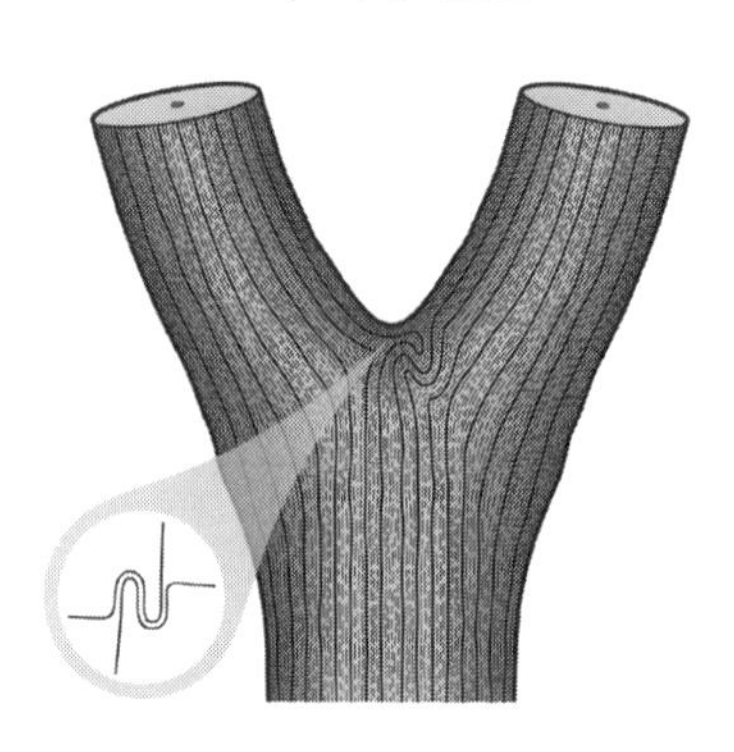

枝分かれの場所や枝がつながっている場所では、繊維どうしがからみ合って強度を高めている。

最近になって明らかにされた。叉の部分では、二本の枝に伸びている木質繊維が互いに絡み合っていて、叉が裂けるのを防いでいるのだ[17]。新石器時代の手斧では、叉の外側に刻んだ切り込みの中に石刃を縛りつけて、確実に固定している。

レンゲルト・エルブルクらは、線帯文土器文化の人々がさまざまな角度で柄に固定させた大小とりどりの手斧を作っていたことを明らかにした[18]。石刃を鋭角に固定した大型の手斧は、振りかぶって木を切り倒すのに使える。鈍角に固定したものは、中世の手斧のように、倒れた木の幹の表面に上から振り下ろして木目に沿って木を割り、断面の四角い桁梁を切り出すのに適している。もっと小型で石刃の幅が狭い手斧は、その桁梁をさまざまな形に成形したり、幹の内側から木の組織を掘り出して中空の丸木舟を造ったりするのに使える。さらに新石器時代の人々は、短い石刃やビーバーの歯を木製の柄の端にくくりつけたり、ウシの長い骨を刻んで刃にしたりして、鑿（のみ）も作っていた。

磨製石器を使うと、とくに木目に沿って木をかなり効率的に割ることができる。ウェセックス・アーキオロジーのフィル・ハーディングは、一九八二年にスコットランドのルイス島で発見されたシュリシェーダーの斧の柄の作り方を、新石器時代の典型的な「道具キット」を使って再現するのに成功した[19]。オークの丸太から木片を切り出して、削って成形し、鑿を使って溝を入れ、燧石(ひうちいし)の錐を使って穴を開け、最後に砂で研磨した。全工程で三、四日ほどかかったが、新石器時代の手慣れた木細工職人ならもっと短期間で仕上げられただろう。線帯文土器文化の人々は当然、斧の柄よりはるかに大きくて見事な工芸品や構造物も造ることができた。二本の木の枝を交差させてつなぎ、端に尖った石のかけらを固定することで、最古の犂(すき)を作っていた。そのような単純な犂を木製のくびきにつないでウシに引かせれば、軟らかい地面に穀物を植えるための溝を掘ることができただろう。

新石器時代の木細工道具のつくり

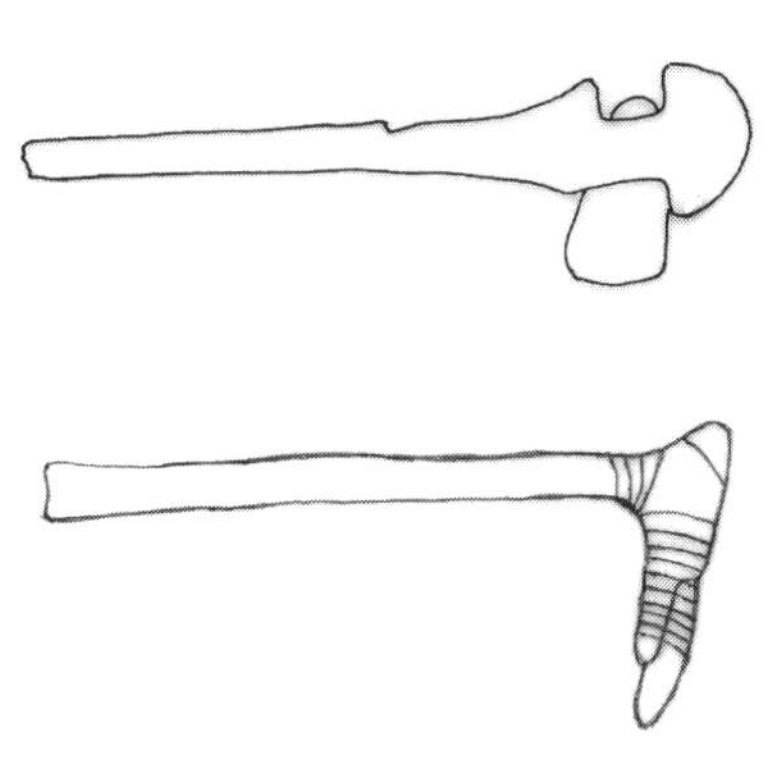

スコットランドのシュリシェーダーで発見された斧（上図）は、先端の太い部分に開けた穴に石刃が固定されている。手斧（下図）では、石刃が木の枝の片側に縛りつけられている。

家や井戸を造る

線帯文土器文化の人々が作った品物の中でもっとも見事なのは、複数の家族が同居する初の木造の家だろう[20]。新石器時代のそのような建物自体は、完全な形どころか一部すら残っていないが、柱穴や、壁板が差さっていた溝が地面に残されていて、たとえばチェコのフシェ

新石器時代の線帯文土器文化の人々は、新たな道具を開発して、複数の家族で暮らす木造の細長い住居を建てられるようになった。ジャージー島のラ・フーグ・ビー博物館に復元されているこの線帯文土器文化の共同長屋は、5列に並んだ柱で屋根が支えられていて、地面の穴に差し込まれたいちばん外側の列の柱が壁になっており、ドアは萌芽から育った若枝を編んで作られている。

スタリ考古学公園にあるように、そこから復元することができる。線帯文土器文化の共同長屋（ロングハウス）は、長さが最大で五〇メートル、幅が一〇メートルもある。屋根は、建物内部に三列に並べて立てられた柱で支えられている。外壁は、溝を刻んだもっと細い柱を一列に並べて立てて、その溝に細長い厚板を水平に差し込むことで作られている。もっとよい状態で保存されているアングロサクソン族の家屋と遺構がそっくりなため、復元は容易である。また、石器時代と同様の技術を使っていた、もっとのちの時代の人々が建てた木造の建物にもとてもよく似ている。たとえば、北アメリカの太平洋岸北西地区に暮らしていたチヌーク族や、五大湖沿岸に暮らしていたイロコイ族が建てた共同長屋、東南アジアの竹造りの長屋、アマゾンの先住民の村、ニュージーランドのマオリ族の大集会堂といったものだ。

現代の家屋の屋根組(小屋組)

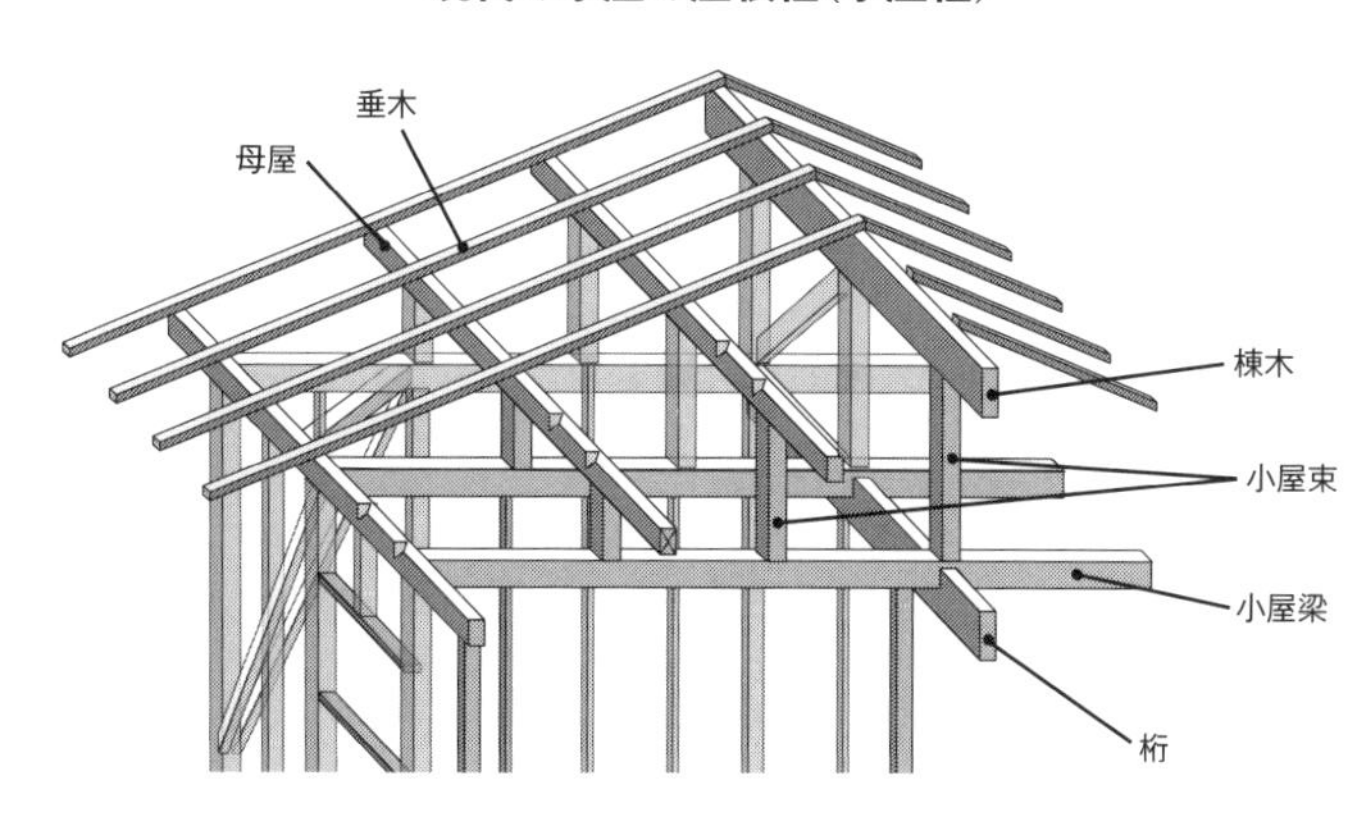

　三列に並んだ柱で支えていた屋根は、勾配が大きかったと思われる。中央の柱の上に渡された棟木（むなぎ）と、外側に並んだ柱の上に渡された母屋（もや）によって、外壁の外まで張り出した垂木（たるき）が支えられている。屋根は、木舞（こまい）[*1]を敷いた上で、木の板、草、または芝土で覆って作られている。このような建物は、柱どうしを単純な仕口（しぐち）[*2]でつなぎ合わせるか、または縄で縛りつけるだけで建てることができた。おそらくイロコイ族やマオリ族のように集落総出で建てられ、木彫（もくちょう）と同じ要領で装飾が施されたのだろう。

　近年のある発見のおかげで、線帯文土器文化の人々が高度な木細工技術を持っていたことがさらにはっきりと認識されるようになった。二〇一一年にドイツ・フライブルク大学のヴィリー・テーゲルらが、ドイツ東部の線

＊1　下地となる桟。
＊2　複数の木材に切り込みを入れて角度をつけて接合する方法全般。

史上初の木工細工か？　ドイツ東部で発見されたいまから約7000年前の井戸の羽目板。底のほうの羽目板には枘継ぎが用いられ、上のほうの羽目板には溝と溝を噛み合わせる仕口が使われている。厚板の両端がギザギザであることからわかるとおり、金属製の道具が登場する以前の新石器時代の人々にとって、木目を断ち切るように木材を切るのは難しいことだった。

帯文土器文化の遺跡で、無酸素状態の土の中から七本の井戸の羽目板を完全な状態で発掘したのだ[21]。それらの井戸はすべて正方形で、幅は九〇センチメートルほど、紀元前五〇〇〇年ごろに造られた。小さな手斧で平らに切ったオークの厚板が、現代でも使われている仕口によって継ぎ合わされている。底のほうの厚板は枘継ぎ（ほぞつ）*1でしっかりとつなぎ合わされ、枘に木釘を差し込んで補強されている。上のほうの厚板には途中まで切り欠き*2が入っていて、ちょうど模型店で買える恐竜の木製模型（あるいは子供のころに遊んだ丸太小屋のおもちゃ）のように、下の厚板と切り欠きどうしをはめ込んで順番につなぎ合わされている。その構造全体を見渡すと、七〇〇〇年前の人も木細工に秀でていて、高度な手法で複雑な構造物を建てられたことがわかる。その構造の中で雑なところは、厚板の両端だけである。新石器時代の人々は切れ味のよい道具を持っていなかったため、木目を断ち切るように木を切るのが苦手だったのだ。鈍い楔形の刃物では正確に切断することができなかった。そのため厚板の端には、叩き切るために焦がして弱くした痕が残っている。

イギリスで発見されているもっとのちの新石器時代の家屋は、線帯文土器文化の共同長屋よりも小さい。多くは部屋が一つしかなく、大きさは六メートル×五メートル、一家族用だったと思われるが、近年の発掘によって、家具が作りつけられていて設備が整っていたことがわかっている。それが明らかになったのは、皮肉なことに、スコットランドの北の沖合に浮かぶオークニー諸島にある名高いスカラ・ブレイ遺跡で石壁の家が発掘調査されたおかげだ[22]。

現在のオークニー諸島にはほとんど木が生えていないし、森が切り拓かれてしまう前の新石器時代にも、かなり低くて小ぶりの木くらいしか生えていなかった。そこでこの地方の人々は、もっと調達しやすい別の材料を家の壁に使っていた。それはデヴォン紀[*3]に河口の三角州に形成された古い赤色砂岩で、薄い層状になっていて簡単に剝がれ、細長い平板を作ることができる。ス

＊1　凹凸による接合法の一種（一四〇ページの図参照）。
＊2　部材を組み合わせるために一部をカットした箇所。
＊3　四億二〇〇〇万年前〜三億六〇〇〇万年前ごろ。

カラ・ブレイ遺跡では家々が密集していて、それぞれの家は壁が厚さ五センチメートルの石でできており、急勾配の屋根を貴重な木材で支えていたと思われる。荒涼としたスコットランドの高地地方や離島では、近代までずっと、屋根を支える木材に人の生死がかかっていた。そこで一九世紀半ばの不在地主は、高地地方を強制的に開拓させるために、小作人の家の屋根を燃やすというきわめて残忍かつ効率的な方法をとった。

スカラ・ブレイ遺跡の七号家屋の、入口と反対側の壁には、垂直に立てた平板で水平の平板を二段に支えた食器棚のようなものがあり、現代のCDラックか本棚のようにも見える。石板を木の厚板がわりに使っているように見え、ストーンヘンジ近くのダーリントン・ウォールズ遺跡で木造家屋の跡が発掘調査されたことによってその印象は裏付けられた。その地面には、柱穴や、壁を差し込むくぼみとともに、スカラ・ブレイ遺跡とまったく同じ形の家具の跡が、まったく同じ場所に残っていたのだ。今日のように、まったく同じ設計の家があちこちに何棟も建てられていたようだ。

萌芽から木を育てる

新石器時代初期の人々は、成木の幹や、その丸太から切り出した重い厚板を使って家を建てていた。しかしその後、萌芽更新という新たな森林管理の方法を編み出して、もっと小さくて扱いやすい木材を生産し、もっと速く簡単に家を建てられるようになった。樹木の中には、切り倒されても枯れないものがある。オーク、トネリコ、クリ、ハシバミ、ヤナギなど多くの広葉樹、および針葉樹のイチイは、幹についている休眠芽(きゅうみんが)が再び芽吹く。そして成長の速い若枝が何本もまっすぐ上に伸び、あっという間に長く太くなっていく。その若枝を定期的に伐採すれば、直径と長さが一定の枝を安定供給できる。

成熟させてから切り倒し、切り株を掘り起こして新たな木を植えるという方法と比べて、この萌芽更新にはいくつもの利点がある。第一に、萌芽の親株にはすでに水を運ぶ根系があるため、切り倒した最初の年にも速く成長する。第二に、高いところまではるばる水を運ぶ必要がないため、大きな木の枝と比べて豊富に水が供給されて速く成長し、単位面積の土地あたりの木材生産量が多くなる。そのため萌芽更新は、薪や、次の章で見ていくように木炭を供給するには理想的な方法である。第三に、こうした若木は大きな木の枝よりも速く成長するため、葉どうしの間隔が広い。私が指導した博士課程の学生セライ・オズダンが明らかにしたとおり、このおかげで大きな木の枝に比べてまっすぐで剛性と強度が高く、幅広い構造材に利用できる[23]。

新石器時代に萌芽更新がおこなわれていたことを示すもっとも明白な証拠は、人類初のまた別の構造物に萌芽更新による若木が使われていることである。その構造物とは道路のことだ。一九七〇年、イングランド西部の干拓された湿地帯、サマセット・レヴェルズにある町グラストンベリー近郊の泥炭地を発掘したところ、まっすぐに延びる木製の構造物が発見された。発見者

スイート・トラックの概略図

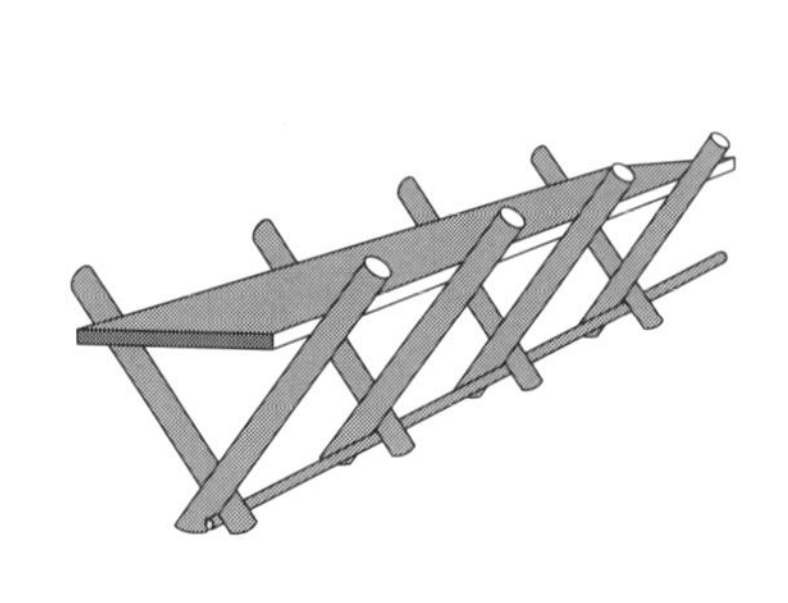

断面図

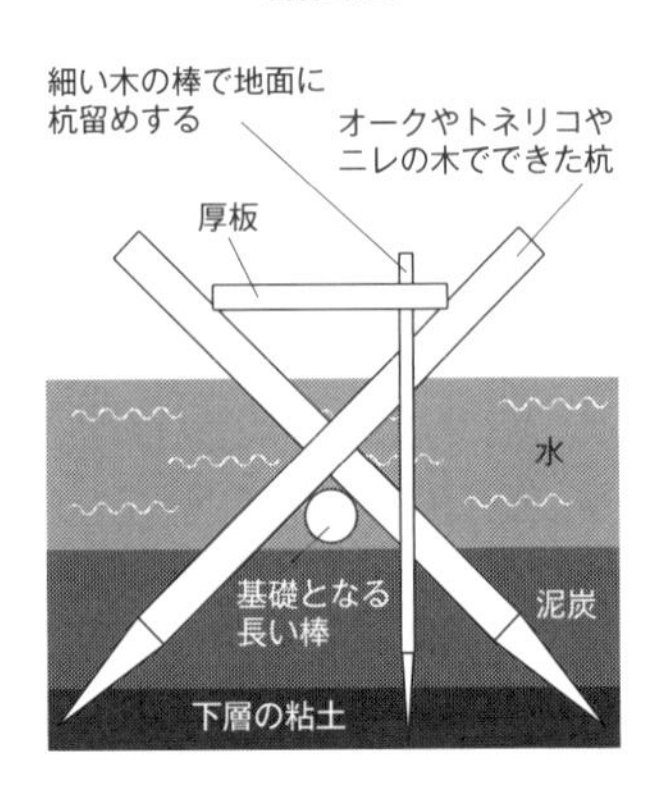

レイ・スイートの名前をとってスイート・トラックと呼ばれるようになったその構造物は、この地方の湖畔の村々を行き来するために設計された木製の歩道であることが明らかとなった[24]。この歩道は、樹齢四〇〇年のオークから切り出した幅四〇センチメートル、長さ三メートルの厚板を、縦方向に並べて造られている。萌芽から育ったオークやトネリコやニレの木を、X字に交差するように地面に突き刺して、それによってこの厚板を支え、もっと細い木の棒で地面に杭留めしている。厚板の年輪のパターンを調べる年輪年代学と呼ばれる手法によって、この構造物は正確に紀元前三八〇六年に造られたことがわかった。イングランド低地地方一帯ではほかにも木製の歩道が見つかっていて、中でももっとも古いポスト・トラックは紀元前三八三八年に造られた。

新石器時代の人々は萌芽から育った木をほかにもさまざまな用途に用い、たとえば道具の柄としても使っていた。しかし、萌芽から育った木を使って編み出された技術の中でももっとも汎用性が高いのは、枝編み細工である。人類が木を下りる以前から枝を編み合わせるのに使っていた方法を、計画的に発展させたものである。もっとも単純な手法では、太い若枝を何本も平行に並べておいて、それと直角に細い若枝を編み込んでいく。大きいものとしては、ハシバミの枝を使って編み板や編み垣を作り、萌芽更新によって再び生えてきた枝をウシやブタから守るための柵や門に使った。編み板は軽量の家壁にも使われたし、木骨（もっこつ）造りの家の骨組みのあいだに下地としてはめ込んで、上から泥や漆喰（しっくい）を塗ることで、壁を作るのにも使われた。

現在でも編み板は作られている。まず、木製の型に一列に並べて開けた穴に、ゼールと呼ばれる丸い棒を差し込んでいく[25]。次に、鉈鎌（なたがま）で枝を四本に割って作ったもっと細い木の棒をゼールに編み込んでいき、端まで来たらひねって逆方向に編み込んでいく。最後まで編み込めたら型から外して持ち上げ、必要な場所の地面に突き刺す。この基本的な編み細工の手法は、萌芽更新で育てたヤナギなどの若くて細い枝を使うとさらに効果的だ。新石器時代の人々は、そのような枝を使ってさまざまな枝編み細工を考案し、筌（うえ）（筒状の漁具）や籠（かご）も作った。

さらに新石器時代の農耕民が、現代のアイルランドの網代（あじろ）舟（コラクル）に似た、枝編み細工の骨組みと皮の船体でできた小さくて軽量の円形の舟を造っていたという証拠もある[26]。古代ギリシャの旅行家で歴史家のヘロドトスもそのような舟について記しているし、土器でできた模型も見つかっている。ドナウ川河畔の採石場で作られた手斧や斧の石刃がヨーロッパ全土の川岸で発見されており、このような小型の舟が交易に使われていたと思われる。紀元前六〇〇〇～前四〇〇〇年にかけて農耕民が徐々にヨーロッパ全土に入植していった際にも、このたぐいの舟が使われたに違いない。棹を差してドナウ川支流の源流までさかのぼり、舟を担いで分水嶺を越え、北西ヨーロッパの川に浮かべて下ったのだろう。だが枝編み細工を利用したのは、もちろんヨーロッパ人だけではない。枝編み細工は世界中で見つかっており、斧や手斧と同じく、それぞれ別々に何度も発明されて広く行き渡ったと思われる。

このように木細工技術の進歩は、近東で農耕が発展するうえでは不可欠でなかったものの、それがヨーロッパ全土に広がる際にはたしかに欠かせない役割を果たした。石器の進歩によって農耕民が森を伐採してまったく新しい生活の道を開き、ヨーロッパに移住して狩猟採集民を数で圧倒した。

世界中のほかの地域でもほぼ同じことが起こったが、農耕が始まった時代は場所によって異なる[27]。また利用した栽培植物も、編み出した農耕形態も、周辺の森林に与えた影響もさまざまである。たとえば日本では、磨製石斧こそいまから三万年も前に出現したが、定住の証拠であるキビの栽培は紀元前六〇〇〇〜前四〇〇〇年になってようやく始まった。中国で農耕が始まったのは紀元前七〇〇〇年ごろで、北部ではキビが、南部ではコメが栽培された。南北アメリカではトウモロコシやマメやカボチャが主要作物だったが、農法は場所ごとに大きく異なっていて、開墾すらしない農法もあった。ニューイングランドの先住民の多くは森の中で作物を栽培していたし、現在のカリフォルニアに暮らしていたウィントゥ族やカウィヤ族は、オークの森に手をかけてどんぐりの粉で食物を作る「どんぐり農法」を編み出した。アフリカではモロコシやキビやヤムイモが、ニューギニアではサトウキビやバナナが主要作物だった。

しかしどの地域でも、人々は新たな磨製石器のおかげで森を切り拓いたり土地を耕したりできるようになった。また、大きな家を建てることから、畑に塀をめぐらすこと、道具を作ること、家具や家庭用品を作ること、舟を造ること、さらには道路を敷くことにいたるまで、多種多様な望みがかなえられた。新石器時代の世界は、森林面積こそ中石器時代より小さかったものの、木の必要性と利用度合いはもっと高かっただろう。長方形の家、木製家具、舟、広域道路網のあったその世界は、私たちにとって驚くほど見慣れた風景だっただろう。

第6章 金属の融解と製錬

新石器時代の象徴が磨製石斧だとしたら、それに続く時代、すなわちヨーロッパでは銅器時代と青銅器時代と呼ばれている時代を象徴するものは、これらの新素材で作った武器だといえる。とくに人気の武器が、短剣・槍の穂先・盾・兜（かぶと）である。このような武器に人々が強くこだわったのを見ると、人間の本業は他人を殺すことであって、文明はそれを素早く効果的におこなうことを可能にしたのだとつい考えてしまう。

たしかに私たちの祖先は、木または石でできた棍棒（こんぼう）や槍や弓矢といった武器を使って手際よく殺し合っていたが、銅や青銅の利点についてはそれよりもずっと重要な話がある。この章では、近東やヨーロッパの人々がどのようにして金属の融解と製錬の技術を獲得したのか、そしてそれをどのようにしてもっと平和的な用途に使うようになったのかをひもといていく。これから見ていくように、人々は木を使ってこれらの新素材を作っただけでなく、その新素材をうまく利用して木の伐採と加工の方法も向上させた。不思議に聞こえるかもしれないが、金属の登場によって人々はますます木に頼り、さらにずっと多く木を利用するようになったのだ。その新技術はアジア一帯に広がり、やがてアフリカにまで到達した。その結果、旧世界（ヨーロッパ・アジア・アフリカ）の文明は一変して、新世界（南北アメリカ）の文明を大きく引き離すこととなる。

しかし金属の製錬が可能となったのは、人々がそれとはまったく異なる素材に関わっていたからこそだった。その素材とは焼き物（セラミックス）である。人々は定住して農耕共同体を形成する前から、川岸や湖畔にもっとも多く見られるありふれた軟らかい素材、粘土の利点に気づいていたに違いない。湿っているあいだは成形しやすいが、乾燥すると硬くなることに気づいていただろう。先史時代のあいだに人々は、粘土のさまざまな用途を見出していった。編み板の壁に塗りつければ隙間風を防げるし、藁を混ぜて成形し、日光で乾燥させればレンガになる。聖書の時代、肥沃な三日月地帯では、不足している木のかわりに日干しレンガが広く使われていたし、いまでも世界中の乾燥地域で家を建てるのに使われている。もっと雨の多い地域でも、雨が当たらないようにすれば十分に使える。イングランド南西部の雨がちなデヴォン州で多く見かける家は、石のかけらと泥を混ぜて成形した荒壁土で建てられ、この地方の穏やかな霧雨が当たらないよう、不釣り合いなまでに庇が張り出した草葺き屋根が葺かれている。風光明媚な村の喫茶店に入るたびに、庭の塀にまで草葺き屋根が載っているのに驚かされるものだ。

しかし、粘土レンガを雨から守るためのもっと優れた方法がある。加熱するのだ。粘土の成分である雲母の薄い結晶は、自然の状態では比較的弱い水素結合によって互いに結びついており、その結合は水分が少なくなると強く、水分が多くなると弱くなる。しかし五〇〇℃以上に加熱すると、結晶構造の中に閉じ込められていた水分がすべて出ていって、粘土粒子のあいだに半永久的な結合が形成される。すると粘土は、水に強いビスケット状の固体、土器に変化する。しかしこれではまだ穴だらけで弱い。そこでさらに一〇〇〇℃以上に加熱すると、一部の化学物質が融解または熔化してガラス状の物質になり、それによって粘土の結晶どうしが結びついて、もっと強くて水を通さない新素材、炻器ができる。

粘土を焼いて焼き物を作る方法は、先史時代の比較的初期に発見された。知られている中で最古の粘土製の塑像は、チェコのモラヴィアで発見された高さ一〇センチメートルの女性の立像、ドルニー・ヴィエストニツェのヴィーナスで、いまからおよそ三万年前の旧石器時代後期のものである[1]。しかし粘土製の壺が登場するのはもっとあとのことで、東アジアで発見された最古の破片はいまから二万〜一万年前のものである。それ以外の地域では、新石器時代になるまであまり見られない。というのも、粘土製の壺は重くて壊れやすく、移動する狩猟採集民の生活には明らかに適さなかったからだ。

しかし定住生活が始まると、粘土製の壺はその長所を発揮しはじめる。水を通さないため、乾燥した食物も液体も貯蔵できるし、火にかけて調理にも使える。さまざまな粥や煮物やスープが作られるようになり、新石器時代の料理のレパートリーは大幅に広がった。砂を多く含む粘土で作った焼成レンガや焼成タイルは、もっとのちの時代になって登場したらしい。最古の焼成レンガは紀元前四三〇〇年ごろ、中国の城頭山遺跡にある、塀に囲われた住居を建てるために作られた[2]。また、メソポタミアで屋根の草葺きが瓦に置きかわったのは、紀元前三千年紀になってからである[3]。

焼き物を作るうえでは一つだけ問題がある。水を通さない強いものになるような高温にまで熱するのは、きわめて難しいし危険なのだ。第2章で述べたように焚き火は、少なくとも最初のうちは二〇〇〜三〇〇℃までしか温度が上がらず、揮発成分が蒸発しきって炭素だけが残るとようやく、最大で六〇〇℃くらいまで上がる。新石器時代の人々は、地面に穴を掘ってその中で壺を焼くことで（史上初の焼き物窯だ）、温度を八〇〇℃くらいまで上げることができた。その高温状態を維持するために彼らは、木を、炭素だけからなる新たな高密度のエネルギー源に転換させた。そのエネルギー源とは木炭である。

木から木炭を作るうえで重要なのは、揮発成分がすべて出ていく三〇〇℃以上に加熱しながらも、残った炭素が燃えはじめる五〇〇℃以下に抑えることである。人々はこれまでずっと、基本的に同じ方法でそれを実現してきた。焚き火への空気の供給を少なくするという方法だ。もっとも単純な炭焼き窯は、丸太を隙間がないように積み上げて芝土で覆ってから、下のほうに火をつける。全体に火が回るまでに数日かかり、その間、中を覗き込んでは、最適な温度で燃えつづけるよう空気の流入量を調節する。木炭作りは長い時間がかかってあちこちが汚れるし、木の重量が六〇パーセント以上も減少して、蓄えられていた化学エネルギーの半分以上が無駄になってしまうが、できた炭素の純粋な塊は乾燥木材の二倍のエネルギー密度を持っている。また木炭には木の細胞構造が保たれているため、表面積が広く、酸素が流れ込んで急速に燃焼する。

木のかわりに木炭を使うことで、空気の流入量を増やさなくても窯を一〇〇〇℃以上まで加熱して、より強く耐水性の高い焼き物を作れるようになった。メソポタミアの人々は、炭火の窯を使って別のある素材を初めて作れるようになり、それはのちに焼き物と同じくらい活用されることとなる。その素材とはガラスである[4]。早くも紀元前二三〇〇年ごろには、木や海藻を燃やして作った灰と砂を混ぜて加熱すると、それらが溶融し、硬くて光沢のある素材ができることを見出した。それを再び融かして焼き物の装飾や耐水加工をおこなったり、成形して宝飾品や耐水性の容器を作ったりしていた。

木炭で金属を製錬する

しかし少なくとも旧世界において、木炭の用途の中で飛び抜けて重要だったのは、金属の製錬である。木炭は反応性の高い単体の炭素からできているため、木炭を使って金属酸化物を燃やすと、加熱されるだけでなく、鉱石から酸素が奪われて純粋な金属が生成する。だが人類が初めて手にした金属は、そのようにして作られたものではなかった。現代のトルコ、アナトリアの山岳地域で自然銅を見つけ、それを加熱して石槌（いしづち）で叩くことで成形したのだ。この新たな金属の需要は急増した。それは銅が石と木の長所を兼ねそなえていたからで、いまではわかっているとおり、その性質は結晶構造に由来する[5]。

銅などの金属は一種類の原子の結晶でできているため、石と同じくらいの剛性と強度を持っているうえに、さらなる長所がある。結晶構造といっても完璧ではなく、ところどころに欠陥やずれがある。全体に圧力がかかると、そうした欠陥が結晶中を次々に移動して局所的な応力をやわらげ、大量のエネルギーを吸収するのだ。そのため、金属は叩いて成形したり（可鍛性という）、引き伸ばして針金にしたりできる（延性という）。何よりも重要な点として、金属は大量のエネルギーを吸収するため、木よりもさらに靭性が高いし、結晶方向だけでなくどんな方向にも強度が高い。そのため、成形してあらゆる道具を作れるし、曲げの力がかかっても折れない。これらの性質を持っている金属は、幅広い用途にとって理想的な素材である。とくに初期の職人は、金属を使えば、細長く刃先が鋭利で、石にこすりつけて容易に研ぐことのできる刃具を作れることに気づいた。金属の唯一の欠点は密度が木の何倍も高いことだが、それでもほとんどの金属は重量比で木と同程度の剛性と強度を持ち、木よりも靭性が高い。

銅の需要が増えたころ、ある種の岩石を炭火の中で加熱すると、まるで魔法のように純粋な銅が生成することに人々が気づいた。紀元前五千年紀初めには、ブルガリアやセルビアで銅鉱石が採掘されていた。それからまもなくして人々は、成形した粘土を木炭で焼結させて耐熱性の型を作り、その中に製錬した金属を融かして流し込むことで、金属製の道具を作れることに気づいた。

どちらも木由来の燃料を使うこの二つの工程によって、まったく新しい素材からさまざまなものを鋳造できるようになったのだ。そうして紀元前五〇〇〇年ごろまでに、少なくとも近東や東ヨーロッパで、銅器時代または金石併用時代と呼ばれる新たな時代が幕を開けた。

しかし銅は素材としては優れているものの、結晶の転位（ずれ）が容易に広がってしまうため、靭性が高いにもかかわらずかなり軟らかい。そのため銅製の刃物は、いとも簡単にすり減ってギザギザになってしまう。そこでそれから二〇〇〇年のあいだに、銅と別の金属を組み合わせてもっと硬い新たな合金を作る方法が編み出された。早くも紀元前五千年紀から、イランではヒ素が使われていた。ヒ素をわずか〇・五〜二・〇パーセント混ぜることで、剛性が一五〜三〇パーセント上がり、より効率的に硬度を高めてもっと優れた刃具を作れるようになった。しかしヒ素には毒性があるし、合金化の工程も制御が難しかった。

そこで紀元前四千年紀の中ごろから、銅にスズを一二パーセント混ぜた、青銅というもっと優れた合金が開発された。靭性が高くて腐食に強い青銅は、あっという間に道具や武器の製作に好んで用いられるようになった。唯一の問題は、いかにしてスズを調達するかだった。スズは銅よりもはるかに希少な元素であるし、銅と同じ場所で見つかることもめったにない。そこで初期のヨーロッパ人は、イングランドやドイツやスペインから、合金化の技術をそなえた東ヨーロッパへスズを運ぶ、いわばサプライチェーンを構築しなければならなかった。

人々はすぐに銅と青銅の特長を活かしはじめ、とくに木を切り倒したり木材を成形したりするための道具を改良し、また新たな道具を考案するようになった。初期の金属製の道具の中でも飛び抜けて普及したのが、斧頭である。たとえば、紀元前三三〇〇年ごろに死んで一九九一年にオーストリア・南チロル州の氷河で発見されたアイスマン「エッツィ」は、木製のザックの中に燧石（ひうちいし）のナイフを忍ばせていただけでなく、銅製の斧も持っていた[6]。その斧頭は当時の石刃よりも薄く、それに合わせて柄の形も違っている。斧頭が薄すぎて、石斧と違いまっすぐな柄に開けた穴に差し込んでも固定できないため、新石器時代の手斧のように、木の枝分かれ部分で作った柄に取りつけられている。枝の先端の割れ目に斧頭の後ろ側を差し込み、革ひもで結びつけている。青銅器時代初期には、ポールスターフと呼ばれる斧頭を柄に取りつけるためにこれと同じ方法が使われたが、斧頭を差し込む部分が明らかに弱かった。そこでその後、まったく異なるつくりの青銅製の斧が作られた。中空の斧頭を鋳造して、手袋のように枝にかぶせたのだ。さらにのちの青銅器時代の斧や手斧の斧頭は、現代の斧と同じく、根元部分に差し込み穴を開けてそこにまっすぐな木製の柄を差し込むという要領で作られた。

斧頭をどのようにとりつけるにせよ、新たな金属製の斧は、それまでの磨製石斧よりもはるかに優れた代物だった。ペンシルヴェニア大学のジェイムズ・マシューによると、青銅製の斧は木の幹を石斧の二倍のスピード、鉄斧（てっぷ）と同じスピードで切り倒すことができ、しかも現代の木こりと同様の要領で使えるという[7]。青銅製の斧は石斧よりもはるかに水平に振ることができるし、斧頭が薄いために切り口が平均七〇度と、石斧の八五度よりもずっと薄くなるため、無駄になる

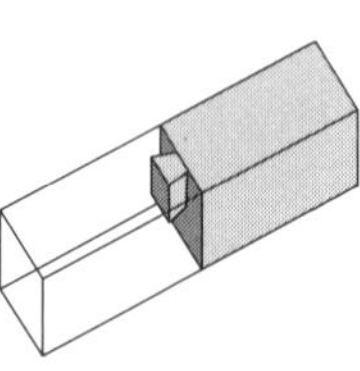

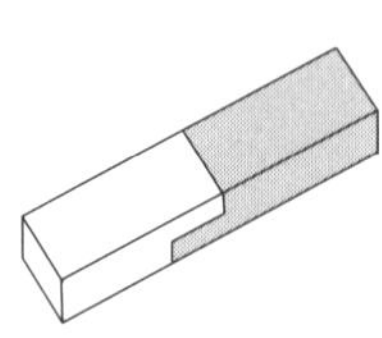

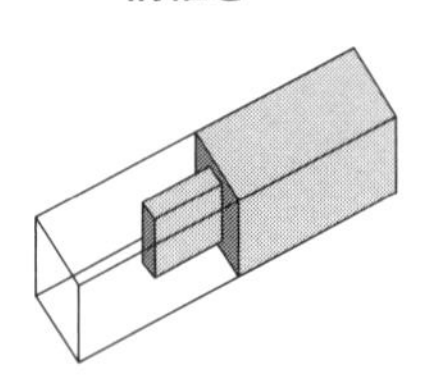

木材も二五パーセントほど少ない。

青銅製の手斧も、木を木目に沿って削ったり成形したりするうえで石の手斧より優れていたため、すぐに木細工道具に加えられた。しかしもっとずっと重要だったのが、青銅製の鑿（のみ）である。青銅は張力に強いため、青銅製の鑿は磨製の石鑿よりもはるかに薄くできるし、しかも靭性が高いため、叩かれても持ちこたえる。そのため木目と垂直な方向に、より深く鋭く、正確に切り込みを入れることができる。そうしてついに人々は、枘継ぎ、重ね継ぎ、蟻（あり）継（つ）ぎなどによって木材どうしを正確につなぎ合わせられるようになった。それがとてつもない恩恵をもたらしたことを物語るかのように、銅器や青銅器の出現と時を同じくして、旧世界の輸送手段を一変させて国際交易の引き金を引いた二つの木製品が登場した。それは板張り船と車輪である。

造船技術の進歩

前の章で述べたように新石器時代の丸木舟は、川を上り下りしたり湖を渡ったりと、短い距離で人や品物を輸送するのには適していた。しかし船体が丸いため、もともと不安定だし、木の幹の直径より大きくできないため、幅が狭くて水面からの高さも低く、外洋を航行するのには向いていなかった。船体に厚板をとりつけて幅や高さを増やせばいいことはわかっていたが、水が染み込まないように厚板どうしを接合するのは、刃の鈍い石器ではとてつもなく難しかった。しかし刃の鋭利な青銅器ならたやすかったため、板張り船が初めて造られたのは当然ながら青銅器時代のことだった。丸木舟をさらに安定させる方法として真っ先に思いつくのは、船体を縦に真っ二つに切り離して、そのあいだに厚板を一枚または複数枚追加するというものだろう。北ヨーロッパの人々はこの手法を取り入れたようで、近年になってとくにブリテン島の海岸沿いの泥の中から、朽ちずに保存されていた青銅器時代の船が何艘も見つかっている[8]。

青銅器時代の船の中でももっとも古くもっとも有名なのが、一九三〇〜四〇年代にかけて、ヨークシャー州を流れるハンバー川の河口の北岸（私の自宅からたった数キロメートルの距離）でテッド・ライトとウィル・ライトという二人の男子生徒が発見した、三艘のフェリビー・ボートである。中でも最古の船は紀元前二〇〇〇年ごろのもので、撚(よ)り合わせたイチイの小枝で厚板どうしが縫い合わせられているが、その接合部には正確な木工技術が見てとれる。実矧(さねは)ぎという手法でオークの厚板が隙間なく接合されている上に、平行に刻んだ溝に棒を打ち込むことで接合部が固定されている。そして船の形状を一定に保つために、湾曲した骨組みが内側に加えられている。長さ一五メートルで幅一・八メートル、最大三・三トンの荷物を積載できたと思われる。ハンバー川の河口の対岸では一八八八年に、ブリッグ・ラフトと名付けられた平底船も見つかっており、いまから三〇〇〇年前にはすでに船の構造が多様化していたことがわかる。この船に家畜を載せてアンクホーム川を上り下りし、いまでも馬市が開かれているブリッグの街へ行き来していたのは間違いない。

さまざまな品物がこのような船に載せられて、ブリテン島の内陸水路を行き交っていたのだろう。これらの船では長距離の交易のためにイギリス海峡を横断したり地中海をめぐったりすることはできなかっただろうが、青銅器時代にこれらの海域で外洋船が使われていたのは間違いない。イギリス南西部のコーンウォール州一帯で採掘されたスズを、キプロスなど青銅製錬の本拠地に輸送するには、外洋船が必要だったはずだ（ちなみにキプロス〔Cyprus〕という名前は銅〔copper〕に由来する）。そのような外洋船として使われていたと思われるのが、一九八七年に発見されたドーヴァー・ボートである。一部しか残っていないため長さは不明だが、フェリビー・ボートよりもずっと幅が広かったのはたしかだ。

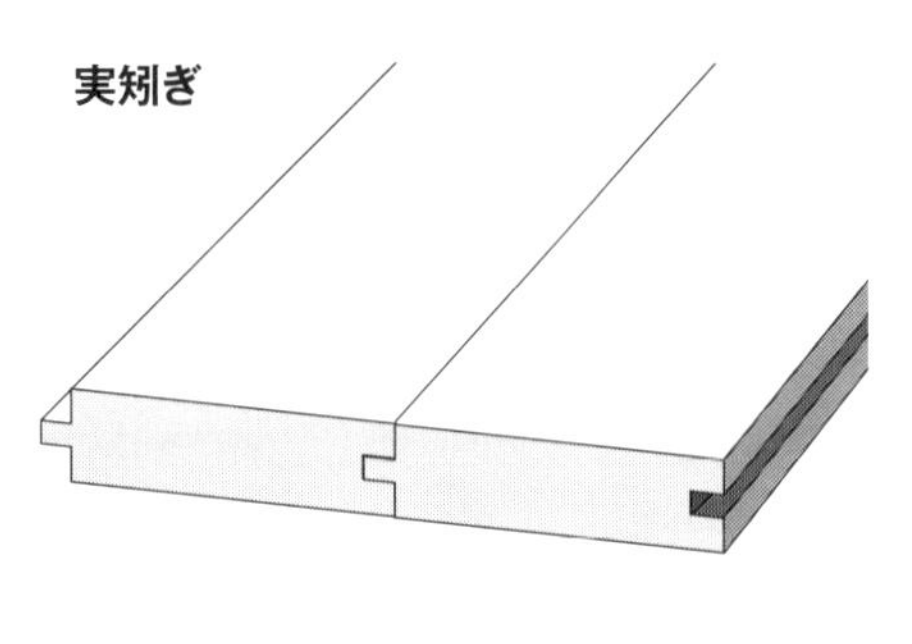

地中海沿岸では青銅器時代初期の船はほとんど見つかっていないが、保存されにくい場所なので驚くことではない。しかし船が使われていたのは間違いない。一九七五年、水中考古学の先駆

者ピーター・スロックモートンが、イドラ島沖のエーゲ海の海底でキクラデス文明の壺を発見した。船自体はとうの昔に朽ちて跡形もなかったが、この壺は紀元前二二〇〇年ごろの沈没船の積み荷だったに違いない。

さいわいにも、青銅器時代から現在まで残っている別の板張り船から、当時の木細工技術の高い水準を垣間見ることができる。一九五四年に考古学者のカマル・エル＝マラクが、ギザの大ピラミッドのそばの穴から、ばらばらの状態だが部品が完全に揃った紀元前二五〇〇年ごろのクフ王の葬送船を発見した[9]。樹木のほとんど生えないエジプトが造船の中心地であったはずはなく、船はおもにナイル川を行き来して品物を輸送するためだけに使われていた。そのような場所で、しかもこれほど古い時代に造られたクフ王の葬送船には、高度な設計と造船技術が使われている。レバノンスギの短い厚板を何枚も切り出してすべてに番号を振り、正確な枘継ぎで接合して造られている。エジプト考古庁の主任修復師アハマド・ユーセフ・ムスタファ率いるチームの丹念な作業によって、船は復元された。全長四四メートル、幅六メートルで、実際に航行するのではなく儀式用の船だったことは間違いない（復活したファラオ［王］が天を横切るためのものだったと思われる）が、青銅器時代の造船技術の高さを物語っている。

エジプト人が使ったこれらの手法に似たものが、一〇〇〇年後の地中海沿岸でも用いられていた。一九八二年にトルコの考古学者チームがトルコ南西沖で、紀元前一四〇〇年ごろの青銅器時代後期の船、ウルブルン沈没船を発見した[10]。その長さ一五メートルの船体は、クフ王の船

エジプト・ギザのピラミッドやスフィンクスのそばに建てられた博物館に復元された、いまから4500年前のクフ王の太陽の船。大ピラミッドの麓に掘った穴の中にばらばらにして埋められていた、全長44メートルのこの船は、復活したファラオ（王）が天を横切るために造られた。青銅器時代の多くの船と同じく、レバノンスギの短い厚板が枘継ぎによってつなぎ合わされている。

と同じ材料、同じ枘継ぎで造られている。銅の鋳塊をおそらくキプロスからミュケナイ（ミケーネ）文明の花開くギリシャに運搬していて、板張り船によって交易のネットワークが開かれたことをはっきりと示している。

地中海沿岸で西洋文明が発展したのは、何よりも板張り船のおかげだった。その広い海域を人や商品が短時間で自由に行き交って、物質的・学問的な進歩を加速させ、大都市に物資を供給した。ローマ帝国も、植民地エジプトで収穫したコムギを巨大な船で輸送して、ローマ市民に無料でパンを提供していなかったら、政治的に持ちこたえられなかっただろう。のちに板張り船はアラビア半島・インド・極東の沿岸でも同様の働きをして、拡大する帝国の統率に欠かせない通信や交易を担った。

車輪の発明

板張り船の建造をはるかに容易にした青銅製の道具は、陸上輸送を一変させて機械を実用化させるある部品を作るのにも欠かせなかったはずだ。その部品とは、車輪である。車輪を使ってものを運ぶという発想は、果物など丸いものが地面を簡単に転がるのを目にしたことで湧いてきたに違いない。そこから車輪にいたるまでの中間段階では、地面に丸太を敷いて石を運んでいたと論じられることが多い。しかし近年、古代の人々が重い石を運ぶのに使っていた方法に関して、それとは異なるさまざまな説が出されている。石自体を転がしていたというのだ。

土木工学史家ディック・パリーの説によると、エジプト人は、ピラミッドの建設に使う石灰岩のブロックの四面にゆりかご状の湾曲した木枠を縛りつけて、転がして運んでいたのではないかという[11]。マン島の工学者ギャリー・ラヴィンによると、ストーンヘンジの有名なブルーストーンをペンブルックシャー州プレセリ丘陵の石切り場から、東へ三〇〇キロメートル離れたウィルトシャー州の現場まで運ぶのにも、同様の手法、ただし枝編み細工の籠が使われたのではないかという。イギリス・エクセター大学のアンドリュー・ヤングは、また別の説として、木製レールの溝の中に球形の石を並べ、その上に載せて運んだのだろうと論じている。

しかしおおかたの考古学者は、エジプトの多くの墓に記されている通り、そのような大きな石は橇(そり)に載せて引っ張っていて、摩擦を小さくするためにさまざまな方法が使われていたのだろうという見解でまとまっている。エジプト人は砂の上に水を撒いてすべりやすくしていたし、新石器時代のブリトン人は脂を塗った木製レールの上で引きずっていたのではないかといわれている。

車輪は、転がすという方法と引きずるという方法の中間に位置する。車輪の縁は橇と違って地面をすべらないが、車輪自体が車軸に対してすべり、その動きは摩擦による抵抗を受ける。しかし摩擦の発生する場所が回転中心のそばにあり、しかも車軸は地面よりも簡単にすべりやすくすることができるため、運動に抵抗する力は小さい。車輪の直径が大きいほど、また車軸が細くなめらかですべりやすいほど、車輪は容易に転がる。

木で車軸を作るとしたら、曲げの力に耐えられるよう、直径三〜五センチメートルと比較的太くしなければならない。また効率のよい車両を組み立てるには、直径五〇センチメートルを優に超える車輪を作らなければならなかっただろう。そんなことは簡単だと思うかもしれない（担当編集者もそう思っていた）。木の幹からサラミのように円盤を切り出せば一丁上がりではないのか？しかし残念ながら、新石器時代はおろか青銅器時代になっても、それは不可能だったはずだ。それだけ大きな木を木目と垂直に切る鋸のような道具がなかったため、丸太から円盤を切り出すことはできなかっただろう。たとえ切り出せたとしても、そのままでは車輪として使えない。かなり弱いため、すぐに中心に向かって裂けてしまうだろう。しかも負荷をかけないうちに、だ。

木材は乾燥すると縮むが、全方向に均等に縮むわけではない。セルロースの微小繊維はほとんどが木目に沿って伸びているため、木目と垂直な方向よりも木目に沿った方向（幹の縦方向）のほうが縮む割合が小さいのだ（木目と垂直な方向では四〜八パーセント、木目に沿った方向では約〇・一パーセント）。しかも放射組織はセルロース繊維で強化されているため、放射方向では接線方向の半分しか縮まない。そのため、木製の円盤が乾燥すると放射方向に裂け、角度一五度ほどの楔状の裂け目ができてしまう[12]。幹から切り出した円盤で車輪を作っても、いっさい転がらないのだ。その証拠に、切ったばかりの木で大きな梁や柱を作ると、乾燥したときに必ず裂ける。そのため納屋の柱や古い家の屋根梁には決まって裂け目が入っているが、さいわいなことにそれによって構造が著しく弱くなることはない。

そこで最初期の車輪は、木の幹から放射状に切り出した厚板を切って、鑿（のみ）で成形することで作られた[13]。そのような車輪はきちんと機能したが、大きさを木の幹の半径以上にできなかったため、かなり小さくせざるをえなかった。そのため青銅器時代のほとんどの車輪は、厚板を二枚以上、ふつうは三枚つなぎ合わせて作られている。この構造の難点は、車輪が折れてしまわないように接合部を十分に強くしなければならないことだ。青銅器時代の人々はこの問題を克服するために、車輪の表面全体にわたって長方形の大きな溝を掘り、その中に補強用の板をぴったりとはめ込み、杭で固定した。それでも接合部は弱かったが、少なくとも使用することはできた。

このいずれの工程にも正確な木細工が必要なため、考古学的記録に車輪の証拠が初めて登場するのは、銅器が出現してからずっとのち、青銅器が普及しはじめた紀元前三五〇〇年ごろである。車輪が出現したのは、メソポタミアのシュメール文明、コーカサス地方、東ヨーロッパで、その時期は各地域でほぼ変わらない[14]。文書の証拠から、史上初の車両は橇を改造した四輪車だっ

リュブリャナ湿地で発見されたいまから5200年ほど前のこの車輪と車軸は、現存する最古のものである。車輪は、2枚の厚板に鑿で溝を彫り、そこに何枚かの補強板（いまでは壊れている）をぴったりとはめ込んで作られている。車軸は車輪に開けた正方形の穴にはまり、車輪とともに回転するようになっている。

たと思われる。初期の印欧語族で橇を表す記号と四輪車を表す記号は、四隅の円を除いて互いにほぼ同じである。じつは車両の存在を示す最古の証拠は、ポーランド南部で発見された紀元前三四〇〇年ごろの土器、ブロノチツェの壺に刻まれていた、まさにそのような線描である。

車輪の実物として現在見つかっている最古のものは、スロヴェニアのリュブリャナ湿地で発掘された紀元前三一五〇年ごろのものである。直径七〇センチメートル、トネリコの厚板二枚から作られていて、オークの車軸に楔を使って固定されている。車体の下面に刻んだ溝の中で車軸が車輪とともに回転するというしくみで、二輪の手押し車に使われていた。その後、青銅器時代も年代が進むと、車軸を固定した四輪車や二輪手押し車が作られるようになった。車軸の両端に大きなハブ（中心の円形の部材）をとりつけて、車輪が外れることなく車軸と独立に回転するようにしたものだ。構造がより複雑で、より正確な木細工技術が求められるが、左右の車輪が異なるスピードで回転できるため、角を曲がるのがはるかに容易になった。

車輪が普及するにつれて、とくに地面が軟らかい雨がちの地方では、道路そのものも必然的に広まっていった。最古の舗装道路は、メソポタミアの都市ウル（現在のイラクにある）で発見された紀元前四〇〇〇年ごろのものである。北ヨーロッパでは新石器時代の幅の狭い木道が、青銅器時代に、丸太を横に並べたもっと幅広の道路に置きかわっていった。その中でも最古の、紀元前三〇〇〇年ごろにドイツやオランダで造られた道路は、長さ三・七〜四メートルの丸太を半分に割り、その丸いほうを下にして地面に横向きに並べて造られている。のちの紀元前二五五〇年ごろにアイルランドのクルーンボニーに敷かれた道路はもっと複雑な構造で、現代の鉄道線路のように二本の木製レールを約一・五メートル幅で並べ、一定間隔で地面に杭留めしている。

アメリカ大陸ではなぜ車輪が使われなかったのか

船や車両の構造の進化についてはのちほど掘り下げていくが、ここでとりあえず、それらの発明に金属製の道具が欠かせない役割を果たしたということだけは押さえておきたい。そのためには、製錬技術が発達した旧世界と発達しなかった新世界とで、技術にどのような差があったかを見ていくのがいちばんだ。一六世紀、ラテンアメリカを征服したスペイン人は数々の高度な文明を目の当たりにしたが、それらの文明は青銅や鉄などの硬質金属をいっさい利用していなかった。それでもインカ人やアステカ人やマヤ人は、巨大な石のピラミッドを擁する壮大な都市を建設し、美しい焼き物をこしらえ、見事な金の宝飾品を作った。

しかしそのような数々の発展を見せた新世界の文明も、板張り船を使っていたという印象はない。たとえばインカ人は、ティティカカ湖の対岸まで巨大な石を運ぶのに、葦(あし)で編んだ筏(いかだ)を使っていた。アステカ人は全長最大一五メートルの平底の丸木舟を使って、複雑に張りめぐらされた運河で人や商品を運んでいた。マヤ人も似たような舟を使って、メキシコ湾岸で交易をおこなっていた。最近まで、アメリカ先住民はヨーロッパ人に征服されるまで板張り船をいっさい建造したことがなかったと考えられていた。しかしいまでは、その例外が二つ知られている[15]。カリフォルニア州のサンタバーバラ海峡沿岸に暮らしていたチュマシュ族は、厚板どうしを簡単に縫い合わせた、トモルと呼ばれる全長最大七・五メートル、幅一・二メートルの舟を造っていた。石器と貝殻の道具だけを使って建造するには最長で六か月もかかるが、近隣の部族の丸木舟よりもはるかに航海に適していた。チリ沖の南緯およそ四七度に位置するチョノス諸島の人々も、ダルカと呼ばれる同様の板張り船を造っていた。カラマツの厚板三枚を縫い合わせて造られていて、ブリテン島の青銅器時代初期の舟に似ている。

互いに交流のなかったこれらの人々が、どのようにして板張り船の建造法を身につけて、そのような高度な舟を造るようになったのだろうか？　単純な板張りの船体を造る技術を編み出したポリネシア人と接触して、その手法をとりいれたと考えている考古学者もいる。ポリネシア人は、オオシャコガイという巨大な貝の貝殻の分厚い部分を使って手斧の斧頭を作っていた。貝殻はひび割れが広がるのをさまざまな工夫によって防いでいて、大きな力がかからないと壊れないようにできているため、石よりもはるかに靭性が高い。そのため薄い斧頭でも、金属製のものと同じくらい曲げの力に強く、同等の性能を発揮する。

板張り船を造る技術がポリネシア人からアメリカ大陸沿岸の人々に伝わったという説は、さまざまな証拠によって裏付けられている。第一に、南北アメリカ大陸の中でも彼らが住んでいた地域は、ポリネシア最東端のハワイ諸島やイースター島にもっとも近い。またチュマシュ族が造船技術を獲得したのは、ポリネシア人がハワイ諸島に初めて到達したのと同じ、いまから約一三〇〇年前である。彼らのあいだに接触があったのは間違いなさそうだ。ポリネシア人はサツマイモを栽培していて、それはいまから約一〇〇〇年前にアメリカ大陸から持ち込まれたものと考えられる。一方のチュマシュ族も、同じころにポリネシア人が使っていたのと似た複雑な釣り針を使いはじめている。言語にも証拠が残っている。「トモル」という単語はチュマシュ族のほかのどの単語とも似ていないが、ハワイ語で「役に立つ木」という意味の単語と関係があるようだ。木細工技術から世界の入植の様子に関する証拠が得られるというのもなんとも興味深い。

よく知られているとおり、アメリカのいずれの大文明も、輸送や焼き物の製作に車輪をいっさい使っていなかった[16]。商品は背負ったり、ラマなどの荷役用の動物に載せたりして運んでいたし、インカ人は古代エジプト人と同じく、大きな石を橇に載せて引っ張っていた。アメリカ先住民は、旧世界の人々と違ってけっして車両を作らなかった。車輪を発明しなかったからではない。アステカ文明などいくつかの文明では、粘土製の車輪で走る子供のおもちゃが作られていたが、木製の車輪を作って橇にとりつけることはなかった。おおかたの識者はその理由として、第一に土地の起伏が激しいこと、第二に車両を引かせる役畜がいなかったことを挙げている。

しかしどちらの理由も納得できるものではない。アメリカ大陸を征服したヨーロッパ人は車輪を活用したし、メキシコシティやユカタン半島など中央アメリカの一部は、ご存じのとおりきわめて平坦である。後者の説について言うなら、ヨーロッパで発見された青銅器時代の車両の多くは、最初に見つかったものを含めて手押し車だったし、中国でも紀元一〇〇～二〇〇年ごろに一輪の手押し車が発明されている。たとえ自分で押したり引っ張ったりするしかなくても、車両は役に立つのだ。しかも、アメリカ大陸でも役畜は使われていた。北アメリカの平原インディアンは、テント小屋（ティピー）の柱を組んで作ったトラボワという単純な橇をイヌに引かせていた。アメリカ大陸の文明が輸送に車輪を使えなかったのは、石器だけでは実用的な木製の車輪を作るのが技術的に困難だったからだというほうが、はるかにもっともらしい話だ。

この章では一つはっきりした教訓が得られた。新技術は古い技術にとってかわるのではなく、古い技術の新たな活用法を促すのだ。銅や青銅の場合、これらの新素材がおよぼした最大の影響は、旧世界の人々が主要な構造材である木をもっと効果的に利用できるようになって、輸送網に革命を起こしたことだ。その結果、彼らは物流において大きく先んじ、五〇〇〇年後に新世界を発見してその土地の人々を支配することとなる。

第7章 共同体を築く

祖先たちの暮らしがいかに木に支配されていたかを知るには、野外博物館を訪れてみればいい。彼らの生活を再現した博物館が世界中にあって、いずれも基本的なつくりは同じである。移築した古い建物から構成されていて、住居や農場、作業場や小集落、あるいは村全体が再現されるよう計画的に配置されている。さらに現実味を増すために、家具や道具、調理用具や装飾品を並べ、火床で火を焚いて、まるでいまも使われているかのような雰囲気を醸し出している。

私はそのような博物館が大好きで、世界中の博物館をめぐった。最初に訪れたのは、八歳のときに連れていかれた、コペンハーゲンの郊外にある野外博物館フリランスムセット。最近訪れたのは、五六歳のときに自分の運転で行った、ウェールズ・カーディフ近郊のセント・フェイガン国立歴史博物館。カナディアンロッキーやボルネオ島のコタキナバルでも、移築された村を訪れたことがある。考古学的証拠に基づいて復元された建物を展示する博物館も訪れたことがある。たとえば、ウエストサセックス州にあるバッツァー古代農場や、美しくて隔絶されていて意外に楽しいので私も気に入っている、イングランドのサフォーク州にあるウエストストー・アングロサクソン村などだ。アメリカの野外博物館に行ったことはないが、担当編集者によると、ヴァージニア州ウィリアムズバーグにある復元村は一度訪れる価値があるという。

このような博物館を訪れると、知識欲が満たされたり郷愁を感じたり、野外の新鮮な空気を思いっきり吸い込んだり好奇心が湧いてきたりするだけでなく、たとえその気がなくても二つの強い印象が植えつけられる。第一に、約三〇〇〇年前の鉄器時代初期から約二〇〇〇年前の産業革命にいたるまで、人々の生活がほとんど変わらなかったことを見せつけられる。田舎では、思い出せるかぎりほぼずっと同じ生活ぶりだったたし、世界中の多くの地域ではいまだに産業化以前の状態にとどまっているようだ。

第二に、田舎のふつうの人たちの生活がどれだけ木に依存していたかを見せつけられる。住居は完全に木造か、または少なくとも木製の骨組みに木製の屋根板を載せたものだった。ベッド・テーブル・椅子・戸棚などの家具や、樽(たる)・水差し・コップ・ボウル・スプーンなどの調理器具や食器は、ほぼすべて木製だった。屋外には、暖房や調理のために燃やす薪が大量に貯蔵されていて、農場で使う荷車などの車両や、犂・熊手・根掘り鍬・大鎌などの農具の柄も、すべて木製だった。動力を生み出す水車や風車などの設備も、ほぼ木造だった。木以外でできた数少ない品物も、すべて木材を使って作られていた。鉄製の刃物や鍋は木炭を使って鋳造され、衣服は木製の糸車で紡がれて木製の織機で織られ、革は樹皮でなめされた。

ところが木は、三次元の複雑な品物を作るにはさまざまな点でふさわしくない素材である。粘土や金属と違って型に入れて成型することはできず、いくつもの小さな部品をつなぎ合わせて組み立てるか、一個の大きな木材から彫り出すしかない。しかも木は方向によって性質が異なり、木目に沿った方向（縦方向）よりも木目と垂直な方向のほうがはるかに弱くて脆いため、彫りづらいし簡単に割れてしまう。そのため当然ながら、槍や掘り棒、弓矢や丸木舟など、ここまで見てきた細長い木製道具は、枝や幹をほとんど手を加えずにそのまま使っていて、もとの木と同じく曲げの力に耐えるようなつくりになっていた。そこで私たちの祖先は、自らの知恵、そして新たな金属である鉄の長所を活かして、暖かく快適な生活を送れる新たな木の世界を切り拓いた。

初めて鉄が使われたのはいまから約五五〇〇年前のことで、人々は希少な鉄隕石を叩いて成形し、ビーズなどの貴重品を作っていた。たとえばトゥトアンクアメン（ツタンカーメン）の墓からは、鉄の短剣が見つかっている。しかし青銅が木炭を燃料とする炉で製錬できたのと違い、鉄が初めて製錬されたのはもっとあとのことで、紀元前一五〇〇年ごろである。鉄で実用的な道具を作るのは、銅や青銅よりも難しかった。鉄は融点が一二〇〇℃以上と銅や青銅よりもはるかに高く、木炭の炎では融かして型に流し込むことができなかったため、当時達成可能だった一一〇〇℃程度まで加熱して軟らかくし、叩いて成形するしかなかった。

しかしその技術が確立すると、二つの長所が浮かび上がってきた。第一に、とくに鍛錬した鉄は青銅に比べて力学的性質に優れており、より薄くて摩耗に強い刃物を作ることができた。炉に入れた鉄を叩いては折りたたむというのをくり返すことで、偶然にも鉄の中にスラグ（鉱滓）が繊維状に取り込まれ、ちょうど木の細胞壁がセルロース繊維で補強されているのと同じように強度が増した。そうしてできた鍛造棒鉄という素材は、純鉄よりも腐食に強く、剛性や靭性もはるかに高かった。

鉄の二つめの長所は、鉄鉱石が銅やスズの鉱石に比べて地殻中にはるかに多量に存在しているため、採掘した場所の近くで製錬できることだった。そのため鉄器は青銅器よりもはるかに容易に製造でき、製鉄技術は急速に広まった。紀元前一〇〇〇年ごろに中東で発見された製鉄法はヨーロッパ全土に広がり、紀元前七〇〇年ごろには中国に、紀元二〇〇～一〇〇〇年にはアフリカのサハラ砂漠以南にも伝わった。

建築技術の発展

初めのころに作られた鉄器は、斧や手斧や鑿など、以前からあった青銅製の木細工道具の素材を鉄に替えただけのもので、使い方もまったく同じだった。切り倒したばかりのまだ乾燥しておらず軟らかい木を割ったり、成形したり、継手や仕口を作ったりするのに使っていた。古代から受け継がれてきたそれらの技術は、新技術が開発されてからも長いあいだ使われつづけた。生木細工（グリーン木工）はいまでも続けられていて、橋や家や船などの大きな構造物を造るのにも適していることが、かなり以前から知られている。

木材を加工せずに丸太のまま使うのがもっとも適している用途もあった。プロローグで述べたとおり、船のマストは木の幹そのものである。形と大きさが都合がよく、枝を切り落として樹皮を剝ぎ、船にとりつけるだけでいい。しかしそれだけでなく、予応力（プレストレス）＊のおかげで風に耐えられるという力学的な利点もある[1]。

木の組織は中空の細胞でできているため、張力に比べて圧縮力に弱い。抗張力（引っ張り強度）の約三分の一の圧縮力がかかっただけで、細胞がつぶれてしまうのだ。そこで木はこの欠点を克服するために、外層にあらかじめ張力をかけている。成長にともなって形成される外層は縮もうとするが、内層とくっついていて縮まない。そのため外層には張力がかかっていて、内側の細胞を圧縮しようとしている。このように、内側が圧縮されて外側が引っ張られるという、縦方向の予応力が生じている。そのおかげで木は嵐に強い。幹が曲がると、風上側にかかる張力がさらに強くなるが、細胞はそれに容易に耐えられる。そして風下側では、予応力があるために細胞にかかる圧縮力は小さく抑えられる。その結果、予応力がかかっていない場合に比べて木は二倍近く

＊あらかじめかかっている張力や圧縮力。

木の幹の予応力

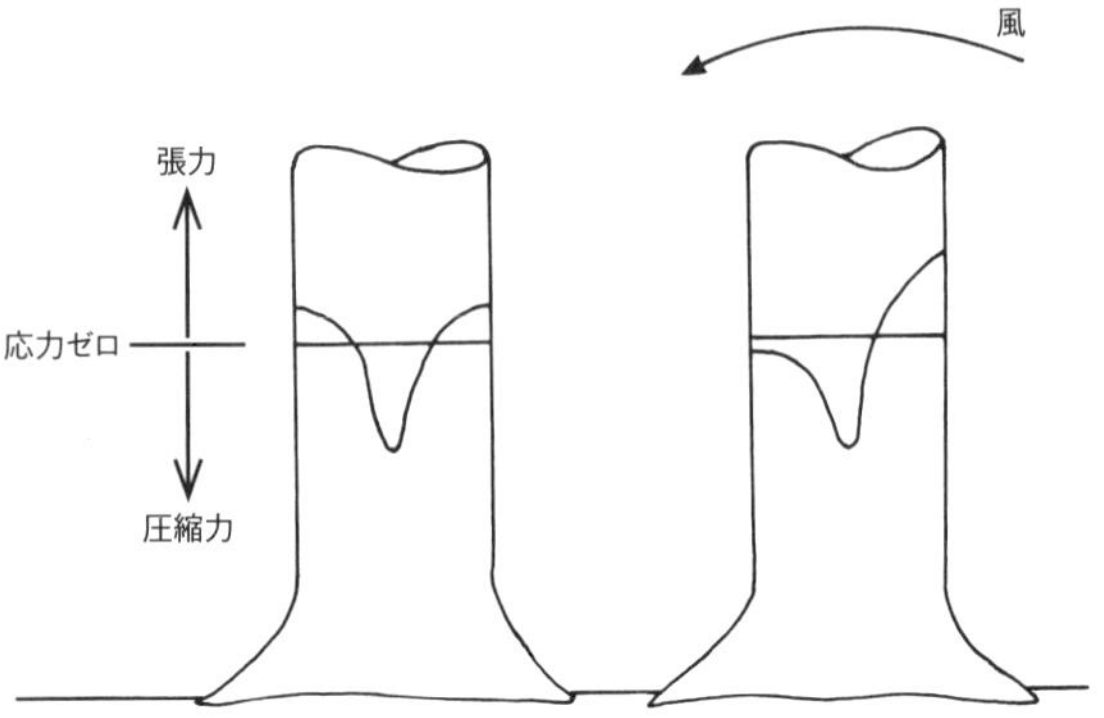

幹の外層にはあらかじめ張力が、中心部には圧縮力がかかっている（左図）。風で木が曲がっても、この予応力によって風下側の圧縮力が抑えられる（右図）。

曲がることができ、二倍近い風荷重に耐えられる。このため、木の幹で作ったマストや帆桁は、かなり強い嵐にも耐えられるのだ。

予応力がかかっていることの唯一の問題点は、切り倒されたときに表れてくる。斧や鋸で根元から切ると、予応力が解放される。そして幹の外層が縦方向に縮み、内層が膨張することで、切り口が外に広がって縦方向に裂け、割れ目（シェイク）が入るのだ。ユーカリの高木はとくにそうなりやすい。そのためマストに使えないどころか、幹が外側に一〜二メートルもはじけてイギリス人入植者に致命傷を負わせることもあった。

無垢の丸太は、家の骨組みや橋の構材を作るのにも使える。ほとんどの木橋は短くて簡単な構造で、丸太は曲げの力に耐える桁として使われているにすぎない。しかし中国では宋の時代に、六〇メートル近い支間長（支点間の長さ、スパン）を渡せる、木材を編み合わせた独特の形のアーチ橋が考案された[2]。虹橋と呼ばれるもので、丸太の端と端を単純な枘継ぎでつないで組んだ二組の多角形のアーチが、互いに編み合わされている。その二組のアーチのあいだを丸太でつないで構造を固定させ、その上に木道を敷き、ニューイングランドの屋根つき橋のように屋根で雨から構造体を守っている。歴史記録によると初の木造アーチ橋は、一〇三二〜三三年に山東省青州の軍司令官、シャー・ショウキンによって架けられた。また一一二〇年ごろの絵画には、宋の都だった開封(かいほう)を流れる汴河(べんが)に架かる虹橋が描かれている。この時代の橋で現存するものは一つもないが、地方ではこの工法が引き継がれ、中国東部の福建(ふっけん)省や浙江(せっこう)省には深い峡谷を渡る美しい橋が一〇〇本あまり残っている。

　伝統的な生木細工の技術によってオーク材を骨組みにした家屋も建てられつづけたが、時代が下るとともに、木を切って作った角材の利用が増えていった。第5章で述べたように、新石器時代の人々は長方形の共同長屋

中国のアーチ橋（虹橋）

アーチ橋の構造

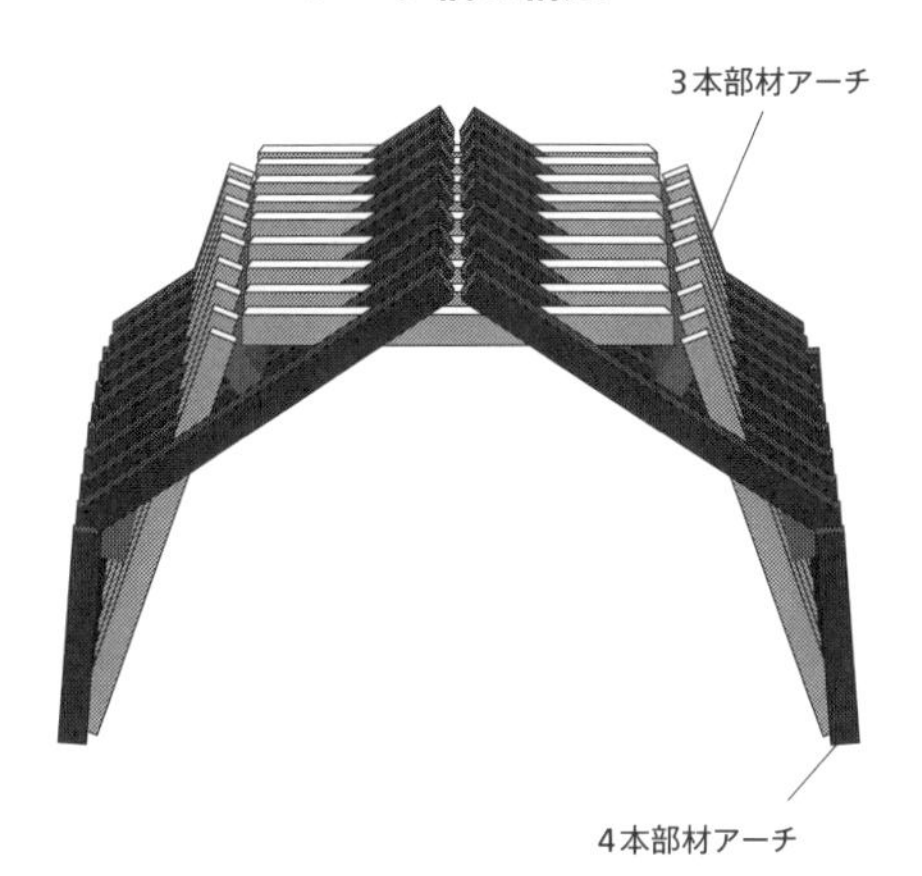

を建てる際に、地面に柱を列状に立て、それで外壁と、中央を走る棟木を支え、棟木と外壁のあいだに垂木を渡して、その曲げ強度で屋根を支えた。ヨーロッパ大陸ではこの方法が使われつづけたが、ブリテン島では青銅器時代や鉄器時代に、中石器時代のものに似た円形の家屋に先祖返りした。その理由は長年の謎で、ブリテン島の変わった様式にすぎないとみなされることが多い。しかしそれは、ブリテン島で木材が比較的不足していたことによると考えたほうがいい。人口密度が高く、森林面積がすでに全土の約二五パーセントに下がっていたこの島では、編み板と漆喰で外壁を埋めるほうが理にかなっており、また外壁を円筒形にすれば外周がもっとも短くなる。しかも円筒形なら、中央に長い大黒柱を立てなくても円錐(えんすい)形の屋根を支えられる。萌芽から育てた木材で垂木どうしをリング状につなぐことで、垂木が壁の外に押し出されるのを防ぎ、屋根の中央がたわむのを食い止める。そうして、傘の布地と同じようにドーム形が維持されるのだ。

当時の人々も現在と同じく家屋の建築に関しては保守的だったが、数百年をかけて二つの大きな改良を施した。第一に、建物がたった二、三〇年しかもたない理由がわかってきた。柱の根元が乾いたり湿ったりをくり返して、菌類の成長に理想的な条件が生じることで、土台の上面が腐っていくのだ。そこで、神殿を建てる際には台石の上に木製の柱を立てるようになった。屋根によって雨から、台石によって湿った土から守られたその建物は、数百年もたせることができた。

木造建築における第二の大きな進歩は、小屋組(ルーフ・トラス。一二三ページの図参照)の発明である。新石器時代の長方形の小屋では、棟木を支える柱が居住空間の邪魔になっていたが、柱を使わないと屋根が重みでたわみ、垂木が外壁を外側に押し出してしまう。その解決法としておそらくローマ人が初めて考案したのが、向かい合わせになった垂木の外側の端どうしを、建物を横断する水平の小屋梁でつなぐというものである。そのA字形の枠の内側に斜めの筋交いを足せば、垂木がさらにしっかりと支えられ、中央でたわむのを防げる。三角形の小屋組は、ローマ時代の公会堂（バシリカ）や、それを真似て設計された初期の教会にも多く使われた。しかしローマ帝国の滅亡によって、ローマ人が使っていたその高度な工法は失われてしまったらしい。たとえばアングロサクソン人の住居は幅が狭く、新石器時代と同じく地面に突き刺した柱で屋根の中央を支えていた。そのため、やはり数十年で朽ち果てていた。

さいわいにも中世の北ヨーロッパの教会建築には、残存していたローマ時代のバシリカや教会を真似て、石造りの基礎と小屋組が再び導入された。そうして、教会と住居の両方で木造建築が花開いた。イングランドのエセックス州にサクソン人が建てたグリーンステッド教会など、初期の多くの教会が木造だった。しかし木造教会の中でももっとも有名なのは、ノルウェー西岸のルストラフィヨルドに面した一一三〇年築のウルネス教会など、スカンディナヴィア半島の巨大なスターヴ教会群だろう[3]。それらの教会は、急勾配の屋根におびただしい数の木の板が張られていて立派な構えだが、基本的な構造は単純である。中央の身廊[*1]の四隅を垂直の柱（スターヴ）で支え、それらの上端を大梁でつなぎ、Aの字の斜線にあたる急勾配の垂木で屋根を支えている。身廊の脇にある側廊[*2]（二組ある場合も多い）の屋根は、一方向だけに傾斜のある片流れ屋根を継ぎ

13世紀初頭にノルウェー・テーレマルク近郊に建てられたヘッダール・スターヴ教会。壁は丸太を割ったスターヴ（柱）を垂直に並べて作られていて、主要部分は丸太と桁梁の骨組みで支えられており、屋根には木の板が張られている。

足しているにすぎない。身廊の柱のあいだには、この単純な構造体を隠すように聖アンデレの十字架や羽目板が張られ、手本にした石造りの教会と同じく壁によってアーチが支えられているかのように見せかけている。

これと同じ単純な構造設計がさらに有効に機能していてさらにはっきりと観察できるのが、イングランド南部にある、十分の一税[*3]として納められた穀物を貯蔵するための大きな納屋である。ブリテン島最大の木骨造りの建物である一五世紀築のハーモンズワースの大納屋は、ヒースロー空港の滑走路やターミナルビルからわずか数百メートルの距離にあって、出発ラウンジに居並ぶ見苦しい売店を避けるのにうってつけだ。長さ六〇メートル、幅一一メートル、高さ一二メートル、貯蔵庫が一一あり、中央の身廊と脇の側廊の上に、複雑な小屋組で屋根が支えられている。約四〇〇〇トンの穀物を貯蔵できた。この基本構造は北アメリカに入植したイギリス人にも用いられ、クリの屋根板を張って貯蔵庫を三つそなえた純木造の納屋や、ニューイングランドの納屋へと徐々に進化した。

ヴァイキング船の黄金時代

北ヨーロッパの住宅や集会所も木の骨組みで建てられたが、もっと小ぶりだった。中でももっとも単純なつくりであるクラックハウスは、自然に湾曲した木から切り出した二本一組の木材を何組か地面から立てて、壁と天井の支えにしている。木材どうしを向かい合わせで一列に立てて、先端をくっつけてAの字に似た形にする。そしてそのまわりにほかの構造材を付け足していく。もっと高度な木造家屋では、十分の一税の穀物貯蔵用の納屋と同じく小屋組で屋根を支えているが、床から屋根まで一本の長い木材を使うかわりに、箱形の骨組みをいくつか積み重ねて多層式にしている。この設計の

15世紀初頭にロンドン近郊に建てられたハーモンズワースの大納屋は、4000トンの穀物を貯蔵できた。オーク材の柱は基部が腐らないよう石の土台の上に立てられていて、屋根はずらりと並んだオーク材の荒削りな小屋組で支えられている。

＊1 入口から祭壇までの広間。
＊2 身廊と平行に走る廊下のような部分。
＊3 教会が収穫物の十分の一を徴収した税。

15世紀初頭にドイツ南西部に建てられたエスリンゲン市庁舎は、中世の典型的な木造の建物である。上の階が下の階よりも突き出していて、床がたわむのを防いでいる。また、X字に交差した斜めの筋交いによって、風に対する安定性が増している。

特長は、短くて安価な横材が使えるだけでなく、上の階を下の階よりも一メートルほど外側に張り出させられることにある。それによって床面積が増えるだけでなく、上階の張り出した部分の荷重によって床受梁（ゆかうけばり）の両端が下がることで中央部が押し上げられ、床の中央部分がたわむのを防げる。ただし一つだけ問題がある。通りの両側に並んだ家の上階どうしが接近して、建物から建物へ火が容易に飛び移ってしまうのだ。一六六六年のロンドン大火があっという間に燃え広がったのは、これも一因だったはずだ。

　このように防火上の懸念はあるものの、木造建築そのものに問題点はなく、逆に長所がたくさんあるため、今日でも生木細工によるオーク材の住居は建てられていて、田舎の富裕層にはとりわけ人気が高い。オークは未乾燥の状態で加工がしやすく、手斧で切った桁梁には表面に魅力的なでこぼこがあり、組立工法の住居の中でもとりわけ優れている。あらかじめ製材所で継手を刻んで試しておけば、基礎ができてから短期間で組み立てられる。未乾燥の木材を使うもう一つのメリットは、継手を木釘で留めたあとに木材が乾燥して縮むことで、接合部がきつく締まって構造が強くなることである。骨組みができたら、編み板と漆喰で壁の断熱性を高めることで、レンガ造りや石造りよりも住み心地のよい家になる。

　しかし生木細工の伝統技術の極致といえるのは、血塗られた古代北ヨーロッパ人の大集団が征服と探検に使ったヴァイキング船だろう[4]。ヴァイキングはその立派な船で、ブリテン島、アイルランド、北ヨーロッパの大部分を征服し、アイスランドやグリーンランドに入植し、コロンブスより何百年も前に新世界を発見した。ヴァイキングの商人の影響力は、東方のロシアや、地中海を越えてコンスタンティノープルにまで広がった。ところがヴァイキングの美しい船は、斧で木を切り倒して鉞（まさかり）で加工し、錐で穴を開けるというように、昔ながらの道具だけで造られていた。その作業の様子は、征服王ウィリアム一世の侵攻艦隊の建造の場面を描いたバイユーのタペストリーの一部にはっきりと示されている。一〇六六年にイングランドを侵略したノルマン人は、もともと一〇世紀初めにフランス北部に定住したヴァイキングの子孫である。

　ヴァイキングの船大工は、木目が縦に揃ったニレまたはオークを選んで切り倒し、断面がT字形になるように成形して竜骨を作った。次にその竜骨に、外板を順番にとりつけていった。外板はオークの幹を放射状に割った厚板で作られていて、鋸（のこぎり）で切り出した現代の厚板と比べていくつかの長所があった。繊維や道管にちょうど沿っていて木目が露出していないため、いっさい水

11世紀のバイユーのタペストリーの一部。ノルマン人によるイングランド侵略のために、征服王ウィリアム1世の艦隊を建造している場面が描かれている。左のほうでは木こりが木を切り倒していて、中央では木工職人が鉞で厚板を成形している。右下では船体を組み立てていて、右上では船大工が船体の形状を確認し、職人が錐で穴を開けている。

を通さず、きわめて強くて柔軟だった。しかもオークは放射組織が大きいため、横方向に強くて裂けにくい。外板の成形には、新たな鉄器である引き削り刀（ドローナイフ）が使われた。引き削り刀は用途こそ手斧とほぼ同じだが、つくりはまったく違っていて、鉄製の長い刃の片側を研いで両端に木製の柄をとりつけてある。木目に沿って木を削るには、刃を大きな角度で当てて食い込ませ、手前に引くことで、薄く長く削ぎ落とす。記録のある中で最古の引き削り刀は、スウェーデンのゴトランド島で見つかった紀元一〇〇〇年ごろの道具箱メスターミル・チェストの中から発見されたものだが、おそらくその何百年も前から引き削り刀は使われていたと思われる。

ヴァイキング船を造る際には、鉄を鋳型に流し込んで作った改良型の引き削り刀を使って、外板の内面の下端に溝を彫った。そしてその溝に充塡（じゅうてん）材として縄を押し込んで、外板と外板のあいだから水が漏（も）れないようにしたうえで、各外板をその内側になる外板の表面に鉄のリベットで留めて、頑丈な船体を造った。最後に、肋材（ろくざい）を作るための曲がった枝と、船梁（ふなばり）にするまっ

ヴァイキング船の構造

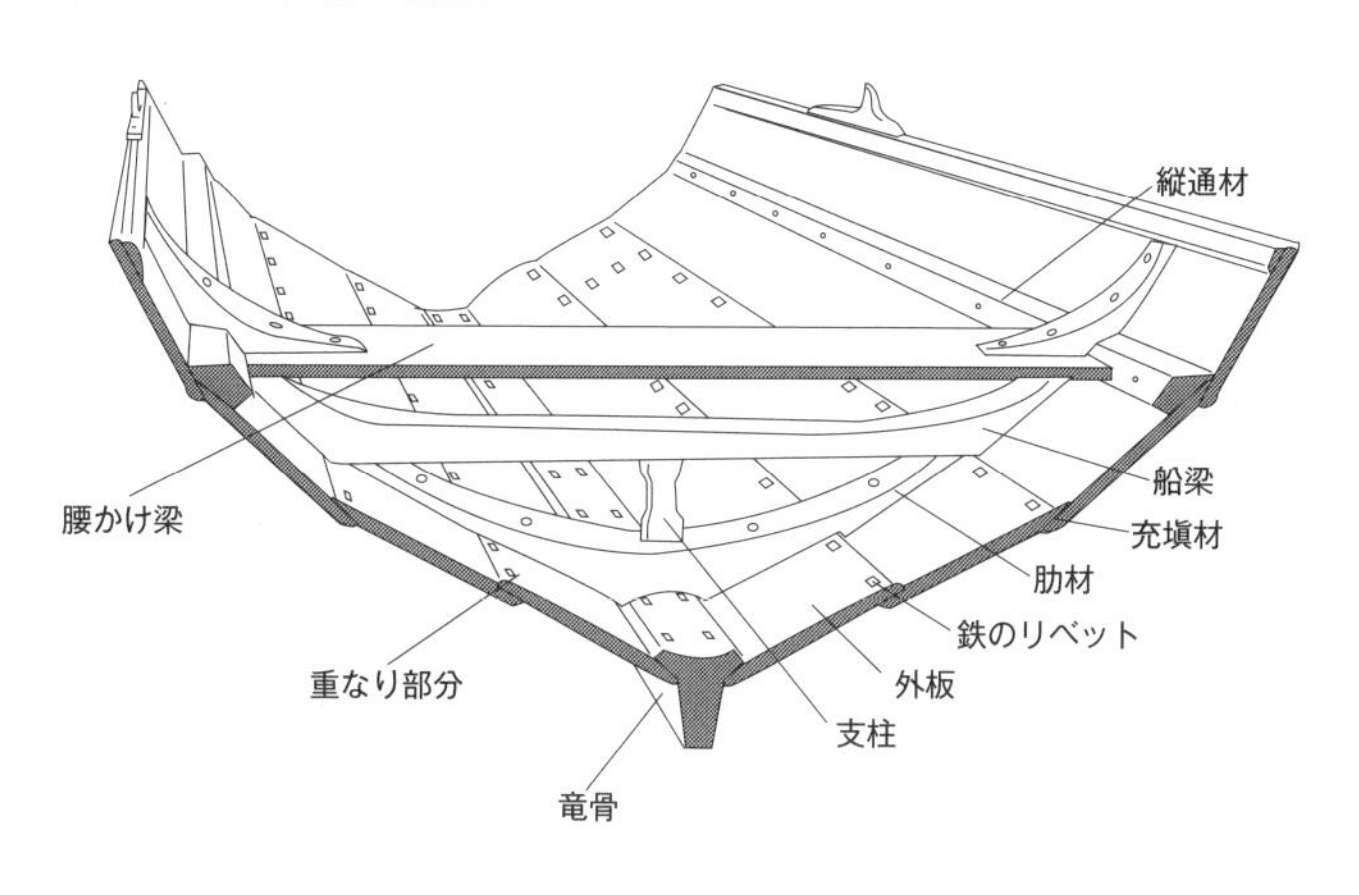

すぐな木材を選び、いちばん上の外板にそれらの両端を留めていって剛性を持たせた。見事な彫刻が施された紀元八〇〇年ごろのオーセベリ船では、船体にとりつけられたマストが、オークの枝分かれ部位から切り出した「マストフィッシュ」と呼ばれるT字形の木片によって支えられていて、木自体が生きていたときに使っていた補強メカニズムが活かされている。しかしヴァイキング時代の絶頂期を物語っているのは、紀元八九〇年に造られたゴクスタ船で、装飾は少ないもののシンプルで優美な形状をしており、さらに効果的に剛性を持たせた構造をしている。

ヴァイキング船の黄金時代は紀元一一〇〇年ごろに終わりを迎えた。その一因は、ヴァイキングたちがキリスト教に改宗して強姦（ごうかん）や略奪をする気が失せたことだが、もう一つの原因として、木目がまっすぐで割ることのできる木を見つけるのが徐々に難しくなっていったことが挙げられる。その後の中世の船大工は、

オスロ・ヴァイキング博物館に収められている9世紀初頭のオーセベリ船の舳先。精緻な彫刻、優美な曲線、見事な船体のつくりに注目。外板どうしを鉄釘で接合したのちに、内側に骨組みを取り付けて船体の強度を高めている。

木目の揃っていない木を切って、質の悪い厚板を作るしかなくなった。そして船体の壁を分厚くせざるをえなくなった。それでも、伐採地に植林した大きなオークから切り出した湾曲した木材も、さまざまな用途に使われつづけた。一九世紀に入ってからしばらくするまでは、肘材（ちゅうざい）*や中間肋材など、軍艦の重い船体を支えるための木材として使われた。

もっと小さい製品、たとえば家具や皿、ボウルや装飾品などを作るのには、伝統的な生木細工の手法は向いていなかった。第一に、切り屑（くず）が大量に出てしまう。たとえば、放射状に割った木材から通常の厚板を作るには、かなりの部分を削り落とさなければならないし、斧を使って木目と垂直に木材を切ると、切り目の幅が広くなってしまう。さらに生木細工の技術は精度が低いし、成形後に木材が縮んでゆがみ、継手や仕口がゆるんでしまうという難点もある。そこで職人たちは、乾燥させたあとで木材を成形する新たな木細工の技術、現代でいうところの木工を徐々に発達させた。そしてそのために、鉄や鋼鉄の剛性と硬度を十分に活かした新たな道具類を発明して洗練させた。

鋸の登場

木工職人の道具箱に最初につけたされたのは、細い切り口で木材を木目と垂直に切ることのできる初の道具、横挽き鋸（よこびのこ）である[5]。古代エジプトで初めて登場した金属製の鋸（のこぎり）は、中石器時代の人々が使っていた骨製の単純な鋸に似ている。青銅製で、手前に引いたときに切れるような歯の並びをしている。現在でも日本で使われているそのような歯の並びは、薄い鋸身（のこみ）が曲がるのを防げるが、かけられる力に限界がある。また歯の形がかなり単純で、作用のしかたはパン切りナイフに似ている。つまり、小さい面積に圧力を集中させることで切れ込みを深くし、おがくずを掻き出す。しかし鋸身が鉄で作られるようになると、歯のつくりは改良された。現代の横挽き鋸では、一本一本の歯が刃のように鋭くなっていて、小さな鑿（のみ）のような働きをする。また一本ずつ左右交互に研がれており、細胞壁を短く断ち切っておがくずとして掻き出せるようになっている。

＊互いに交わる二本の構材を固定する構造材。

さらに二つの特徴がつけたされたことで、鋸の効率はますます高まった。歯をわずかに外側に曲げることで、切り口を鋸身よりも少しだけ広くして、引っかからずに鋸を挽けるようにした。また、二本の歯のあいだに熊手のようなものをつけて、おがくずを効率的に掻き出せるようにした鋸もある。木の組織を切れるくらいに薄いと同時に、切り口の中で押しても曲がらないくらいに剛性の高い刃を作るという難題を、ローマ人は二通りの方法で解決した。いまでも柄挽き鋸として広く使われている胴つき鋸は、上側の縁を分厚くして木製の柄をつけることで、鋸身に剛性を持たせている。弦(つる)掛け鋸は、堅い木枠に細くて柔軟な鋸身をぴんと張ったもので、現代の糸鋸や弓鋸やジグソーと同じつくりである。どちらのタイプの鋸にも、堅い枠が邪魔になって切れる深さに限界があるという欠点があるが、弦掛け鋸の中には枠を鋸身の真上でなく左右どちらかにずらすことでその欠点を克服したものもある。胴や枠がなくても十分に剛性の高い鋸を作れるようになったのは、もっとあとの一八世紀にばね鋼*が登場してからで、それによって現代の典型的な鋸が生まれた。

横挽き鋸は木を切り倒したり厚板を正確な長さに切り出したりするのにとくに役に立ったが、やがて木を木目に沿って切る必要性も出てきた。そうすれば、蟻継手(ありつぎて)（一四〇ページの図参照）を正確に切って厚板どうしを直角につないだり、高価な木を薄く切って化粧板を作り、もっと安価な木材の表面に貼ったりすることができる。何よりも重要なのは、木目が揃っていなくて簡単には割れないような幹や枝から、厚板を切り出せるようになることである。老齢林が切り倒されて森に人の手が入るようになるにつれ、そのような木がどんどん増えていったのだ。

　木を木目に沿って切って、いまでも使われているようなタイプの厚板を作るには、新たなタイプの鋸が必要となった。縦挽き鋸である。横挽き鋸では一本一本の歯の側面が鑿として作用するが、縦挽き鋸では、前方を向いて研がれた歯の前端が鑿として作用する。その歯が繊維を断ち切ると同時に、切れた繊維を掻き出す。縦挽き鋸は中世以降にどんどん普及し、二人挽き大鋸（おが）で太い幹を切って平板が作られるようになった。水平に置いた幹の下に開けた穴に一人が入り、もう一人が幹の上に立つ。とくにヨーロッパ大陸ではこの工程が徐々に機械化されていき、一五九四年にはオランダ人のコルネリス・コルネリショーンが、水力で大鋸を往復運動させる初の製材機を開発した。もちろん鉄製の鋸身以外はほぼすべて木製だった。

　ローマ人は、厚板をもっと薄くしたりなめらかにしたり、複雑な形に成形したりするために、もう一つの道具を発明した。鉋（かんな）である。鉋は手斧や引き削り刀とまったく同じように、木目に沿って木の組織を切り裂いて削り屑を取り除いていく。しかし鉋の長所は、鉄製の薄い刃の角度が枠によって約四〇度という最適な値に保たれていて、削り取る深さを調節できることである。

＊ばねなどに用いる、とくに強度を高めた鉄鋼。

引き削り刀と同じく、刃をさまざまな形状にすることで、平板をなめらかにできるだけでなく、木材にくぼみを入れたり、厚板の縁に沿って実矧ぎ（一四二ページの図参照）の継手を正確に切り、厚板どうしを端と端で素早くつなぎ合わせたりすることができる。

　これらの数少ない単純な道具があれば、縦方向に木目が走るよう厚板どうしをつなぎ合わせて強度を増し、二次元や三次元のあらゆるものを作ることができる。その好例がドアである。ドアを作るなんて簡単じゃないかと思われるかもしれない。太い幹から厚板を切り出すだけですんでしまうのでは？　しかしそのような厚板はなかなか手に入らずかなり高価だし、放射状に切り出さないと反りやすいし、縦方向に割れやすい。そこで、もっと小さい厚板から安価で頑丈なドアを作る方法がおもに二通り開発された。

　すぐに思いつくのは、何枚もの厚板を実矧ぎで横につなぎ合わせ、横方向を補強するために水平に目板を留めて、目板打ちドアを作るという方法である。金属製の大きな蝶番で留めることでドアが外れるのを防ぎ、場合によっては斜めに筋交いを入れることで、さらに横方向の補強をする。目板打ちドアはたしかに有効だが、大量の木材が必要で重い。いまでも田舎の住居に広く使われているものの、ほとんどはパネルドアにとってかわられている。左右の縦框の上端と下端に枘継ぎや留め継ぎ*で水平の桟をつなぎ、桟のあいだに縦に竪子を入れることで枠を作る。そして枠の溝に、薄い平板またはガラスで作った羽目板をはめる。装飾的に仕上げるのであれば、面取り鉋という特別な鉋を使って枠の内側の縁を削る。パネルドアは目板打ちドアよりも軽くて上

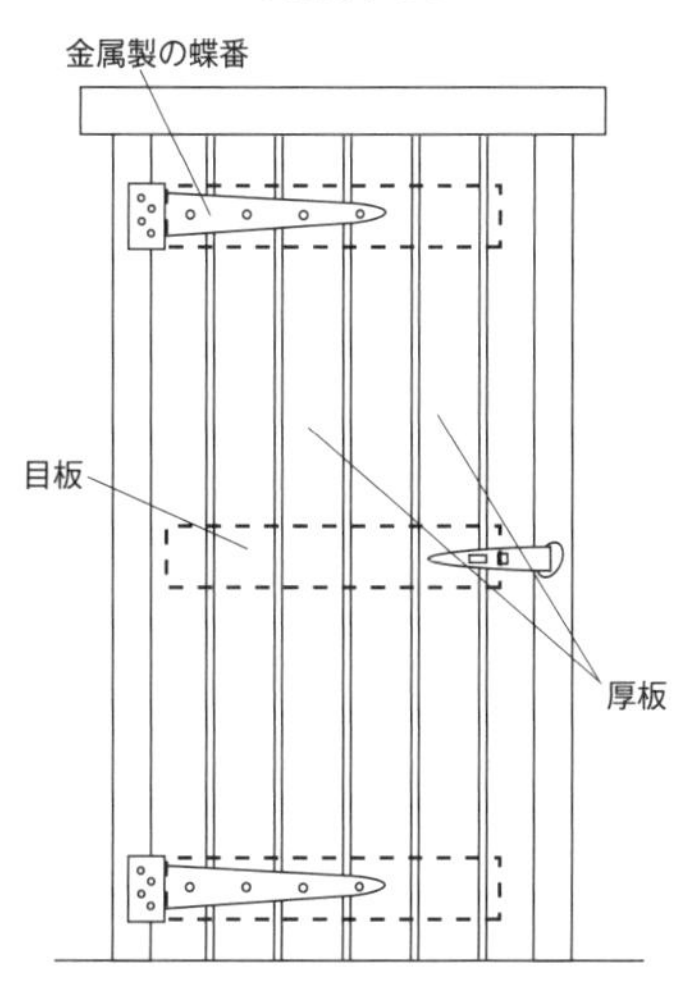

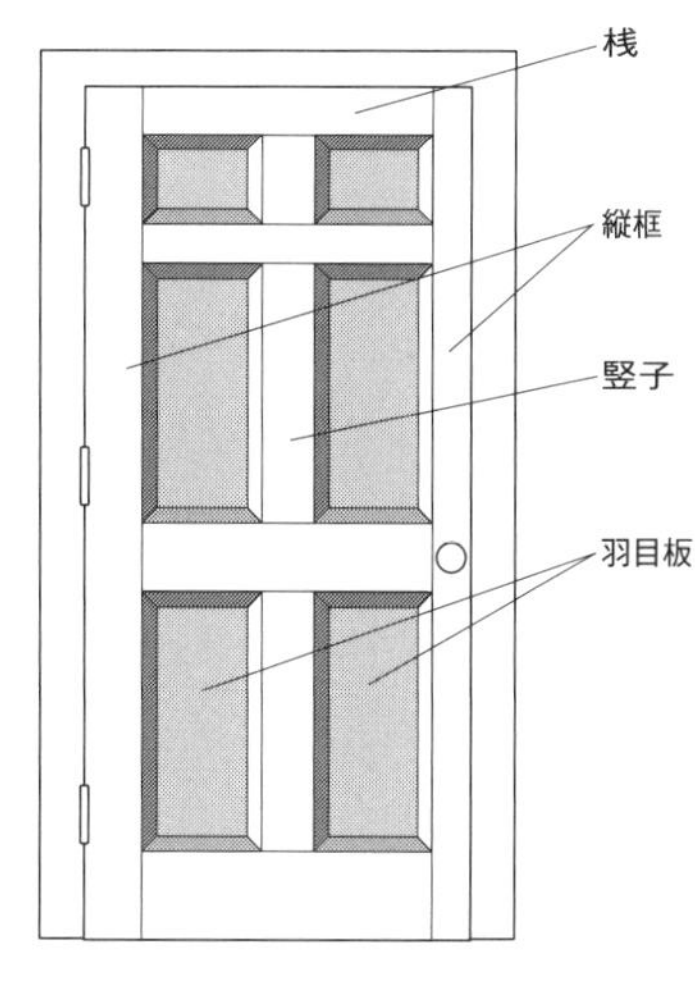

品で反りにくいが、蝶番がゆるむとやはり外れてしまう。

木工職人はまた、厚板や目板を枘継ぎや蟻継ぎや留め継ぎ、さらにはもっと複雑なさまざまな継ぎ方でつないで三次元の構造物を作る方法を、あっという間に身につけた。しかし斜めにつなぐよりも直角につなぐほうが手間が少ないし、はるかに簡単なため、椅子やテーブル、化粧ダンスや机、戸棚や本棚などの木製家具は、家屋と同じくほぼ決まって直方体や立方体の形をしている。このようなつなぎ方で、とてつもなく優雅な家具も作れる。一八世紀のシェーカー教徒が作った座り心地のよい椅子や、アー

＊木材の端を四五度の角度に切ってつなぎ合わせる方法。

ルヌーヴォーの建築家でデザイナーのチャールズ・レニー・マッキントッシュが作った、背もたれがはしご状になっている魅力的な椅子を思い浮かべてほしい。型にはまったような直方体の家具は直方体の家にぴったり合うが、この製法には変形しやすいという欠点もある。丸い形のものを作ったり湾曲した木材を使ったりするには、かなり違った手法を編み出さなければならなかった。

花開いた木工文化

皿やボウルやカップ、椅子の脚や木管楽器など、断面が円形の小さなものを作るには、鋸（のこぎり）や鉋（かんな）などとは異なる手法が使われた。旋盤（せんばん）加工である。木材を回転させながら特別な鑿（のみ）で削りとっていくことで円形に成形するという発想は、もちろん陶工が粘土で器を作る方法がヒントになった。製陶用のろくろが発明されたのは車輪と同じ紀元前三五〇〇年ごろだが、旋盤が登場するのは紀元前一五〇〇年ごろになってからで、エジプトの壁画に描かれている。鉄の登場によって、木を削ってもすぐには摩耗しないような硬い鑿を作れるようになったことが、旋盤の発明に役立ったのは間違いない。

旋盤の基本的なつくりはすべて同じである。加工したい木材の端を主軸に固定し、反対端をピンに押しつけてぶれを防ぎ、自由に回転するようにする。そして木材を回転させて、先端の硬い鑿を押しつけ、回転軸を中心として均等に削っていく。各タイプの旋盤の違いはおもに、回転の動力と、木材を削るタイミングである。エジプトの初期の旋盤では、木材にひもを巻きつけて、助手がそのひもを前後に引っ張っていた。削れるのは前後どちらか一方に回転しているときだけだった。弓旋盤では、木材に弓の弦を巻きつけ、弓錐（ゆみきり）の刃先を回転させるのと同じ要領で旋盤職人自身が木材を回転させていた。それによって助手は不要になったが、旋盤職人は片手で鑿を持つしかなかった。

そこから大きく進歩したのが、ペダルで動力を与える竿旋盤である。ペダルを踏むと、木材に巻きつけたひもが引っ張られて木材が回転する。ひもの反対端は弾力性のある長い棒の先端につながれていて、その棒が下にしなる。ペダルから足を離すと、棒が元のまっすぐな状態に戻っていって、木材が逆方向に回転する。そのため往復運動の両方の行程で木材に一定の力を入れることができるし、両手で鑿を持てる。ボッジャーと呼ばれた熟練職人が操る竿旋盤は、ヨーロッパでは鉄器時代から使われ、ヴァイキングの時代には広く普及していた。博物館のヨーヴィック・ヴァイキング・センターが立つイングランド・ヨークのカッパーゲート通りは、大勢の杯（カップ）製造職人がそこで商売をしていたことから名付けられた。

木製の杯を作るには、木目が旋盤の長軸と平行になるように木材を固定して、細い脚の強度ができるだけ高くなるようにする。それに対して木製のボウルや皿は、木目が旋盤の長軸と直角になるように木材を固定して、横方向の強度が高くなるようにする。田舎の人々は何百年ものあいだ、ほぼ例外なしに木製の食器で食事をしていた。一人一人自分の皿やボウルを持っていて、あらゆる料理にそれを使っていた。旋盤はカトラリーの柄を作るのにも使われ、とくに一八世紀に木製の食器が陶器にとってかわられると、テーブルや椅子の脚を作るのにも使われた。

製品の形に曲線を入れるために編み出されたもう一つの手法が、曲木加工である。木材を水の沸点まで加熱すると、ヘミセルロース分子どうしの結合が切れて基質が軟らかくなり、セルロースの細い繊維どうしがずれやすくなる。そのため、木材を水蒸気の中にしばらく入れ、取り出してから曲げて固定しておくと、好みの形に成形できる。乾燥して冷めてもその新たな形が保たれる。

曲木加工は、船の肋材から、かんじきやテニスラケットまで、湾曲したさまざまなものを作るのに使われてきた。この手法によって、従来のものよりも優雅で使い心地のよい家具を作れるようになった。中でももっとも有名なのが、背もたれが弓形に美しく湾曲している、均整のとれたウィンザーチェアである。一七世紀に作られた初期のウィンザーチェアには、ロンドンの西、チルターン丘陵にあるハイウィカムという町のブナ材が使われている[6]。この地域でとれた白っぽいブナの木材を使って弓形の背もたれを作り、旋盤加工で作った横木や脚、そして座板とともに組み立てて、ウィンザー経由でロンドンに輸送された。その製法は植民地アメリカにも伝わった。一七二六年にペンシルヴェニア副総督パトリック・ゴードンが初めてウィンザーチェアを持ち込むと、まもなくしてフィラデルフィアで現地生産が開始された。

しかし、曲木加工で作られた品物の中でもっとも重要だったのは、樽である。かつてワインや油などの液体は、背が高くて底が丸く、首のところに取っ手が二つついた、アンフォラという土器に入れて運んでいたが、重くて運びづらく、積み重ねることもできず、かなり壊れやすかった。この時代の考古学的史料は、その大部分が壊れたアンフォラの破片によって占められている。曲げた木の板をつなぎ合わせて作る木製の樽は、おそらく紀元前三五〇年ごろにケルト人によって発明され、アンフォラよりもはるかに実用的であることがすぐに明らかとなった。強度が高いうえに、地面を転がして運ぶこともできるし、簡単に積み重ねることもできた。

樽の重要な特長は、樽板が湾曲していて中央が外側に張り出しているため、木の縦方向の剛性のおかげで内部の液体の圧力に耐えられることである。樽を作るにはまず、樽板を正確な形に切り出し、特製の引き削り刀を使って断面が湾曲するように加工する。さらに長台鉋（ながだいかんな）を使って左右の端を削り、樽板どうしをつなぎ合わせたときに円形になるように角度をつける[7]。そして樽板どうしをつなぎ合わせ、両端を箍（たが）

1760年代にイングランドで作られたウィンザーチェア。肘掛けと背もたれが曲木加工によって優美なカーブを描いていて、当時流行していたゴシック様式のアーチがふんだんに用いられている。

で仮留めし、加熱してぴったりとくっつける。最後に両端の板を作って上下にはめ、鉄の箍で補強する。産業化以前、樽は交易に欠かせない代物で、今日のブリキ缶やプラスチックボトルやコンテナに匹敵する存在だった。

車輪職人は、従来の木工、旋盤加工、曲木加工という三種類の木工技術をすべて駆使して、ついに車輪の構造を改良した。前の章で述べたように、青銅器時代初期の車輪は三枚の厚板をつなぎ合わせて作られていて、重くて壊れやすかった。古代の二輪戦車を設計した人は、このような車輪の構造を改良して、もっと軽くて速くて壊れにくい車両を作りたいと思った。そして青銅器時代後期、まさにそれに適した構造であるスポーク車輪を思いついた。割れにくいニレなどの木材を旋盤加工して作ったハブに、引き削り刀や旋盤で成形した細長いスポークを放射状に取りつける。そしてそこに、細い枝を曲木加工して作った円形のリム（輪）を柄継ぎする。初のスポーク車輪は、紀元前一五〇〇年ごろにエジプト人や彼らと対立する中東の人々によって作られたが、車輪の構造がもっとも進歩したのは、ホメロスの叙事詩に描かれたギリシャ時代の二輪戦車においてである[8]。その車輪にはスポークが四本しかなく、回転するとともにリムがわずかにゆがんで衝撃を吸収し、トロイアの戦場のでこぼこな地面をスムーズに走ることができた。欠点は、戦車の重みで木材が徐々に変形して車輪がゆがんでしまうのを防ぐために、いくらアキレウスのような英雄でも、夜間は車輪を取り外すか、戦車を丸ごと上下ひっくり返すしかなかったことである。

のちのローマ人や中世の車職人が作った車輪はもっと堅固に作られていて、鉄の輪金（わがね）で補強されていた。皿をひっくり返したように中央がふくらんだ形の車輪も作られた。スポークをわずかに斜めに固定して浅い円錐形をなすようにすることで、横方向の剛性を高め、轍（わだち）のある道を走っても仕口がゆるまないようにしたものだ。農民は、仕口がゆるまないよう、荷車を浅い水たまりの中に置いて木材に水を染み込ませておくことが多かった。イングランド人風景画家ジョン・コンスタブルの有名な絵画には、ストゥール川の中に置かれた干し草車が描かれている。

このように鉄器は、製鉄法の発見から三〇〇〇年以上にわたって、木製の人工物に囲まれた世界を形作る役割を果たしてきた。しかしここまで見てきたとおり、それらの手法はいずれも時間がかかるし、高いレベルの器用さと技能が必要だった。そのため、とてつもない人数の熟練工が木工に携わっていた。

それはたとえば、イギリス人にありふれた名字の多くが木を扱う仕事に由来していることからもわかる。カーペンター（大工）やジョイナー（指物師）だけでなく、ライト（木工職人）、ホイールライト（車輪を作る人）、シップライト（船大工）、ウェインライト（車両を作る人）、ボッジャー（旋盤工）、ボウヤー（弓を作る人）、フレッチャー（矢を作る人）、ターナー（ろくろ師）、ボウラー（ボウルを作る人）、クーパー（樽を作る人）、ソーヤー（木挽き）、フォレスター（森林の管理をする人）、コリエ（木炭を作る人）などもある。メイソン（石工）は柄が木製の道具を扱う人、ミラー（粉を挽く人）は木造の水車小屋や風車小屋で暮らしながら働く人、グレイジャー（ガラス職人）やポッター（陶工）やスミス（鍛冶屋）は、窯や炉の中で木炭を燃やす人だ。鉄器時代、人々の暮らしは木に支配されていて、その状態はいまから二〇〇〇年前まで続いた。

第8章

贅沢品のための木工

前の章で見たような野外博物館と世界中の主要な文化博物館とでは、これ以上ないというほどの違いがある。大きな博物館では、日常生活のための手工品のかわりに、権力者や金持ちや政治指導者のために作られた工芸品や装飾品や文書が展示されている。大英博物館を何度か訪れた経験から判断するに、いまから少なくとも一〇〇〇年以上前の有力者たちがもっとも強い関心を示していたのは、戦いや狩りだった。彼らが好んで表現させたのは、男がほかの男を殺したり、男が女を殺したり、人がほかの動物を殺したり、あるいは文明の絶頂とされるパルテノン神殿の彫像の場合には、人がケンタウロスなどの想像上の生き物を殺したりする場面だった。

ルネサンス期に入ってからしばらくしても、胸板の厚さが重んじられ、武装した男の胸筋はありえないくらい六つに割れて表現されていた。さいわいにもその後の芸術作品の多くには、着衣姿や裸体の美男美女、動植物、風景、抽象的なパターンなど平和的な題材が描かれている。部屋には宝石や金銀、陶磁器やガラスの器、羊皮紙の書物やブロンズ像があふれていた。

博物館を訪れたほとんどの人は、精緻な細工が施された高価な品々に圧倒されるがあまり、日常生活でもっともありふれた素材である木がどこにも見られないことにはついぞ気づかない。ないものに気づくのは難しいものだ。木は多様な特長をそなえていながらも、支配層からはあっという間に相手にされなくなったように思える。それにはいくつか実際的な理由がある。木は金属や宝石と違って輝いていないし、ガラスと違って透明ではないし、石や青銅と違って長持ちしない。しかし最大の理由は、木があまりにも平凡で地味でありふれていることではなかったのか、そう思えてしかたがない。庶民でも所有できるような木製品なんて、金持ちはほしくなかったのだ。いまから見ていくように、素材選びのうえで木の力学的特長が飛び抜けて重視されるような品物しか、金持ちには受け入れられなかった。しかも上流階級の人々が買い集めた木製品は、特別に選ばれた希少な木で作られていて、みすぼらしい素材を隠すような装飾が施されたものばかりだった。

ここまではもっぱら、木をあたかも一種類の均一な素材であるかのように説明してきた。しかしここで、樹木の種類に応じて密度や剛性や色などの性質がどのように違うか、そしてそれらの違いが何に由来するかを探っていくべきだろう。そもそも木の組織は、その木にとって必要な特性、木の大きさや生育環境、土壌の性状や生育場所の気候に適応している[1]。オークやトネリコ、ブナやシナノキなど、温帯地方に生える背が高くて林冠を構成する広葉樹は、幹を通して水を葉に比較的素早く運ばなければならないし、強風にも耐えられなければならない。そこで、水を通す道管が比較的太く、またできるだけ小さい労力で幹を太くできるよう、かなり空隙の多い繊維細胞を作る。そのため、比重[*]の中央値は〇・五程度である。もっと背の低いセイヨウヒイラギやミズキやツゲなどの低木は、それほど水を必要とせず、ゆっくりと成長して長生きする傾向がある。そのため、道管がもっとずっと細くて繊維細胞の細胞壁が分厚く、密度が高くて硬い組織を作る。最後に、カバノキなど開けた場所に進出する成長の速い先駆種の木、およびポプラやヤナギなど川辺に生える木は、道管がとくに太くて繊維細胞の細胞壁が薄く、急速に成長してできるだけ短期間で太い幹を作る。そのため組織が軟らかく、比重は〇・三五しかない。このパターンは亜寒帯の森林でも同じで、林冠を構成する木はマツやトウヒやモミなどの針葉樹、先駆種はカバノキやカエデやアスペンである。熱帯雨林では比重のばらつきがさらに大きい。バルサなど、急速に成長する先駆種では〇・一未満なのに対し、コクタンやアイアンウッドなど、ゆっくりと成長する低木の木材は水に沈むのだ。

木の組織は色もさまざまで、色の違いはおもに、タンニンやフェノール類など心材に染み込んだ有色の防御化学物質の量の違いに由来する。これらの防御物質は、菌類などを殺して組織が腐

*水の重量を一としたときの相対重量。

るのを防ぐ。長生きの木や暖かい地方に生える木は防御物質が多量に必要で、それゆえ組織の色が濃くなる。温帯地方に生える木の中では、長寿のオークやレバノンスギがもっとも色が濃くて、木材がもっとも長持ちする。逆に速く成長するポプラやヤナギの木材は、もっとも色が薄くてもっとも脆い。熱帯地方の樹木の多くは温帯地方の樹木よりも色が濃く、そのためチークなどの木材はガーデンファニチャーに広く使われる。コクタンやブラックウッドなど低木の木材はとくに色が濃く、先駆種であるバルサの白い木材とは対照的だ。

生木細工や前の章で紹介した近代的な木工には、林冠を構成する背の高い木からとった、中程度の密度の木材が使われていた。オークやレバノンスギなど長寿命の木からとった木材は、雨風にさらされる建物や船や車両に使われ、トネリコやブナなど短寿命の木からとった木材は、屋外に出さない道具や家具に使われた。それに対して上流階級向けの製品を作る職人は、もっと比重が大きく色の濃い低木を使って、家具や装飾品を作ったりその表面を覆ったりした。

初期の家具の中でもとりわけ良好な状態で保存されているのが、エジプト人が作って墓の中に埋葬したものである。ナイル川沿いの狭い地域にはほとんど木が育たなかったが、裕福なエジプト人は近隣からさまざまな木材を輸入し、北アフリカや中東や地中海沿岸からもさまざまな珍しい木材を調達した。地元に生えるアカシアやカエデも活用した一方で、安価な木材に、もっと珍しい木の丸太から薄く削ぎとった化粧板を貼るという技も初めて駆使した。また、さまざまな色の小さい木切れを接合して模様や絵を作る、寄木細工の技法も編み出した。トゥトアンクアメンの墓には、ライオンの身体を模して彩色が施されたベッドフレーム、木やガラスや宝石が象嵌(ぞうがん)された美しい箱など、さまざまな木製家具があふれかえっていた。しかしもっとも豪華な品物は、現在、カイロ博物館に収められているトゥトアンクアメンの玉座だろう。基本的にはただの肘掛け椅子だが、金箔がふんだんに押されていて、背もたれには、妻で異母妹のアンケセナーメンがトゥトアンクアメンの肩にオイルを塗っているほのぼのとした絵が描かれている。

精緻な彫刻

寄木細工の技法はローマ人によってさらに発展し、またあらゆる色の木材が豊富に手に入る中国やインドでも装飾として長いあいだ好まれてきた。しかし熱帯地方の木材がほとんど入手できない中世のヨーロッパでは、調達できる木材の中でもっとも密度が高くて色の濃い、地元でとれるオークの無垢材が家具によく使われた。装飾には色のパターンのかわりに、多種多様の複雑な浮き彫り彫刻が用いられた。金持ちの家に置かれたオーク材の家具や暖炉や鏡板もどんどん精緻になっていったが、もっとも凝った木工細工が使われたのは祈りの場である。ほとんどの教会には、身廊と内陣[*1]を隔てるオーク材の内陣仕切り(ルード・スクリーン)が設けられ、そこには美しい尖頭アーチ（ゴシックアーチ）が彫り込まれて、羽目板には聖人の絵や像が飾られていた。上方の内陣桟敷(ルード・ロフト)には、精緻な透かし細工で葉や花があしらわれていた。

とりわけ複雑で美しい装飾が施されたのは大聖堂で、内陣仕切りだけでなく聖歌隊席全体が、美しい彫刻の施されたオーク材で造られ、その上には聖人や聖職者、さらには幻獣の頭像が掲げられていた。職人たちは装飾への情熱を抑えきれなかったようで、折りたたみ椅子の下面についているミゼリコード[*2]にまで、動物や植物、人物や神話上の生き物、さらには日常生活の場面を描いた彫刻が施されていた。そうした力強い彫刻は人々の想像をかき立てた。作家ルイス・キャロルが育ったヨークシャー州リポンでは、その父親が大聖堂の司祭を務めていた。地元の人の話によると、『不思議の国のアリス』の冒頭場面はその大聖堂のミゼリコードから着想を得たのだという。そこには、幻獣グリフィンに追いかけられて穴に逃げ込むウサギが描かれているのだ。

オーク材の彫刻は見栄えがしてたしかに耐久性もあるが、オークはさまざまな点で彫刻にはあまり向かない木材である。毎年春にリング状に形成される太い道管の部分が弱くて線状に割れやすいし、放射組織が巨大で模様のように見え、彫刻自体の形から視線が逸らされてしまう。もっと木目が細かく揃っている木材のほうが美しくて精緻な木彫を作れるため、支配者が気に入るかどうかにかかわらず、職人たちは昔から軽軟材で彫刻を作ってきた。カイロ博物館で異彩を放つ展示品の一つが、紀元前二五〇〇年ごろ、第五王朝初期の写本筆写者・神官カアペルの像で、イチジクの木で作られている。まるで生きているような姿で、恰幅（かっぷく）がよく禿げ頭（はげあたま）だが優しそうに見え、一緒に街を歩いているのが想像できそうなくらいだ。そうした印象を受けるのも納得で、発掘したエジプト人たちも、自分たちの村の長老に似ていると思ったのか、この人物にシェイク・エル＝ベレド（村の長）という名前をつけた。注目すべきは、この人物がとくに高位ではなかったことだろう。ファラオの像は石造りで、しかもきわめて様式化されていて人間味が感じられないのだ。

ルネサンス初期の木像の中でもとりわけ見事で精緻なものは、オークよりも軟らかくて木目が揃っていて模様のほとんどない、シナノキの木材で作られている。そのような彫刻の極致が、一五世紀の二人のドイツ人彫刻家、ティルマン・リーメンシュナイダーとファイト・シュトースの作品である。ドイツやポーランドの教会にいまも残る、祭壇の背後に施されたその精巧な彫刻には、もっと有名なイタリア・ルネサンスの石彫の傑作にも劣らない人間性と覇気が感じられ、とくにキリストとその弟子たちの受難が見事に表現されている。北ヨーロッパではその後もシナノキの木材が木彫に使われつづけ、一七世紀半ばにイングランド

エジプト・カイロ博物館に収められている、いまからおよそ4500年前のカアペルの像。イチジクの木から彫られていて、この神官の人柄がはっきりと表現されており、理想化されたファラオの石像とは対照的である。後退した髪の生え際まで見てとれる。

＊1　祭壇が置かれた一角。
＊2　長時間立っている最中に身体を預ける座面裏側。

に移り住んだオランダ人、グリンリング・ギボンズの作品によって木彫の芸術性は頂点に達した。シェフィールドで作られた新たな最高級鉄製道具を使って彫られたギボンズの彫刻の数々、中でもロンドンのハンプトンコート宮殿やサセックス州のペットワース・ハウスにある作品の軽やかさと完璧さには、思わず息をのんでしまう。暖炉上部の小壁や鏡板に、トウモロコシの実一粒一粒、花びら一枚一枚、さらにはバイオリンの弦一本一本が、木目と同じくらいの細かさで彫り込まれているのだ。

ルネサンス以降、ヨーロッパの家具職人たちもオークを見限り、クリやクルミなど、もっと木目が細かくて美しい色の木材を選ぶようになった。また、極東の貿易相手国や新世界の植民地から調達できるようになった黒っぽい熱帯の木材や白っぽい象牙で、化粧板や象嵌を作り、古代に敬意を表するように、それらでシンプルなデザインの製品を飾りつけるようになった。家具の装飾が絶頂に達したのは一七〜一八世紀初めのことで、例としては、フランスのルイ一四世が使っていた重厚なバロック様式の家具や、ルイ一五世の治世に好まれたもっと優美で軽やかなロココ調の家具が挙げられる。

一八世紀後半には新古典主義を受けて、木材の見た目を活かした、もっとシンプルで均整のとれた家具が作られはじめた。ロンドンにあったトーマス・チッペンデールの工房などでは、新たな熱帯産のマホガニー材の美しさが重視された。イギリスの植民地だったジャマイカの丘陵地帯に生えるマホガニーの巨木を利用して、テーブルの上面を覆えるような大きな化粧板を切り出し、もっと小さな木片で脚や枠を装飾した。製品自体の外形を強調して優雅な家具に仕立てるために、象嵌細工はほとんど施さなかった。チッペンデールの工房は、国じゅうの全家庭に家具を提供できることを誇りとし、使用人の部屋の家具まで製作した。基本的なデザインは高級品とほぼ同じだが、バルト海沿岸でとれるトウヒやマツを使ってもっと頑丈に作られており、継ぎ目隠しもそこまで凝ってはいない。

楽器の音色を左右する

数ある芸術の中で唯一、優れた力学的性質を持つ木材をどうしても選ばざるをえなかったのが、音楽である。ほとんどの楽器は、特定の振動数の空気振動を増幅させる共鳴室をそなえていて、その壁や仕切り板が共振して音の大きさと質を高めるようにできている。そのため、音を速いスピードで伝えて高い周波数で共振する、軽くて剛性の高い木材で作られている。最初期の楽器は、熱帯雨林の木の板根をそのまま切り出したものだったと思われる。チンパンジーは争いの最中に板根を叩いてその音で相手を脅すことがよくあるし、ボルネオ島の先住民も最近までそれを長距離通信に使っていた。

楽器を作る際には、音質を高めるために、木目が細かく揃っていて振動を効率的に伝える木材を使うのが常である。家具や道具の場合と違い、音を吸収する太い道管が年輪に沿ってリング状に並んだ、オークやトネリコなど、道管が細くて均等に散らばった環孔性の木が使われることはけっしてない[2]。そのかわりに、カエデやツゲやコクタンなどの散孔性の木材や、トウヒなどの針葉樹の軟材が使われる。

木製楽器の製法は、一七〜一八世紀、器楽が声楽の牙城を崩しはじめたバロック時代に完成した。フランスのオトテール家やイギリスのトーマス・ステンズビーなどの管楽器職人は、選び抜いた木材を材料に、精巧な旋盤を使って、リコーダーやフルート、オーボエやシャリュモー*1を製作した。ルネサンス期、クルムホルン*2やショーム*3やリコーダーといった木管楽器にはカエデやイチジクが使われていたが、その後、もっと色が濃くて硬いツゲやサクラやブラックウッドなどが用いられるようになった。

密度の高いこれらの木材は音を速いスピードで伝えるため、高い振動数の音が優先的に増幅されて楽器の音域が高いほうに広がり、音が明るくなる効果がある。たとえば、ルネサンス期のリコーダーは音域がわずか一二度だったが、バロック期のリコーダーは二オクターブ（一六度）以上におよんだ。しかしリコーダーを演奏する私は、硬いブラックウッドやコクタンで作ったリコーダーよりも、もっと軟らかいツゲで作ったリコーダーのほうが好みだ。少なくとも私の感覚では、豊かで「ウッディ」な音が出るのだ。

一七世紀初めには、真鍮製のマウスピースと木製の本体を組み合わせた楽器も全盛期を迎えた。たとえばツィンク（ルネサンス・コルネット）という楽器は、ツゲやシデの曲がった部分を真っ二つに割り、中をくりぬいて元どおりにつなぎ合わせ、革で覆って指穴を開けるという方法で作られていた。フルートのように指で音程を決め、小さな杯のような形のマウスピースで音を出す。ツィンクはその音色が人間の声に似ているということで好評を博し、ヴェネツィアのサンマルコ大聖堂で歌われる交唱聖歌(アンティフォナ)にもよく用いられた。巨大な教会のあちこちに陣どる歌い手や楽器演奏者がかけ合いをする楽曲である。ジョヴァンニ・ガブリエーリの聖楽や、クラウディオ・モンテヴェルディが一六一〇年に作曲した『聖母マリアの夕べの祈り』、そして初期のオペラの成功にも、ツィンクは欠かせない役割を果たした。

しかし木材加工技術の粋を集めたのは、弦楽器である。ハープシコードやピアノなどの鍵盤(けんばん)楽器では、弦のすぐ下(アップライトピアノではすぐ後ろ)に木製の響板がある。これは、トウヒの軟材の丸太を縦に四つに挽き割って、木目が平行に走る柾目(まさめ)の厚板を切り出し、それを何枚か互い違いにつなぎ合わせることで作られている。丸太を放射状に割ったことになるため、厚板の横方向が放射組織と平行になる。そのため反りにくいし、響板全体に振動が速く伝わって明るい音

＊1 クラリネットの原型。
＊2 先端が大きく湾曲したホルン。
＊3 オーボエの原型。

になる。

弦楽器の中でももっとも洗練された音を出すのは、バイオリンやチェロ、ビオール[*1]やリュート[*2]やギターなど、爪弾(つまび)いたり弓で弾いたりする楽器だろう。いずれも、トウヒの柾目板で作った上面が響板になっていて、弦の振動が駒[*3]（ブリッジ）を伝わってきて振動する。音色をよくするために、響板の裏面に支材を貼り合わせて補強してあるものが多いし、バイオリンはさらに響板と下面を支柱でつないで音を増幅している。響板には穴が開いていて、そこから音が出てくる。ストラディヴァリウスの美しい音色の秘密は、さかんに研究されていながらもいまだ解明されていない。しかし木材の分析から、アルプスで伐採された、とくに成長が遅くて木目の細かいトウヒが響板に使われていることがわかった。木目が細かくて明るい音が出るのは、それらの木が成長した一六～一八世紀の小氷期に、気温が低くて成長に適さない条件だったことと関係があるのかもしれない。地球温暖化によって樹木がもっと速く成長するようになったら、こんなに完璧な楽器は二度と作れないのではないだろうか。

しかし音楽の流行は移り変わっていった。ハイドンやモーツァルトなど古典派の作曲家が素早い転調を駆使してさらなる表現力を引き出そうとし、ベートーヴェンなどロマン派初期の作曲家が音の強弱を高めようとするにつれ、比較的単純なバロック様式の楽器にも改良が求められるようになった。バイオリンは、ストラディヴァリウスを含め、駒を高くしてネックを下げ、ガット弦のかわりに針金を巻いた弦を使うことで、より大きな音を出せるよう改良された。初期のフォルテピアノの骨組みも木製から鉄製に替えられ、弦の張力を高められるようにするとともに、もっと重い金属製の弦を張って大きな音を出せるようにした。木管楽器も、演奏しやすくするとともに一二の半音すべてが同じ音色で出るように、たくさんのキーがとりつけられた。しかしキーがあまりにも込み入ってしまったため、フルートなどの木管楽器は金属製に設計しなおされた。ツィンクやその低音版であるセルパンは姿を消し、指穴のかわりに金属製のバルブをそなえた金管楽器にとってかわられた。

このように、金持ちや権力者は音楽を愛していながらも、庶民と比べて木がはるかに軽視される世界に暮らしていた。しかし矛盾するようだが、彼らの生活では木という素材がはるかに大量に消費されていた。彼らが使う金属製品を鋳造して成型したり、焼き物、とくに何度も焼成が必要な磁器を焼いたり、ガラスを

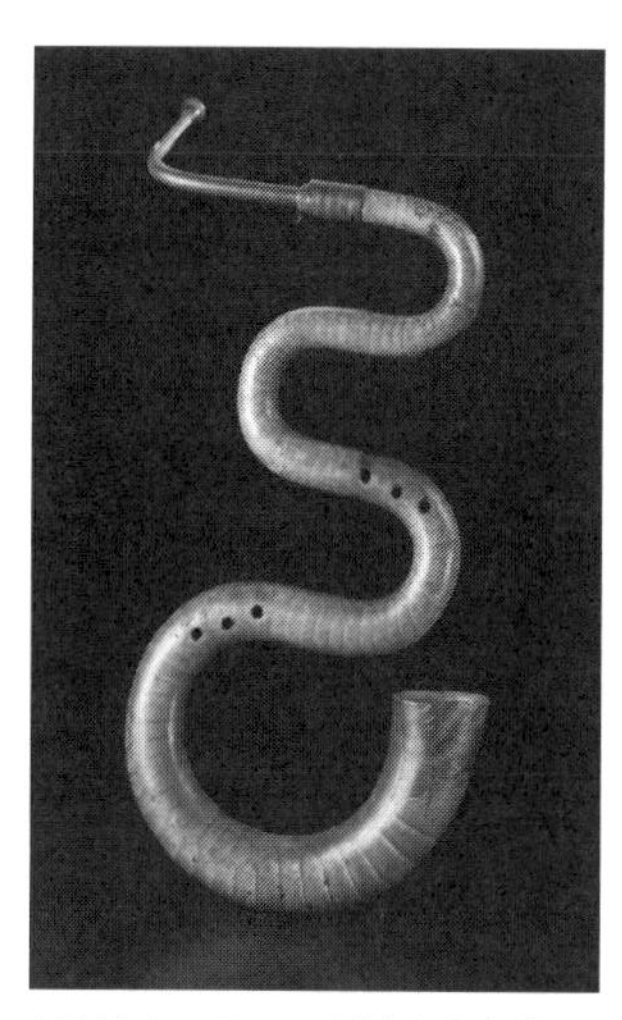

1820年にフランスで作られた楽器、セルパン。ツィンクの低音版でチューバの原型であるセルパンは、トランペットのようなマウスピースを用いる最後の「木製金管」楽器である。20世紀に入ってからもしばらくのあいだ教会の楽隊に使われていて、トマス・ハーディの小説『緑の木蔭』にも登場する。

＊1　バイオリンの原型。
＊2　琵琶（びわ）に似た楽器。
＊3　弦を本体に触れないよう支え、弦の振動を効果的に響板に伝える部品。

作ったりするには、木やそれから作られる木炭が大量に必要だった。イソップ童話の中に、飼い葉桶にしゃがみ込んで牛に干し草を食べさせまいとする犬の話があるが、それと同じように金持ちは、自分ではありふれた木なんて使いたがらないのに、別のもっと高価な素材を作るのにそれを消費して、庶民から木を奪いとっていたことになる。美しいものや贅沢品を身の回りに取り揃えることで、庶民をますます寒くて無防備な生活へと追い込んだのだ。

第9章

まやかしの石造建築

スコットランドとイングランドの境界を流れるツイード川のほとり、向こう岸に立つイングランドのノラム城を見渡せる場所に、奇妙な教会が立っている。そのレディーカーク教会（正式名称「川辺の聖マリア教会」）は、ずんぐりしていて屋根は巨大な板石で葺かれており、不思議な外観である。内部は薄暗く、分厚い石壁と石造りの低いボールト天井*に小さい窓がいくつか開いているだけだ。伝承によると、一四九七年にノラム城攻囲に失敗したスコットランド王ジェイムズ四世が、ツイード川の深みで溺れかけたときに助けられ、その感謝の印としてこの教会の建設を命じたという。珍しい総石造りで建てられたのは、「火災や洪水」にも耐えて永遠に持ちこたえ

＊アーチ形を基本にした曲面天井。

られるようにするためだといわれてきた。しかし、ノラム城を守るイングランド兵士に目を光らせる安全な見張り場として建設されたというほうがもっともらしい。そもそもの目的はどうだったにせよ、ジェイムズ四世はこの教会の完成前に世を去った。またもや調子に乗ってイングランドに侵攻し、フロッデンの戦いで大多数のスコットランド人貴族や一万人の兵士とともに殺されてしまったのだ。

だが、永遠に残る記念堂をほしがったのは何もジェイムズ四世だけではない。石器時代からずっと支配者たちは、永遠の記憶を伝える建造物を建てようとしてきた。そしてジェイムズ四世と同じようにほぼおしなべて、ありふれた建材である木のかわりに石を使うという手段を選んだ。しかしいまから見ていくとおり、その試みが完全に成功することはめったになかった。建物を支えて中で暮らせるようにするために、何度も木に助けを求めざるをえなかったのだ。

早くも新石器時代には、人々が木造建築物のはかなさに不満を抱くようになった。彼らが建てた大きな木造家屋は、たった三〇年くらいで完全に朽ちてしまった。そこで住居として使うのをやめ、多くは死者の住まいに転用された。死体を納めて土をかぶせ、いわゆる長形墳を造ったのだ。その一つが、紀元前三六〇〇年ごろに造られた、ウィルトシャー州の祭礼地にあるキャッツ・ブレイン。その当時の構造をいまに伝えているのは、柱穴と木製の壁の跡だけである。時代が下ると、墓は最初から墓として造られるようになった。大きな石の厚板を立ててその上に楣石(まぐさいし)*1を渡し、全体に土をかぶせることで、羨道墳(せんどうふん)(通路をそなえた墓)や、石室墓(石室をそなえた墓)、あるいはもっと小さい墳丘墓(ふんきゅうぼ)を造ったのだ。新石器時代のそのような墓はヨーロッパ北西部に点在していて、その多くは覆いの土が失われており、初期の古物研究家を困惑させたドルメンと呼ばれる無骨な石の構造物がむき出しになっている。羨道墳の中でもその洗練されたつくりで頂点を極めたのが、アイルランドに残る数々の巨大建造物である。その一つ、ミーズ県にある紀元前三二〇〇年ごろのニューグレンジは、直径七五メートル、高さ一二メートルの巨大な円形の塚からなる。その中に長さ一八メートルの石積みの通路が延びていて、突き当たりに持ち送り天井[*2]の石室が三つあり、そこに死体を納めていたと思われる。

　死体を納めるためだけなら、石造りの建物はかなり簡単に建てられる。生きている人が住むための建物と違って、完璧に防水する必要もないし、歩き回れるような大きな部屋も必要ない。低くて狭い通路と、でこぼこの石の厚板を天井にした小さな石室がありさえすればいい。死体を埋葬するかどうかは別として、祭礼用の塚を造るという発想は世界中で生まれた。イギリスでその風習がピークに達したのが、紀元前二四〇〇年ごろ、ウィルトシャー州にあるシルベリー・ヒルが造られたときである。この円錐形の巨大な遺跡は、単に土を積み上げただけでなく、巧みに設

＊1　楣とは、窓や出入り口の上に水平に渡された横架材のこと。
＊2　壁面から徐々に内側に張り出すように石を積んでいって造った天井。

計された石造りの建造物である。塚のまわりに石をらせん状に空積みしてから、その隙間に白亜の荒石を詰め、最後に表面に粘土を塗って防水してある。高さ三九メートル、面積八〇〇〇平方メートルと巨大だが、メソポタミアやメキシコ、アンデスやエジプトなど世界中のいくつもの地域に建てられた巨大ピラミッドに比べたらたいしたことはない。三八〇〇年間にわたって世界一高い建造物の座を守っていたクフ王の大ピラミッドは、高さ一四七メートル、いまだに訪れた人たちを唖然（あぜん）とさせている。

　これらの巨大建造物はおもに石で造られているが、その石のブロックを切り出すには木材が必要だった。まず木槌を使い、割りたい線に沿って石に浅い溝を掘る。そしてそこに、放射状に切り出した乾燥木材の楔を差し込み、上から水をかける。すると木材が横方向に膨張して石が割れ、ブロック状に切り離されるので、さほどエネルギーを使わずに成形できる。この手法がとくに欠かせなかったのが、石を切るための金属製の道具がなかった新石器時代のヨーロッパや南北アメリカ大陸である。エジプト人はさらに、木や金属でできたI字形の留め具を使って石のブロックどうしを接合していた。石にI字形のくぼみを刻んで、そこに留め具をはめ込むだけだ。おもな用途は、最下層のブロックを岩盤に固定して構造物全体のしっかりとした基礎を築くためだった。

ストーンヘンジは木造だった？

ブリテン島では新石器時代後期、荘厳でありながら、労力も複雑な工学的技術もさほど必要のない、もう一つのタイプの土塁構造物が造られた。ヘンジである。土塁の内側に溝を掘っただけの環状の構造物だが、巨大な規模のものも造られた。中でももっとも壮大なのは、あまり知られていないが、イングランド・ヨークシャー州リポン近郊にあるソーンボロー・ヘンジだろう。オリオンの三つ星を模した三つのリングが折れ線上に並んでいて、それぞれのリングは直径二四〇メートル、高さ二・七メートル、全体の長さは一・五キロメートルを超える。造られた当時は、この一帯から掘り出された白い石膏で土塁が覆われていたものと思われ、壮観な光景だったに違いない。その後、もっと小型のヘンジに荘厳な雰囲気を与えるために、土塁の上や内側に沿って構材を垂直に建てるようになった。ウィルトシャー州の巨大な祭礼地に点在するヘンジに残されている柱穴の跡を見ると、初期、その構材は、北アメリカの太平洋岸北西地区に見られるトーテムポールと同じく木で作られていたことがわかる。

そのような構造物の中でもっともよく知られているのは、ウッドヘンジと呼ばれる何のひねりもない名前の遺跡で、もっと有名なストーンヘンジから北東わずか三キロメートルの距離にある。全体の直径が約一〇〇メートルとさほど巨大ではないが、その中に柱穴が六重の同心円状に並んでいて、うち最大のリングの直径は四〇メートルある。もちろん柱は一本も残っておらず、一九五〇年代に建設省によって当時の柱の位置を示すコンクリート製の短いポールが立てられてしまったことで、おそらく世界有数の「残念な観光地」になってしまった。しかし建設当時は荘厳だったことだろう。外側から三番目の輪を形作る柱穴はほかの柱穴よりも大きくて深く、中央の棟木を支える高くて太い柱が立っていたものと思われる。そのため最近の復元図では、垂直の柱がでたらめに並んでいたのではなく、屋根のない中央部分にストーンヘンジのブルーストーンのような祭礼用の石が置かれていて、その周囲を巨大なリング状の建物が取り囲んでいたものとして描かれている。

ウッドヘンジはストーンヘンジの北東に位置しており、この一帯の祭礼地には、そこから北へわずか七五メートル行ったところにもう一つの巨大な木造のヘンジ、ダーリントン・ウォールズがある。この位置関係に基づいて近年、これらの木造ヘンジは祭礼において生者の領域を表していたという説が出されている。ストーンヘンジなどの石造りの構造物は、死者の領域を表していたのかもしれない。

しかしストーンヘンジも、その大部分が木造だったという可能性がある。中央のブルーストーンとそれをリング状に取り囲む大砂岩の外側には、ウッドヘンジと同じく柱穴が何重ものリング状に並んでいる。したがってこれらの石はもともと、巨大なリング状の木造の建物に覆われていたか、または取り囲まれていた可能性がある。考古学に関するブログを書いているジェフ・カーターはさらに、大砂岩自体とその上に渡された楣石が、ブルーストーンを完全に覆う巨大な木造神殿の荷重を支える構材になっていたと提唱している[1]。説得力のある説だと思う。そうでないと、雨風にさらされながら祭礼をおこなう羽目になって、この吹きさらしの平原ではそれは大問題だったはずだ。

もちろん、死体だけでなく生きている人も雨風をしのげる耐久性のある建物は、石だけでも造ることが可能だ。円形の建物ならとりわけ好都合である。イタリアのプーリア州にある小さな円形の住居トゥルッリや、アイルランド西岸の沖合にあるスケリッグ・マイケル修道院のハチの巣形の独居房には、石を互いに重なるように積んだ、雨漏りがしない持ち送り積みの屋根が使われている。巨大建造物に目を向けると、コンスタンティノープルにあるアヤソフィアやローマのパンテオンの屋根は、巨大な石とコンクリート製のドームでできている。円形の建物では、屋根の石が互いに重なり合って支え合っている。

しかし、長方形の構造物に石で屋根を葺くのはもっとずっと難しい。ギリシャ時代のミュケナイやアルゴスでは持ち送り積みで長方形の建物が建てられたが、全体を支えるには分厚い壁と巨大な楣石を使わなければならなかった。そのためヨーロッパや中東や南アジアの支配者たちは、木のかわりに石を使って耐久性のある荘厳な神殿や宮殿を建てようとすると、みな同じ問題に直面した。都合できる費用でどうやって堅固な建物を建てるかという問題だ。これから見ていくとおり、多くの場合は木造の構造物を石造りの建物の中に隠すことで、この問題を解決した。建築の歴史は、うわべだけは石造りの建物を、木材を使って安定させて守るための技術の進化ととらえることができるのだ。

石造りの屋根が難しいわけ

建築において気象による問題が世界一少なかった場所は、エジプトの砂漠である。庶民の建てる家は、ただの泥レンガで壁を作り、ヤシの葉の主脈で作った桁梁で平らな屋根を支えるというものだった。初期の神殿はもっと壮大で、ヤシの幹やパピルスの茎の束で作った柱で支えられていたと思われる。のちにそれに相当する建物を石造りで建てるために、泥レンガの壁をそのまま石壁に置きかえて、木の幹やパピルスの束とそっくりに石を成形した。そうしてすぐに、この手法を使えばもっと大きな建物を建てて、ヤシの木よりも高い柱を作れることに気づいた。さいわいなことに、泥レンガの壁や木の柱を石造りのものに置きかえても、構造上の問題はほとんどなかった。石にかかる重量は縦方向の圧縮力だけだし、垂直の壁を安定させるには、エジプトの神殿の入口や塔門のように、上に向かうにつれて幅が狭くなるようにしておけばいい。

唯一の問題は屋根である。石は靭性と抗張力が低いため、二本の柱のあいだに細長い楣石や石の桁梁を渡すと、下面に亀裂が入って自重で壊れかねない。そのためエジプトの神殿には、分厚い石の屋根板を使うしかなかった。それだけでなく、楣石にかかる力を小さくするために柱どうしの間隔を狭くしなければならず、内部の空間が込み入ってしまった。さらに、乾燥しきった気候でめったに雨に降られないのをいいことに、神殿の一部はむき出しのままにしていた。

パルテノンなどの古代ギリシャの神殿も、基本的には以前の木造の神殿を石で真似たものにすぎない。ギリシャ人もエジプト人と同じく、泥レンガの壁と木の幹の柱を石造りのものに置きかえたが、さらなる問題として、建物全体を石の屋根で覆って雨が入らないようにしなければならず、神殿が大きくなるにつれてこの問題は解決がどんどん難しくなっていった。そこで、屋根の中に木製の桁梁を隠してしまうというずる賢い手が使われた[2]。

ギリシャの神殿では、奥行き方向に棟の走る傾斜のゆるい屋根の縁が、長方形に並べた列柱で支えられている。屋根は瓦（かわら）で覆われていて、外見上は現代の住居に似ているが、その工法はきわめて原始的である。効果的な小屋組は使われておらず、楣石の上に載せた短い支柱によって木製の棟木を下から支え、桁梁の両端を屋内の壁や列柱で支えるという構造だった。このような構造だと楣石に曲げの力がかかるため、楣石を重くて不格好なものにしなければならなかったし、柱のあいだを安全に渡せる長さにも限界があった。

その結果、ギリシャの神殿は外から見ると荘厳なのに、内部は暗く窮屈で、立ち並んだ柱のせいで中央の空間が狭かった。パルテノン神殿ですら、支柱どうしの間隔は最大でも約一一メートルしかない。初期の石造りの建物の場合、木の楣を使って安全に渡すことのできる支間長は、最大でも一〇〜一一メートルだったようだ。たとえば旧約聖書の列王記によると、ソロモン神殿は縦が六〇キュビット（約二七メートル）で横が二〇キュビット（約九メートル）、屋根を支えていたのはテュロスの王ヒラムから購入したヒマラヤスギの桁梁で、おそらく当時入手できた最大の構材だったと思われる[3]。

ゴシック建築をひそかに支える木材

かなり長い支間に屋根が渡された建物の設計に初めて成功したのは、ローマ人である。第7章で説明したとおり、それが実現したのは、垂木がおよぼす外側への押圧力を水平の小屋梁で支える、木製の小屋組を発明したことによる。そのため古代ローマのバシリカや初期の教会は、幅二〇メートルを優に超える身廊を屋根で覆うと同時に、もう一つの大発明であるアーチを使って身廊の側壁に開口部を作ることで、側廊に出入りできるようになっていた。側廊は単純な片流れ屋根で覆われていた。ローマのバシリカは巨大で、中でも紀元三二〇年ごろに皇帝コンスタンティヌスが建設して一六世紀まで残っていた旧サン・ピエトロ・バシリカは、身廊の幅が約二五メートルもあった。

現存するローマ時代の小屋組屋根の中でももっとも目を見張るのは、パンテオンのポルチコ*に架けられているもので、中央の二本の柱の間隔が約一四メートルある。もともとは小屋組が青銅の板で覆われていたそうだが、一六二五年に教皇ウルバヌス八世（マッフェオ・バルベリーニ）がその板を取り外して大砲八〇門に鋳造しなおしてしまった。その俗物根性を見て当時の人々は、「蛮族（バールバリ）たちですらやらなかったことをバルベリーニ家がやってしまった」と皮肉をいった。ローマ時代の建物の中には、側廊や、ときには身廊までもが筒型ボールト天井で覆われているものもあるため、現代の私たちはどうしてもアーチの役割を重んじてしまう。しかしそのボールト天井の上には、実際に雨風を防ぐ木造の小屋組が設けられていることを、ぜひ思い出してほしい。

ローマ時代の構造設計は中世の石工たちに取り入れられて発展し、彼らが建てた、斬新な尖頭アーチをそなえたゴシック様式の教会や大聖堂は、石造り建築の傑作と広くみなされている。しかしやはり、木材がなければそれらの建造物は建てられなかったし、雨を防ぐこともできなかっただろう。そのことがもっともはっきりとわかるのが、ほとんどの小さな教区教会に見られる、さまざまな構造の小屋組で支えられたシンプルな木製の屋根である。それらは基本的に、十分の一税の穀物貯蔵用の納屋の屋根と同じつくりをしている。軽量かつ安価で作ることができ、大成功を収めた。

ただし壮大な大聖堂だけは、なんとしてでも建物全体が石造りであるかのように見せかけた。身廊と内陣が石造りの高いボールト天井で覆われていて、世に知られたゴシック様式の威光を放っている。その高い建築技術を褒め(ほ)そやす文章は枚挙に暇(いとま)がない。その成功の鍵は、重いボールト天井によって身廊の壁にかかる外向きの押圧力を、外側に突き出した飛梁(とびばり)で下向きの力に変え、さらに側廊の低い壁から地面に逃がすというしくみである。

しかしゴシック様式のボールト天井は、たしかに荘厳ではあるがただの見かけ倒しだ。大聖堂

＊柱で支えられた屋根付きの玄関ポーチ。

の天井に上るツアーに参加するとわかるとおり、実際の屋根は石造りのボールト天井のさらに上にあり、木の幹ほどの太さの桁梁を無骨に組み合わせた巨大な木製の小屋組によって、瓦または鉛の屋根板が支えられている。残念ながらボールト天井と屋根のあいだの空間は広く開いていて、そこを火が伝わりやすい。パリのノートルダム大聖堂で最近起きた火災の際に、身廊の端から端まであれほど速く火が燃え広がって有名な鐘楼（しょうろう）が崩壊しかけたのも、それが一因である。

一方、イタリア人は北ヨーロッパの人々と違ってボールト天井にはけっして心奪われず、飛梁を見苦しくて卑怯な代物とみなしていた。とくにフランチェスコ修道会が建てたイタリアの大きな教会や大聖堂の多くは、石造りのボールト天井のかわりに、むき出しの優美な木製の小屋組によって天井が支えられている。フィレンツェにある巨大なサンタ・クローチェ聖堂は、身廊の幅が二〇メートル、華やかに彩られた天井の高さは三〇メートルもある。重い飛梁が不要なため、内部は明るくて風通しがいい。

イングランドでは石工や大工が、手の込んだ飛梁を使わずにすむ、また別の方法を編み出した。一四世紀末、垂直様式建築[*1]のためにフラットアーチ[*2]や優美な扇形ボールト天井が考案されたことで、石造りのボールト天井からわずか一メートルほど上の壁に木製の小屋組を固定して、天井の石にかかる曲げの力を抑えられるようになったのだ。垂直様式建築の傑作である、ケンブリッジにあるキングズカレッジ・チャペルは、身廊の高さが二九メートル、幅が一二メートルで、外側の支柱が細くて巨大なガラス窓をほとんど邪魔していない。

ヨーロッパのいたるところには、石造りの天井をいっさい取り払って木製の小屋組だけを用いた建物がいくつもある。ゴシック様式の大聖堂の中でも北ヨーロッパ最大級のヨーク大聖堂は、幅一五メートルの身廊を石造りのボールト天井が覆っているように見えるが、それはまやかしである。実際には石のような彩色を施した木材でできていて、重量は石のわずか一〇分の一、その上の屋根は効率的な木製のはさみトラス*3で支えられている。その正体が明らかになったのは、一九八四年七月九日、落雷によって南側の袖廊(そでろう)*4が燃え、二八五万ドル相当の被害が出たときだった。キリストの肉体の復活を否定するダラム州の主教の教会堂が献堂されてからわずか三日後の出来事だったため、神からの思し召しだととらえる人もいた。もしそうだったとしたら、神は狙いを何キロメートルか南に外してしまったことになる。火災発生のとき、くだんの主教はダラムに戻っていたのだから。そのほかの大聖堂では、軽量の木製屋根がそこまで隠されてはいない。ケンブリッジシャー州の干拓地の端に立つイーリー大聖堂は、中央の広い十字交差部の上部に渡

*1　イングランドでゴシック様式の後期に用いられた、垂直線を強調した建築様式。
*2　コの字形の直線アーチ。
*3　下弦材に傾斜をつけることで勾配天井を実現させた小屋組。
*4　身廊から直角に張り出した部分。翼廊(よくろう)とも。

された八角形の木造構造物で有名だ。もともとは石造りの塔が立っていたが、重量のわりに地盤が軟らかすぎて崩れてしまい、かわりにこの美しい構造物が造られた。

ゴシック様式の教会の中で、石の抗張力の低さが大問題となる部分がもう一つある。尖塔(せんとう)である。このように細くて高い構造物では、風の力によって風上側に張力がかかり、石どうしが引き剝がされて全体が崩れてしまう。この難点を克服する方法にはさまざまなものがあった。ドイツでは、多くの大聖堂の尖塔が風を通す透かし構造になっていて、かかる力を軽減している。もう一つの単純な方法が、木材で尖塔を造るというものである。それはたしかに有効だが、雨風にさらされてゆがみやすい。チェスターフィールドに立つ教会の尖塔は、何百年ものあいだダービーシャー州の霧雨に耐えてきたせいで、らせん状に変形してしまっていることで有名だ。またパリのノートルダム大聖堂で最近わかったとおり、木造の尖塔は火災にきわめて弱い。

しかし、崩れにくい尖塔を建てるという問題の解決のためにもっとも巧妙な方法が取り入れられたのは、二〇世紀初めまでイングランドでもっとも高い建造物だった、ウィルトシャー州のソールズベリー大聖堂である。建物内部に木製の重い足場を組んで石造りの尖塔を建て、完成したら足場を解体せずに、鉄の接合具で尖塔最上部の石からその足場をぶら下げた。足場の重みによって尖塔に圧縮力がかかることで安定しているのだ。二〇一八年に起こった例の二重スパイ親子の暗殺未遂事件からわかるとおり、高さ一二〇メートルのそのランドマークには、ロシアの軍事スパイですら魅了されてしまうようだ。

一方、宗教と関係のない建築物では、屋根を支えるのにかなり異なる方法が使われた。イングランドの大ホールの多くには、オーク材でできた巨大な小屋組が架けられている。当初は、十分の一税の穀物貯蔵用の納屋のように側廊のある建物として建てられ、中央の身廊の両側に二列に並ぶ柱と、側廊の上の片流れ屋根によって、中央の小屋組を支えていた。しかしその後、二列に並ぶ柱を使うのをやめて、壮観なハンマービーム屋根が作られるようになった。カラービームとタイビームと呼ばれる水平材を十字に交差させて作ったその小屋組は、建物の内側に水平に突き出した片持ち梁（ハンマービーム）から浮かんでいるようで、天井の両側に浮き上げ彫りされた天使にあたかも支えられているように見える。この効果を強調するように、片持ち梁から天井の中央に向かって木製のアーチが取りつけられている。しかしこのようなハンマービーム屋根は、じつはかなり重くてオーバースペックであり、しかもたわみがちなため、壁にかなり大きな外向きの押圧力がかかる。もっとも有名な例が、ウェストミンスター宮殿（国会議事堂）に現存する最古の建物、ウェストミンスター会堂だ（次ページ参照）。ハンマービーム屋根に覆われた空間は幅が二〇メートルもあって、息をのむほどに開放的だが、外壁は外側に倒れないよう巨大な飛梁で支えられている。

　しかし中世の木造屋根の建造物の中でもっとも見応えがあるのは、イタリア・パドヴァにあるラジョーネ宮だろう。中世の市場（いちば）だったこの建物の屋根は、船を上下ひっくり返したかのように美しいカーブを描いていて、長さ八〇メートル、幅二七メートルの空間を覆っている。木材マニアにはさらなるおまけとして、高さ六メートルの巨大なウマの木彫が鎮座しているが、なぜそこ

14世紀後半に建てられたロンドン・ウェストミンスター会堂のハンマービーム屋根は、国会議事堂の中でも最古の構造物である。この壮観な屋根は幅が20メートルもあるが、じつはこの小屋組はあまり役に立っていない。湾曲した構材は単なる装飾で、アーチとしては機能していないし、壁は崩れないよう外側の飛梁で支えられている。

にそんなものがあるのか、どうやって運び込んだのかは、ガイドですら教えてくれない謎である。

意外に高い断熱性と耐久性

ここまでは公共建築物に話を絞ってきた。しかし金持ちや権力者が石造りの大きな住居を建てるようになるにつれ、木を使わないと解決できない別の問題がいくつか浮上してきた。城や宮殿、そしてのちの大邸宅は、多くが二階建て以上で、上階を支えるために壁に木製の桁梁を差し込まなければならなかった。荒れ果てた城を訪れると、壁に桁梁を差し込んだ穴が残っていて、その穴のすぐ上に二階の暖炉があるのがわかる。宮殿には軽量の木製の屋根も使われた。シンプルで有効な小屋組の形式を初めて考案したのは、ヴェネツィアの偉大な建築家アンドレア・パッラーディオで、その手法はヨーロッパ全土で真似された。

しかしパッラーディオ様式の大邸宅が北方に建てられるようになるにつれ、新たな難点が明るみに出てきた。屋内が寒いのだ。石造りの建物はイタリアの気候にはぴったりで、石の熱容量が大きいために夏の暑い日中も屋内は涼しく、室温が比較的安定している。しかし北ヨーロッパの寒くてじめじめした冬では、石の熱伝導性が高いせいであっという間に熱が奪われ、また熱容量が大きいせいで、ひとたび冷たくなると再び温まるのに長い時間がかかる。石造りの教会で開かれるクリスマスキャロルのコンサートに行けば、この問題を体感できる。冬の教会はひどく冷えるので、必ず十分に着込んでいかなければならないのだ。

中世の貴族たちは、石造りの寒い城で暮らすという問題をある程度克服するために、壁にタペストリーをかけた。のちの宮殿や大邸宅では、タペストリーのかわりに木製の鏡板が貼りつけられた。木は多孔質で、無数の微小な空間が熱の流れをさえぎってくれるため、石よりもはるかに断熱性が高い。木が石に比べて一〇倍効果的に熱損失を防いでくれるだけでなく、鏡板と石壁のあいだに小さな角材が入るため、空気の層ができてさらに断熱性が高まる。田舎の邸宅の中でもっとも居心地のよかった部屋は、鏡板と本棚だけでなく本自体も断熱してくれる書斎だろう。木は窓の断熱にも使われた。南ヨーロッパでは、窓の外側に鎧戸（よろいど）を取りつけて、太陽からの熱をさえぎると同時に涼しい風が入るようにした。一方、北ヨーロッパでは、窓の内側に折りたたみ式の戸を取りつけて、夜間は閉じて熱が逃げないようにし、昼間は開けて日光をできるだけたくさん取り込めるようにした。

石造りの建物を木で支える方法がもう一つだけある。下から支えるのだ。第7章で説明したように木造の建物は、構造体が土の地面に接していると、その場所の木材が湿ったり乾燥したりをくり返して腐りやすい。しかし木材が長持ちするのは、つねに乾燥している場合だけではない。空気のない条件では木の組織を分解する菌類の菌糸が生きられないため、つねに湿っている場合でも木材は腐りにくいのだ。生きている木は細胞が水で満たされているため、菌類の病気にかかりにくい。枝が死んで乾燥しだすと初めて、菌類の攻撃にさらされやすくなってしまうのだ。そのため、イーストアングリア地方の干拓地にあるイーリー大聖堂など、北ヨーロッパの泥炭地に建てられた多くの教会は、湿った泥炭の中に沈めた木製の筏基礎*の上に建てられている。

同じことがヨーロッパの多くの大都市にも当てはまる。ヴェネツィアやアムステルダムやハンブルクのほとんどの建物は、木の杭を土台にして建てられている。ヴェネツィアでは、長さ一八メートルものニレの丸太を、軟らかいシルト層を貫いて下の硬い粘土層まで何本も突き刺し、上端を水面下ぎりぎりに揃えてその上に木の厚板を敷き、最後にレンガで基礎を築いた。このようにヨーロッパの石造りやレンガ造りの建物は、下からは支えられ、上からは覆われ、中からは断熱されるというように、木の安定性と快適さにずっと頼ってきたのだ。

ヨーロッパや中央アジアの大部分では木造の建物が石造りの建物に置きかわったが、極東ではけっしてそんなことはなかった。史上最大の宮殿である北京の紫禁城（しきんじょう）など、中国や日本の寺院や宮殿は、ずっと木造のままだったのだ。西洋の工学者は昔から、中国の建物はかなり原始的なつくりだと見下してきた。西洋で屋根を支えるのに使う小屋組が取り入れられていないからだというのだ。中国の建物の桁梁は、構造を堅固にするために三角形に組むのでなく、直角に組まれている。たとえば一般的な寺院では、建物の正面と背面に立てた柱で、水平の長い桁梁を支えている。その桁梁でもっと短い桁梁を支え、さらにその上にもっと短い桁梁が載っている。この一見風変わりな階段状の組み方では、それぞれの桁梁の両端、突き出した部分を介して重い屋根が支えられている。この構造ではすべての桁梁に曲げの力がかかるため、屋根の重さに耐えられるよう、桁梁を太く重くしなければならない。

だがこの組み方には二つの利点がある。第一に、三角形の小屋組では実現できなかった、優美な曲線を描く屋根を造ることができる。しかし二つめの最大の利点は、構造上のものである。すべての柱と桁梁が、その上の構材や屋根と、組物（くみもの）と呼ばれる木製の複雑な部材を介して接合されているのだ。組物はいくつもの木製の接合材を組み合わせて作られていて、接合材どうしは直角に互い違いに交差している。そのためゆるみがあり、荷重を吸収して自動車の緩衝器（ショックアブソーバー）のように作用してくれる。

＊丸太を縦横に並べて作った基礎。

中国・甘粛省敦煌にある莫高窟（ばっこうくつ）の入口に用いられている、鮮やかに彩色された組物。組物とは中国の建物の屋根を支える部材で、地震が起こるとそれがしなり、建物がしなやかに揺れるようになっている。

このように複雑な構造が使われている理由は、中国や日本の地質条件を考えてみればすぐにわかる。どちらの国も環太平洋地域に属していて、大地震が起こりやすい。中国の工学者が最近おこなった研究によると、このように柔軟な構造になっていて、接合材が衝撃を吸収してくれるおかげで、建物が損傷を免れるのだという[4]。地震が起こって地面が揺さぶられると、柱は揺れるが、重い屋根は慣性のおかげで動かず、接合材でエネルギーが吸収される。模型を使った実験では、これまでに記録されているどんな地震よりも強いマグニチュード一〇を超えても、衝撃に耐えられることが示されている。紫禁城が六〇〇年も持ちこたえているのも当然だ。日本の多くの寺院はさらに古い。法隆寺の五重の塔は紀元六〇〇年ごろの創建で、ほかの塔と同じく中央に木製の心柱（しんばしら）が通っており、その柔軟性によってさらに地震から守られている。心柱が揺れて地震のエネルギーを吸収し、構造体のほかの部分が損傷するのを防ぐのだ。東アジアの僧侶は、このように高度な耐震構造のメリットを享受するかわりに、防火の必要性と、数百年ごとに木製の桁梁を取り替える必要性を受け入れるようになった。

そのため矛盾しているようだが、石造りの建物が崩れてしまうような場所でも、一見したところ短命で原始的な木造建造物は持ちこたえることができる。ナイル川西岸に立つラムセス二世の有名な葬祭殿、ラメセウムの中で、何千年にもわたる地盤沈下によって石造りの神殿や彫像が巨大な瓦礫（がれき）と化しているのを見ると、詩人パーシー・ビッシュ・シェリーの言葉にもうなずきたくなってしまう。いつまでも残る記念物を石で建てようとする愚かな人間に、「強者よ、わが業（わざ）を見てあきらめろ」と言いたくなるのも当然だろう。

第10章

文明の停滞

スコットランド王ジェイムズ四世は、永遠に残る建物を建てるという野心を抱いていただけでなく、全キリスト教徒のためにパレスチナを奪還するという壮大な計画も温めていた。そしてそのために、戦艦三八隻の艦隊を率いる巨大な旗艦の建造を指示した。その旗艦マイケル号は、マストを四本そなえ、全長七三メートル、幅一一メートル、排水量およそ一〇〇〇トンと、当時世界最大の武装帆船になる予定だった。しかしスコットランドにはそこまで大きな造船所がなくて建造が難航したため、ジェイムズ四世はエディンバラの三キロメートル北に、そのための新たな港、ニューヘイヴンを築かなければならなかった。船は完成までに五年を要し、「ファイフ地方のすべての木」を使い尽くしたともいわれたが、一五一一年にようやく進水し、一五一二年には両舷に重砲二四門が据えつけられた。

史上もっとも傲慢(ごうまん)なイングランド王ヘンリー八世は、その偉業を見て強い嫉妬(しっと)心に駆られ、さらに大型の船を造らずにはいられなくなった。アンリ・グラサデュー(神の御恵みのヘンリー)号と命名されたその船は、二段の砲列甲板に重砲四三門をそなえ、排水量は約一五〇〇トンだった。しかしどちらの船も、目立った活躍はしなかった。ジェイムズ四世は計画を変更して、フランスとの「古い同盟」のもとで十字軍に参加し、ヘンリー八世がフランスとの戦争から手を引くよう仕向けるために、イングランドとの戦争に乗り出した。前に述べたとおり、ジェイムズ四世は一五一三年にイングランドに侵攻してフロッデンの戦いで殺され、マイケル号はフランスに破格の四万ルーブルで売却された。一方、ヘンリー八世が建造させたアンリ・グラサデュー号は、重心が高くて不安定だったため、もっと小型に改造されておもに外交のために使われた。中でももっとも重要な任務となったのが、一五二〇年にヘンリー八世を有名な金欄(きんらん)の陣に運んだことである。フランス人なら忘れていないだろうが、ヘンリー八世はその場でフランス王フランソワ一世とのレスリングに敗れたのだった。

現代の広い歴史的視野でこれらの出来事を眺めると、権力者の傲慢ぶりや愚かさだけでなく、この時代の木工技術の停滞ぶりも見てとれる。この二隻の船はたしかに大きかったが、古代の大型船に比べたら小さかった。たとえば紀元前二四〇年、シュラクサイ(シラクサ)の僭主(せんしゅ)ヒエロン二世が、世界初の外洋船である、マストを三本そなえた巨大な輸送船、シュラコシア号を建造した[1]。三段の甲板のうちいちばん下だけが荷積み用で、シチリアの最大の輸出品の一つである穀物を約一七〇〇トン積むことができた。二段目の甲板は乗客用で、客室三〇室と神殿・図書室・体操場・浴場をそなえていて、そのいずれにも精緻な装飾が施され、大理石や絵画、彫像や生け花が飾られていた。最上段の甲板には水兵と武器が配備され、豪華でかつ安全な船だった。

この船を建造するうえでもっとも困難だったのが、一九世紀の偉大なイギリス人技術者イザムバード・キングダム・ブルネルが設計したグレート・イースタン号と同じく、その巨大な船体を進水させることだった。だがさいわいにも、地元の工学の天才アルキメデスの知恵を借りることができた。また巨大なメインマストは、タウロメニウムの技術者フィレアスの手でイタリア南端の山岳地帯から運ばれてきた。残念ながら、この船はあまりにも大きすぎてほとんどの港に入港できず、航海したのはたった一度、プトレマイオス三世への贈り物としてアレクサンドリアへ向かったときだけで、そのときにアレクサンドレイア号と改名された。

シュラコシア号もマイケル号やアンリ・グラサデュー号と同じく虚栄心の産物だったが、その後ローマ人は、同様の大きさ、またはさらに大型の、完全に実用的な船を建造する[2]。その多くは、エジプトの穀倉地帯で収穫された大量の穀物を、地中海を隔てて二〇〇〇キロメートル離れた帝国の都ローマに輸送するために使われ、積載量は一〇〇〇〜一二〇〇トンにも達した。私たちにとってはさいわいなことに、紀元二世紀、そうした船のうちの一隻が強風によって航路を外れ、アテナイに流されてきた。作家ルキアノスはその様子を、熱を込めて次のように書き記している。


なんという大きさの船だ! 長さは一八〇フィート(約六〇メートル)。船大工の話では、梁はその四分の一以上の長さがあり、甲板から船底の湾曲部のもっとも深い場所まで四四フィート（約一三メートル）あるという。なんというマストが立っているのか！　なんという帆桁（ヤード）がついているのか！　なんという前部支索（フォアステー）が張られているのか！　船尾材が湾曲しながら徐々にせり上がっていて、その先端には金箔を押したガチョウの頭があしらわれており、それと相対するように、もっと平たい前方の端の舳先（へさき）には、この船の名前の由来となった女神イシスの像が両側にとりつけられている！　それ以外の装飾、絵画、メインヤードに掲げられた赤い三角旗、前部甲板にそなえられた錨（いかり）と巻揚機（ウインチ）、すべてが奇跡のように見える。船員も一つの軍隊くらい大勢いるはずだ。

ローマの皇帝たちは、エジプトから記念碑のオベリスクを運んできてはローマ郊外に据えつけるために、次々と大型の船を建造した。現在、サンピエトロ大聖堂の正面に立っているオベリスクは、高さ約二五メートル、重量は約五〇〇トンもある。紀元四〇年、それをローマに運ぶために皇帝カリグラが建造させた巨大な船は、重しのバラストとしてレンズマメ八〇〇トンを搭載し、総重量は一三〇〇トンに達した。

これらのローマ時代の船に大きさの点で太刀打ちできるのは、一七世紀ではスペイン帝国のマニラ・ガレオン、[*1] 一八世紀ではイギリスの東インド貿易船くらいだった。ローマの船大工は、すでに木造船の建造技術の限界まで到達していたようだ。

ローマ人が秀でていた分野は造船だけではない。建築家も、木製の小屋組における約二五メートルという支間長の限界にたどり着いたらしい。車両も古典時代以降はそれ以上大型化せず、車輪のつくりも鉄器時代初期から一九世紀に入るまでまったく変わらなかった。その間、四輪馬車や二輪戦車のスピードも上がらなかった。木造家屋や家具、犂などの農具のつくりも同じままだった。ローマ時代以降、一六世紀に製材機が発明されるまで、木細工道具もほとんど進歩しなかった。木を使って金属や陶器、ガラスや革を作る方法や、工業的な製塩や石鹸（せっけん）製造、染色やミョウバンの製造をおこなう方法を大きく改良する術を思いついた人もいなかった。一九世紀末、街の規模や人口密度、農業生産量も古代と変わっていなかった。そのためヨーロッパ人は当然ながら、古代人を秀でた存在ととらえ、古代世界の学識を畏敬（いけい）の念で見つめていた。自分たちの生活環境を自らの手で向上させられるなんて思っていなかったのだ。

古代以降なぜ進歩は鈍ったのか

これから見ていくとおり、その原因は思ったほど単純ではない。人々が木に頼っていたことが、当時の製造技術だけでなく、産業化以前の社会構造にまで影響を与えていたのだ。木は私たちの身体や精神の進歩を方向づけたのと同じように、文明の進む道まで決めた。そしてそれによって数々の制限が課され、現在の私たちが考えるところの進歩が妨げられた。経済成長や人口増加、技術や科学の進歩が滞り、根っから保守的な世界観が形づくられたのだ。

　木は日常生活に欠かせないものだったのだから、進歩が停滞したのは木材生産に限界があったからだと思われるかもしれない。前に述べたとおり庶民の所有物はほぼすべて木製だったし、木製でない品物の製造にも大量の木が必要だった。たとえば、中世には鉄一ポンド（約四五〇グラム）を製錬するのに木材が約三〇ポンド（約一四キログラム）必要だった[3]。調理や暖房のためにさらに大量の木材が燃やされたうえに、当時の主要な産業である製塩・醸造・製革・縮絨*2・染色にも、エネルギー源として木材が欠かせなかった。チェス用語でウッドとは、働かされっぱなしの駒のことを指す。人口が増えて農地が開墾されるにつれ、森林が切り拓かれて木材供給がますます減少したはずだ。そうして木材不足に陥り、それ以上の物質的な進歩が妨げられたのだと思うのも当然である。なんといっても売れ筋の歴史書には、木材の使用が森林破壊や災害につながったという逸話がふんだんに収められているのだから。

　しかし、そのような逸話が綿密な検証に堪えられるかどうか、あらためて確かめる必要がある。そのための最良の方法の一つが、おおざっぱな計算をしてみることだ。ここでは、木材の消

*1　マニラとアカプルコを往復したスペインの貿易船。
*2　毛織物を収縮させて緻密にすること。

費量と生産可能量を比較する必要がある。近年、経済史や環境史を研究する学者が、その切り口で示唆に富む結果をはじき出しつつある。たとえばイーストアングリア大学のポール・ウォードの計算によると、一六五〇年代のイングランドとウェールズの人々は、薪を燃やすことで年間およそ二〇テラジュールの熱エネルギーや、家畜が消費するエネルギーを得ており、この量は、その人たち自身が代謝によって消費するエネルギーよりもわずかに多かったという[4]。木材一ポンドを燃やすと約七・三メガジュールの熱エネルギーが発生するので、換算すると毎年およそ一二〇万トンの薪を燃やしたことになる。膨大な量に思えるかもしれないが、萌芽林*では一エーカー（約四〇〇〇平方メートル）あたり年間およそ二トンの木材を生産できるので、この量の木材を生産するにはたった六〇万エーカー（約二四〇〇平方キロメートル）の萌芽林があればいいことになる。これはイングランドとウェールズを合わせた総面積のわずか一・六パーセントだ。では、燃料でなく木工材としての木材を供給するのに必要な土地の面積についてはどうだろう？

　現在、世界中で切り出されている木材のうち燃料以外に使われているのはわずか四〇パーセントで、もしも産業化以前にもこの割合がほぼ同じだったとしたら、およそ八〇万トンの木材が燃料以外に使われていた計算になる。木工材用の樹木は萌芽から育った木よりもゆっくりと木質を蓄えていくが、それには二つの理由がある。一つめの理由は、林冠が成長するのに何年もかかること、もう一つの理由は、背が高くなって成熟するにつれて林冠に水を運ぶのが難しくなるため、日中の早いうちに気孔を閉じて光合成をストップさせるようになることである。

このため、種子や苗木から育てた森林の成長速度は萌芽林のおよそ半分で、一エーカーあたり年間およそ一トンである。それでも、約三二〇〇平方キロメートルの森林で木工材の需要をまかなえたはずだ。結果、燃料と木工材の両方を調達するのに必要な森林の総面積は、利用可能な土地のわずか四パーセントにすぎなかった計算になる。一方、産業化以前のイングランドとウェールズの実際の総森林面積は国土の一〇パーセント程度だったことがわかっている。結論は明らかだ。ヨーロッパでもっとも森林が少なく、もっとも人口密度が高かったであろうイギリスですら、経済が成長しなかった原因を木の成長の遅さに帰することはできないのだ。

しかし、イギリスのように人口密度が高くて森林面積が小さい国ですら、燃料と木工材の需要をすべてまかなえるほどに木々が速く成長していたとしても、実際に木を切り出して必要な場所に輸送する段階に問題があったことは十分に考えられる。森林では広大な面積に木が均等に散らばっていて、成熟した萌芽林では一エーカーあたりの木材の量が約四〇トンにすぎないし、しかも木材はエネルギー密度の高い燃料ではない。乾燥木材は石炭に比べて単位重量あたりのエネルギー量が半分で、密度はわずか四〇パーセント程度なので、単位体積あたりのエネルギー量は石

＊萌芽更新によって管理された森林。

炭のたった五分の一となる。さらに、木を切り倒して使いやすい大きさに切り、コンパクトに詰め込むには、とてつもない時間がかかる。イングランドのかつての木こりは、萌芽から育った薪を比較的まっすぐに短く切り、何本かまとめて縛って、長さ九〇センチメートル、直径二〇センチメートルほどの薪束(まきたば)にしていた[5]。そうすることでようやく、荷車に載せて森から運び出すことができた。木材を目的地に輸送するのも、とくに航行可能な水路から離れている場所ではかなり困難だった。産業化以前は道路の状態が悪く、車両を走らせようにもゆっくりとしか進めずに費用もかかったため、木材を数キロメートル以上輸送すると法外な値段になってしまっていた。

近隣で簡単に木材を調達できる村や小さな町ならこれは大きな問題ではなかっただろうが、もっと大きな町や都市では大問題だったはずだ。オランダ・ヴァーヘニンゲン農業大学のアド・ファン・デア・ヴァウデらの推計によると、デンマークの人口五〇〇〇の町オーデンセでは、年間およそ七六〇〇トンの木材が必要だったという[6]。この量の木材は、およそ一六平方キロメートルの森林でまかなえる。仮にこの町周辺の約二〇パーセントが森に覆われていて、残りの土地で農業をおこなって町の食料を供給できたとすると、町の周辺およそ八〇平方キロメートルの土地を林業と農業に利用していたことになる。その土地が円形だったとすると、直径はわずか一〇キロメートルほどとなり、陸路でも簡単に町まで行ける距離だ。しかし人口がその一〇倍の五万の町となると、必要な土地の直径は約三二キロメートル、人口が五〇万だと約一〇〇キロメートルにもなってしまい、中世の貧弱な道路で簡単に行き来するにはあまりにも遠すぎる。

森のそばで栄えた製鉄業

そのため当然ながら、中世のヨーロッパで比較的大きな規模にまで成長できたのは、港町や、航行可能な川沿いの都市に限られていた。一六〇〇年に人口およそ四〇万にまで成長した、ヨーロッパ大陸最大の都市だったパリは、ブルゴーニュ地方のモルヴァン山地で萌芽から育てて伐採したブナで薪の大部分をまかなっていた[7]。パリまでの二〇〇キロメートルを超える距離を輸送するには、ヨンヌ川やセーヌ川に浮かべて運ぶしかなかった。そのためセーヌ川流域全体を、筏を流せるよう改良工事する必要があった。ヨーロッパ大陸にあったほかの大都市も同じ方法で木材を調達しており、薪の輸送路の中でもっとも大規模だったのがライン川である。ドイツ南西部のシュヴァルツヴァルトの山で伐採した針葉樹の軟材を、ストラスブールやケルンといった都市、およびオランダの都市部まで輸送するベルトコンベアの役割を、ライン川は果たしていた。木の幹を山からライン川の支流にすべり落とすための、木製のすべり台も作られた。丸太は組んで筏にし、ライン川に浮かべられるようにした。筏はとてつもなく長く、丸太で作ったいくつもの小さな筏を特別に撚り合わせた木のロープで前後につないで、川の蛇行部を曲がれるようにしていた。輸送には家族総出で当たった。竿や舵(かじ)で操舵して、夜間は川底に丸太を突き刺して停泊していた。

都市の住民に暖房や調理のための木材を十分に供給するだけでも難しいし費用がかかったのだから、さらに都市部に大量のエネルギーを必要とする工業を根づかせるのは、経済的にまったく見合わなかったはずだ。都市から十分に離れていて、木は生えるが作物は育たず、土地の奪い合いがほとんど起こらないような場所のほうが、工業地としてはふさわしかった。そのため近代以前の工業は、産業化時代の大規模な都市型工場とは対照的に、もっぱら地方の小規模な営みだった。

たとえば北ヨーロッパでは、ヴァルトグラス（森のガラス）と呼ばれるものが作られていた。ブナの木の灰を水に融かして結晶化させた純度の高い炭酸カリウムを、主原料である砂に融剤として添加し、窯には木炭で火を入れていた。石鹸も、炭酸カリウムと動物の脂を混ぜて作る森の産物だった。火薬も、大きな街から遠く離れた場所で、ハンノキ由来の反応性の高い木炭から作られていた。ハンノキは組織が多孔質で全体に太い道管が走っており、水分の多い土壌で速く成長する。そのためハンノキから作った木炭は、表面積がきわめて大きくて燃焼速度が速い。オーストリアの岩塩鉱山の近くでは、周辺のアルプスの斜面から切り出した木材で塩水を加熱して、純度の高い塩を結晶化させていた。中国磁器の製造がさかんだったのは、北京からおよそ一五〇〇キロメートル離れた中国中部の景徳鎮（けいとくちん）で、ここは陶土が大量に調達できただけでなく、窯の燃料となる広大な森林が広がっていた。

しかしもっとも広大な森林を必要として、実際に利用していたのは、製鉄業である。製鉄所を建てる場所は、鉄鉱石が産出されるだけでなく、豊富な森林があってほかの土地利用とほとんど競合しないような地域でなければならなかった。イングランドでローマ時代からずっと製鉄がさかんだったのは、ケント州・サセックス州・サリー州にまたがるウィールド地方で、ここには鉄を多量に含む白亜紀の砂岩と、水を通さない粘土からなる巨大なドームが地表に露出しており、一九世紀初めにはその中から世界初の恐竜の化石が発掘されている。鉄鉱石の融解には、粘土質の土壌でも育つオークやブナやハシバミの木炭が使われ、鍛錬のためのハンマーの動力源には小川に架けた水車が使われていた。この地域全体が製鉄のためのエネルギー供給地として最大限に利用され、集約的な萌芽更新によって木炭を安定供給していた。粘土質の土壌は重すぎて耕せなかったし、砂岩の土壌は痩せていて穀物が育たなかったため、農業への土地利用とはほとんど競合しなかった。それを物語るように、「ウィールド」という地名はドイツ語で森を意味する「ヴァルト」から来ている。現在でもイングランドでもっとも森深い地域の一つだが、最近はロンドンへの通勤者が流入してきている。

製鉄や製鋼で有名なそのほかの地域、たとえばサウスヨークシャー州シェフィールド周辺の丘陵地帯や、ウィンダーミア湖周辺のサウス・レイクランド（いまではロマン派の詩人が活動したことで名高い）などでも、いまだに森林の占める割合が高い。北ヨーロッパのそのほかの国で製鉄業がさかんだったのは、ベルギーのアルデンヌの森やスウェーデン北部などで、周辺の広大な針葉樹林から供給される木炭を使って豊富な鉄鉱石を製錬し、夏にバルト海沿岸から船で運び出していた。

産業化以前のヨーロッパでは、工場だけでなく、木材と鉄の道具を用いる手工業も地方に小規模で点在していた。森には、鉱山労働者や編み垣職人、ろくろ師や旋盤工が大勢暮らしていた。どの村にも木工職人や鍛冶屋がいたし、市場町には必ず、建物や車両や車輪をつくる大工がいた。これらの事業はけっして大きく成長せず、多額の投資も必要なかった。当時はベンチャー投資や工業化に適した世界ではなかったのだ。

伝統的な木工技術の限界

木材を用いる産業の生産量と生産性が向上しなかったのは、さまざまな要因が組み合わさったからこそであって、原材料の供給に関する問題はそのうちの一つにすぎない。前に述べたとおり、手持ち式の木工道具を使って木材から単純な品物を作るのにも、複雑で時間のかかる工程が必要だ。木片を適切な大きさに切るのにも時間がかかるし、仕口や継手を設計し、測り、印をつけ、切り出すのにもさらに時間がかかる。動物由来の膠で接着して使えるようにするのには、ますます長い時間を要する。田舎の生活を描いたジョージ・エリオットの傑作小説『アダム・ビード』の冒頭、地元の木工職人たちが登場する場面では、アダムの弟で筋骨隆々だが頭の弱いセスが仕事終わりに、作っていたドアが仕上がったと言いきる（じつはまだ完成していなかったが）。ドアを作るには何日もかかっていたはずだ。しかもその前に、木こりが木を選んで切り倒し、木挽きがそれを切って厚板を作り、何年も木材を寝かせて乾燥させ、最後にふさわしい厚板を選ばなければばならなかった。この工程全体が、現代の「ジャスト・イン・タイム」方式とは正反対だった。

　今日でも木工職人は、スピードや生産性よりも品質や仕上がりにこだわっている。木工には熟練した作業が多数必要で高い労働コストがかかるため、当然ながら金持ちの家でも家具はさほど多くはなく、貴重なオーク材の椅子やテーブルやたんすは何世代にもわたって使いつづけることになっていたはずだ。もっと複雑な木製品となると、作るのにますます時間がかかっていただろう。車輪なら何日も、車両なら何週間も、船なら何年もかかっていた。したがって、木工材としての木材の供給量には余裕があったとしても、労働力不足と高い労働コストのせいで木製品の生産量には限界があったはずだ。

　木工業が小規模で点在していたことは、新技術の導入を妨げて技術進歩を停滞させることにもつながった。せっかく誰かが役に立つ技術を編み出しても、ほかの人に伝えるのが難しくてめったに広まらなかっただろう。手工業は世代から世代へ、おもに父から息子へと受け継がれ、技術は文章や口頭での指導でなく、見よう見まねで伝えられていた。職人は教科書での勉強でなく、長期間の見習いを通じて感覚を磨いていった。工房が地方に均等に散らばっていて、木材を用いる異業種どうしの交流もほとんどなかったため、新たな技術はゆっくりとしか広まらなかっただろう。職人は伝統に則（のっと）って、つまり「ずっとこうしてきたんだから、それが正しいやり方だ」という理由で、同じ方法をとりつづけた。伝統を重んじるこのような姿勢は保守的な気質といえ、水準を維持して失敗を避けることはできるが、革新の芽を摘んでしまう。また、木材を用いる各業種はそれぞれ独自のギルドを作って、部外者やさらには他業種から秘密を守り、新たなアイデアが世に広まってしまうのを防いだ。極めつきに、実地で学んで見よう見まねで教わるという方法では、木材の性質を説明したり木材にかかる力を理解したりするための言語がないため、技術の進歩にも限界がある。そのため、伝統的な木工は適切な構造原理に則っておらず、木工職人は先人たちと同じ基本的な技術的過ちを犯しつづけていた。

伝統的な木工品が抱える構造上の最大の弱点は、木材が等方的でない、つまり木目に沿った方向と木目に垂直な方向とで性質がまったく異なることに由来し、それが木工において大きな問題となる。木材が割れないように二つの部材を接合するのは難しい。第7章で述べたとおり、木工職人はこの問題を克服するために、仕口によって部材どうしを直角に接合するようになった。この接合法は、とくに接着してしまえば、部材どうしを引き剝がすような軸方向の力に比較的よく耐えて、構造体がばらばらになることはめったにない。誰もが大工気どりになれるのはそのためだ。しかし直角の仕口で作った木製の構造体は、たしかに強度は高いものの、剛性が十分に高くないという問題がある。とくに剪断(せんだん)力(ずれの力)がかかると、きわめて変形しやすいのだ。四隅だけをつないだ正方形の構造物はひし形に、長方形の構造物は平行四辺形に容易に変形してしまう。伝統的な木製の仕口は剪断力によってひずみがかかり、ゆるんでいって寿命が来てしまう。長方形の木枠で作ったパネルドアは、自重でゆがんでしまう。本棚も傾いてしまう。古いテーブルがぐらぐらしたり、古い椅子がきしんだりするのもそのためだ。ベッドフレームが剛性に欠けていて、ヘッドボードに力がかかるとギギッというまいましい音が出るのも、荷車の車輪がぐらつきはじめて車体がゆがむのもそのためだ。伝統的な木工では無力な構造体しか作れないのだ。

木工職人の中でも、建物を建てる大工だけはこの問題を認識し、実際に有効な優れた解決法を考えついた。屋根の内側の構造を見ると、垂木どうしのあいだに斜めの構材が入っていて、垂木がトランプの束のように外側に崩れ落ちるのを防いでいるのがわかる[8]。同じような斜めの構材は、木骨造りの多くの住居の壁や目板打ちドア、五本の木材を水平に渡したゲートにも見られる。これらの構造に剪断力がかかると、斜めの構材が縦方向の負荷を受け止めて圧縮や伸張に耐

木製構造物における斜めの構材の重要性

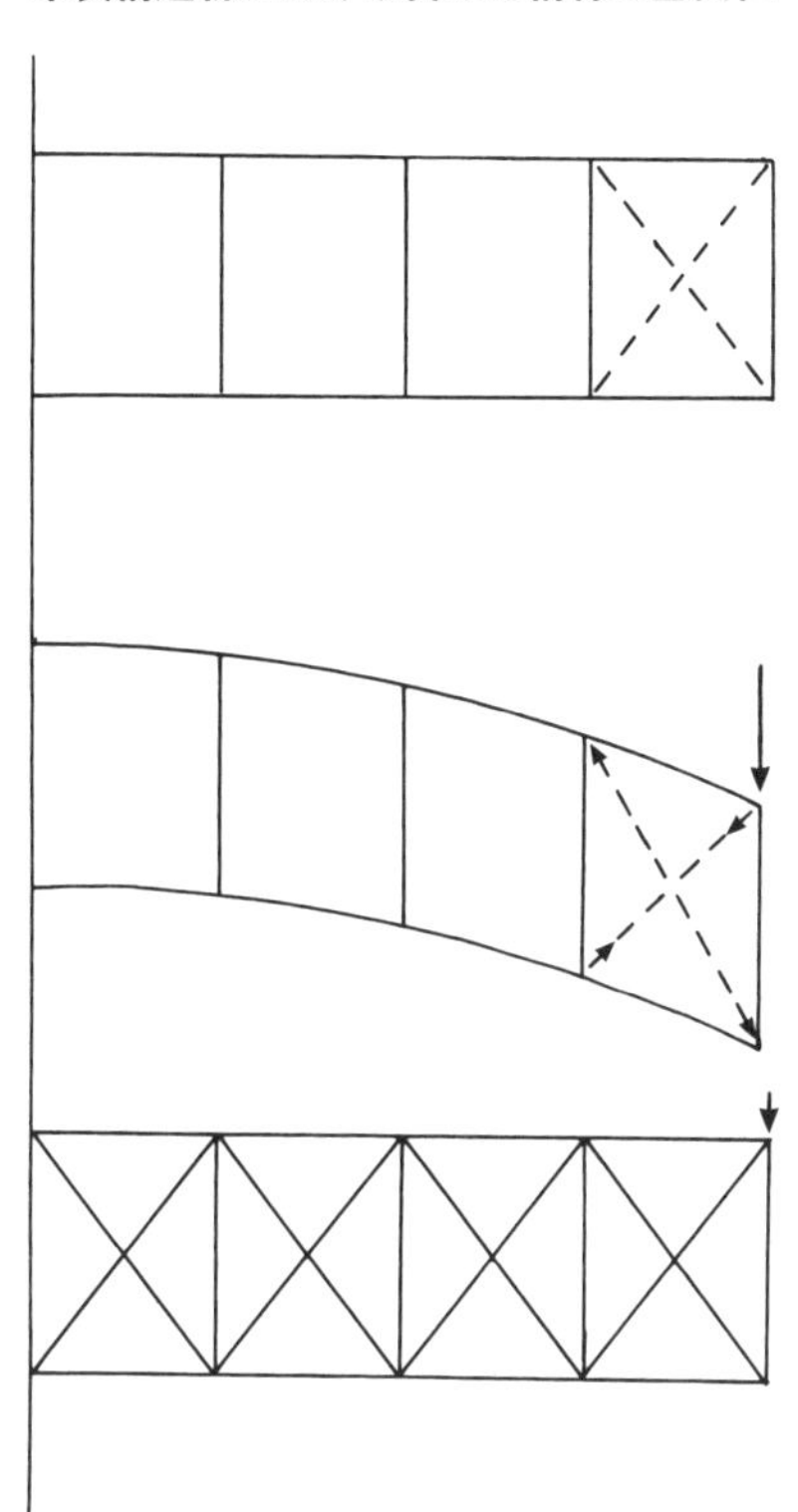

斜めの筋交いがないと(上図)、正方形の構造物は容易に変形してしまう(中央図)。そこにX字形の筋交いを入れると(下図)、変形させようとしても筋交いに張力や圧縮力がかかるため、構造物の剛性が大幅に上がる。

えることで、構造全体に剪断剛性を与える。しかし、建物を建てる大工がこれらの力を完全に理解していたかどうかは疑わしい。というのも、小屋組に広く使われていた形式の多く、たとえば対束組（クイーンポストトラス）では、小屋梁（陸梁）に曲げの力がかかるため、それに耐えられるように構造体全体を重く頑丈にしなければならないし、十分な剛性も出ない。さらに前の章で述べたとおり、ハンマービーム屋根もかなりオーバースペックで効率の悪い構造である。しかし最大の問題は、建物を建てる大工が自分たちの解決法をほかの業種に伝えられなかったことで、その影響をもっとも強くこうむったのは造船業だった。

　第7章で紹介した船の構造形式のいずれでも、先に船殻を造ってから骨組みで補強するか、または先に骨組みを組んでから船殻で覆うかの違いはあれ、構材はすべて直角に交差している。骨組みが船体の横方向に走っているのに対し、厚板は縦方向に走っている。強度の高い構造のように思えるが、水に浮かべたときに船にどのような力がかかるかを考えてみると、そうともいえない。船を浮かばせる浮力のほとんどは船体の中央周辺にかかり、その場所は幅がもっとも広くて船体がもっとも深く沈む。一方、船の前後端はもっと幅が狭く、船首と船尾は海面からかなり突き出している。そのため、前後端の重みで船首と船尾が下に引っ張られて船全体がしなり（これをホギングという）、骨組みに剪断力がかかる[9]。さらに、荒れた海では波のせいで船の各部分が交互に上下に揺れ動くため、剪断力がたえず変化する。そうして椅子の骨組みのように、船の構造体がゆるんでいく。水が漏れてきて、場合によっては、厚板どうしの接合部を埋めて水漏れを防いでいたはずの充塡材が外れてしまうこともある。伝統的な木造船はほぼ決まって大量の水が染み込んできたため、沈没しないようたえず排水していなければならなかった。

エジプト人はこの問題に対処しようと、ある巧妙な構造上のしかけを用いた。船首と船尾、そして船室の上方にロープをぴんと張り、船の前後端を持ち上げてホギングを防いだのだ。このホギングトラスによって船のゆがみがある程度軽減され、のちにミシシッピ川を航行する外輪汽船にも用いられたが、それでもねじれによる剪断変形は防げなかったため、完全な解決にはならなかった。木造船の大きさが二〇〇〇トン程度に抑えられていたのは、木材の性質のせいではなく、設計者が構造を理解していなかったせいなのだ。

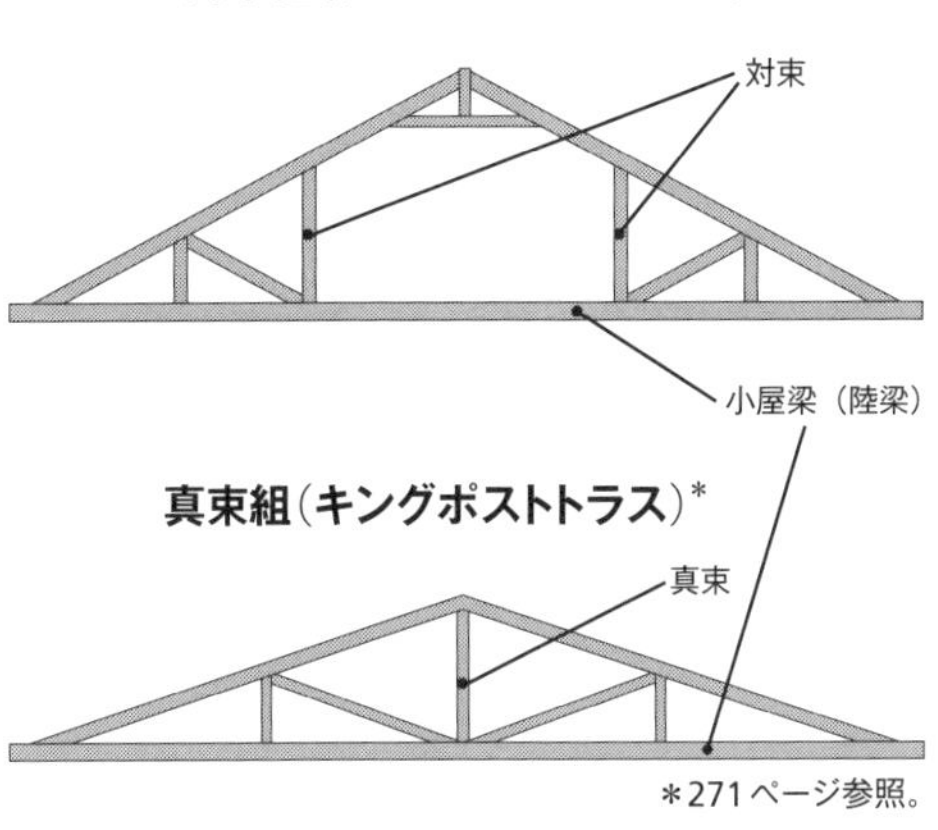

一八〇五年になってようやく、イギリスの造船技師ロバート・セッピングスが軍艦ケント号に斜めの筋交いを取り入れたが、トラファルガー海戦には間に合わなかった。それからまもなくして木造船が錬鉄製の船にとってかわられたため、残念ながらこの工夫はほとんど使われることがなかった。

職人自身が力学的設計を改良できなくても、ルネサンス期のヨーロッパで新たに発展した大学で学んだ学生たちなら力になれたはずだと思われるかもしれない。なにしろ彼らは、純粋に哲学的で宗教的な事柄を学ぶことから、この世界を新たな科学的視点で探究することに転換しつつあったのだから。しかし一六世紀から一七世紀初めまで、科学者の関心の対象は純粋科学、おもに天体の運動や元素の同定、人体のしくみの解明だった。彼らは応用科学にはほとんど関心を示さなかったし、手工業はすべて大学都市から遠く離れた場所で、商売上の秘密をひた隠しにする無教養の社会階級によって進められていた。このように手工業と知的活動が分断されていたことも、木への依存によって物質的進歩が滞った一因といえる。知識人が職人や製造業者と肩を並べて暮らさざるをえなくなってようやく、両者は互いから学びはじめたのだった。

第3部

産業化時代に変化した木材との関わり

（西暦1600年～現代）

第11章

薪や木炭にかわるもの

一六六一年、随筆家で日記作家のジョン・イーヴリンが、いち早く環境問題を取り上げたという小冊子を出版する。その本『フミフギウム（*Fumifugium*）』の中でイーヴリンは、当時、数百年後と同じくロンドンを覆いつくしていたスモッグを問題視し、硫黄（いおう）を多く含む石炭を燃やすことがその原因であると正しく指摘していた[1]。しかしこの本は環境保護が主要テーマではなく、燃料を木材に戻すよう提案してもいない。都市設計に関するいち早い提案と、史上初の住民エゴ運動とを組み合わせたものだった。六四ページにおよぶ仰々しい文章の中でイーヴリンは、自分のような紳士が街じゅうに漂う煙や悪臭に我慢せずにすむよう、ロンドンシティからあらゆる工業を排除したうえで、香りのよい木やハーブや花を植えた「グリーンベルト」を設けるよう提案している。育ちのよい住民が顔をしかめるようなものは視界にも入らず、気にもならない、ヨーロッパ大陸の計画都市のようにしようというのだ。

現在では、地域ごとに分けた都市設計はありふれた政策だ。都市は健康的で効率的になるが、必要な重工業は視界から覆い隠されてしまう。皮肉にもロンドンは、石炭を燃やすことによって、ヨーロッパ最大の、もっとも急速に成長する、もっとも自由思想の強い都市になった。だからこそイーヴリンは不満を文章にしたために出版することができたのだが、本人はそれを理解していなかったようだ。木材が石炭に切り替わったからこそ、それまでもっとも華々しい知的革命がヨーロッパで起こったのであって、イーヴリン本人もその革命の一端を担って記録に残すことになったのだ。燃料に石炭が使われるようになったことで、最初にイギリスが、やがて世界中が、工業化された都市社会へと進み、木の時代を脱して地球環境に大きな影響を与えるようになる。

前の章で述べたとおり、都市には薪が必要でありながら、薪は輸送しにくくて供給が難しかったため、都市の大きさには上限があったし、都市を拓ける場所も限られていて、富を生み出す工業から離れた場所にしか築けなかった。しかしルネサンスの終わり近くになって、北ヨーロッパの二つの国が二種類のまったく異なる新たな熱エネルギー源を利用し、薪の供給によるしがらみから脱しはじめる。

オランダは一五世紀にはすでに人口が多く、近場からの木材の供給にも限界があった。高台の森林は農業のために大部分が切り拓かれていたし、それ以外の地域は水分の多い泥炭に覆われた低地で、植林など不可能だった。それはオランダに限ったことではなく、泥炭は北ヨーロッパの大部分に広く分布していた。最終氷期が終わって以降、気温が低くて水分の多い土地ではコケや草が生えても分解せず、それが一〇年で一センチメートルというスピードで積もっていって、泥炭を形成した。泥炭は大昔からヨーロッパのいたるところで、少なくとも小規模に燃料として使われていた。初夏に泥炭を切り出して乾燥させ、荷車で家まで運び、冬になると燃やしていた。しかし輸送が木材よりもさらに不経済だったため、主要な燃料になることはなかった。泥炭は木材に比べて単位重量あたりのエネルギー量が半分、密度が五分の一で、単位体積あたりのエネルギー量はわずか一〇パーセントにすぎない。大規模に利用するには水上を輸送するしかないが、そのためには莫大な費用をかけて運河網を建設するしかなかった。

だがオランダにはさいわいにも、最終氷期後の海面上昇によって海面と同じ高さになった、標高の低い泥炭地が二か所あった。その中でもより重要だったのがホラント地方だ。ナールデン、ユトレヒト、ハウダ、ロッテルダム、デルフト、ライデン、ハールレム、アルクマール、そしてアムステルダムといった、オランダのほぼすべての大都市に囲まれた、面積およそ六五〇平方キロメートルの地域である。一六世紀に商業が発展すると、そこに広がる泥炭を容易に利用できることに人々は気づいた。泥炭を掘ると海面から二、三メートル下に粘土層が現れるので、何もしないでも新たな湖や運河ができ、そこを通って近くの街に泥炭を輸送できる。つまりオランダ人は、容易に利用可能なまったく新しいエネルギー源の上に暮らしていたのだ。

ヴァーヘニンゲン農業大学のヤン・デ・ゼーウは、泥炭層の厚さと泥炭が切り出されたスピードを推計して、この泥炭地からどれだけの量のエネルギーを調達できたかを算出した[2]。その結果、低地に広がるこの新たな泥炭地によってオランダ人は毎年二五ペタジュール[*1]の熱エネルギーを利用でき、一人あたりの量に換算すると、当時イングランド人が薪から得ていた量の三倍に達することがわかった[3]。しかも泥炭を取り除くことで、肥沃な粘土質の土壌が顔を出し、排水して生産性の高い耕地に転換することもできた。

こうしてオランダは豊かになった。新たなエネルギー源によって経済が発展したおかげで、一七世紀を通じて黄金時代が続き、少なくともしばらくのあいだは世界的な大国になった。その経済発展は、製塩業やガラス工業、醸造業や染色業や窯業、そしてもっとも長続きすることとなるレンガ製造業などに支えられ、そのいずれの工業でも泥炭が燃料として使われた。レンガ製造業は、見事な赤レンガ造りの建物が立ち並ぶ美しい都市も生み出した。一方、有名な風車群によって排水された新たな土地では、増えつづける人々の食糧となる穀物が栽培された。現在ではその干拓地は、オランダの巨大な園芸産業を支える球根畑の中心地となっている。

しかしオランダの黄金時代は、そもそも長続きしない定めにあった。一七〇〇年には低地の泥炭がほぼ取り尽くされてしまったし、北部の高地に広がる泥炭を掘り出して輸送するのははるかに困難で費用もかかった。そのため、運河を建設しても割に合わなかった。さらに、沿岸に土砂が堆積しはじめて、港の出入りが徐々に難しくなっていった。オランダは銀行業や通商技術では世界をリードしていたし、極東と貿易関係を築いてもいたが、それでも北海を隔てた競争相手、イギリスに主導権を奪われてしまう結果となった。

石炭の利用でイギリス経済が発展

オランダは容易に利用できる大量の泥炭を授かるという地理的幸運に恵まれたが、イギリスはそれに輪をかけて幸運だった。地理的要因と地質学的要因が相まって、石炭というもっとずっと高密度のエネルギー源をさらに大量に授かったのだ。前の章で説明したとおり、石炭の単位体積あたりのエネルギー量は木材のおよそ五倍、泥炭の五〇倍にもなる。ブリテン島には古生代の石炭紀[*2]に形成された大量の石炭が埋蔵されていて、南はウェールズの谷あいから北はスコットランドのセントラルベルトにいたるまで、南北を貫くように数々の炭田が連なっている。中でも最大の幸運は、最大規模のノーサンバーランドとダラムの炭田が、北海沿岸にほど近いタイン川とウィア川とティーズ川という三本の大河の川岸のごく浅いところに広がっていて、容易に採掘できたことである。この地域の炭鉱で大量の石炭を採掘し、線路の前身である木道の上を走る荷車で川まで運び、そこから先は船に積み込んで輸送していた。

炭鉱がもっとも集中していたのがタイン川の川沿いで、ニューカッスルはまもなくして石炭の町と呼ばれるようになり、「まるでニューカッスルに石炭を運ぶようなものだ」という表現も生

＊1　ペタは一〇〇〇兆のこと。
＊2　三億六〇〇〇万年前〜三億年前ごろ。

まれた。これは、「あり余っている場所に持っていっても骨折り損だ」という意味である。ニューカッスルは急速に成長して、一七〇〇年にはイングランドで四番目に大きい都市となり、製塩業や石灰焼成業などエネルギーを大量に使う工業がタイン川沿いやその近くの沿岸部であっという間に花開いた。しかし採掘された石炭の大部分は、海岸沿いに南へ運ばれた。その運搬のために幅が広くて底の浅い石炭船がこの地域で建造され、徐々に大型化していった。この頑丈な船と船員たちはイギリス海軍の予備兵力にもなり、のちにイギリスの植民事業にも役立てられる。クック船長がタヒチやニュージーランドやオーストラリアへの初航海に使った有名なエンデヴァー号も、石炭船を改造したものだった。

ニューカッスルから運ばれてきた石炭のほとんどは、最終的にテムズ川を上り、急速に拡大しつつある都市ロンドンに供給された。一六〇〇年から一七〇〇年のあいだに、ロンドンの年間石炭消費量は約一五万トンから五〇万トン近くにまで増え、人口も二〇万から五七万五〇〇〇に増えた。石炭を燃やすことが環境におよぼす影響はすぐに現れ、一六世紀半ばにはすでに煤煙(ばいえん)が人々の不満の種になっていた。エリザベス一世におよんでは、石炭を燃やすことを禁じる法案を提出したくらいだった。それでも石炭がとても安価だっただけに、ロンドン市民は環境に関する警告の声や法律をことごとく無視した。石炭は暖房だけでなく、テムズ川の川沿いに興った醸造業やガラス製造業、製塩業や染色業や金属加工業など、大量のエネルギーを必要とする産業にも使われた。海から運ばれてきたことから「シーコール」と呼ばれた石炭はレンガ製造業にも利用され、現地のレンガ粘土から焼かれた色とりどりのレンガは、一六六六年の大火ののちにロンドンの街が再建されるときにも使用された。

一七世紀半ば、オランダのあとを追ってイギリスの経済が発展し、共和制が社会的・政治的に大混乱に陥って一六六〇年に王政復古を迎えると、石炭を動力源とする工業が拡大した。住宅と工場が混在するロンドンでは、汚れていて悪臭が漂ってはいながらも、新しい開かれた思想が花開いた。大学都市のオックスフォードとケンブリッジから知識人が大挙して押し寄せ、英語で講義をおこなう新設のグレシャム・カレッジや、新たにオープンしたコーヒーハウスで議論し合った。そうして、驚くほど幅広い興味と情熱を秘めた人たちが集結する。

化学者のロバート・ボイルは、空気ポンプを使って気体の法則の多くを導いた。科学者で建築家のクリストファー・レンは、ロンドンの大火ののちにセントポール大聖堂や多くの教会を再建した。医師で統計学者で経済学者のウィリアム・ペティは、クック船長がタヒチやハワイで双胴カヌーを目にする一〇〇年前に、双胴船を設計して試験航海した。そしてジョン・イーヴリンは、造園や林業や彫刻、および大気汚染に関心を持った。彼ら自然哲学者は、新たなイギリス海軍の編成に当たった官僚で日記作家のサミュエル・ピープスなど、有力なコネを持つ政治家や行政官と親交を深めた。そして史上もっとも有名な科学の学会、王立協会（ロイヤル・ソサエティ）を創設し、その初代幹事を務めたヘンリー・オルデンバーグは、科学研究の幅をさらに広げるためにヨーロッパ大陸の科学者たちと手紙のやりとりを始めた。たとえば、振り子時計を発明したオランダ人のクリスティアーン・ホイヘンス、顕微鏡研究の先駆者であるアントーニ・ファン・レーウェンフック、ニュートンと並んで微積分を考案したドイツ人のゴットフリート・ヴィルヘルム・ライプニッツなどである。

王立協会は浮世離れした思索家の集まりではなかった。何よりも、王立協会を後援した国王チャールズ二世は、航海術など実用的な事柄に関する助言を強く望んだ。また、創設者たちを奮い立たせた革新的なイギリス人科学者フランシス・ベーコンは、一六二七年の著書『ニュー・アトランティス』の中で、「物事の原因と隠れた運動に関する知識を獲得すること、および、人間帝国の境界を拡大して、およそあらゆる事柄を達成させること」に専念する公共の知識収蔵庫、ソロモンの家を設立するよう訴えていた[4]。

しかし、王立協会の成功とその実用主義的立場にもっとも重要な役割を果たしたのは、史上初のプロ科学者ともいえる実験担当者のロバート・フックである。ロバート・ボイルの元助手だったフックは、王立協会で毎週開かれる会合に合わせて有給であらゆる実験をおこない、科学分野間の境界線を乗り越えた。才能のある万能科学者で、ときに建築家の役割も務めた（レンによるロンドンの再建を手伝った）ことで、この街の職人や実験機器の製作者と交流した。そんなフックの強い影響力もあり、王立協会は実際に役に立つ応用研究をおこなって成果を発表するようになった。

フックはまた、ジョーゼフ・モクソンを職人として王立協会初の特別会員に抜擢（ばってき）し、金属の鍛（たん）

造(ぞう)や建具製造、旋盤加工やレンガ積みや日時計作りなどの方法を記した史上初のDIYマニュアル『メカニック・エクササイズ（*Mechanick Exercises*）』を出版させた[5]。紳士然としたイーヴリンまでもがフックに動かされ、当時の大ベストセラーを書いた。その本『シルヴァ（*Sylva*）』は、文学からのもったいぶった引用や奇抜なフレーズがそこかしこにちりばめられていながらも、イギリスに生育する樹木の種類やその成長と利用に関する知見を残らずまとめようとしている[6]。こうして一七世紀後半以降、幅広い層が技術的情報を入手できるようになり、急速な物質的進歩に寄与したのだった。

新たな動力源

このようにして初めて応用科学が花開いたことで生まれた数々の発明のうち、おそらくもっとも重要だったのが、蒸気機関である。石炭の需要が高まりつづける中で、鉱業は徐々に切迫した状況に置かれていった。そして石炭採掘のためにどんどん深く掘り進めていくにつれ、出水に伴う数々の問題に直面しはじめる。それまでは、立坑(たてこう)や排水坑を掘って海辺や川岸に排水することで坑道内の水位を下げていたが、水面下に達した坑道を排水するのにはこの手法はもちろん使えない。積極的に水を汲み出すしかなかったが、人力ポンプやウマを動力とするポンプではすぐに手に負えなくなってしまった。

石炭のエネルギーを蒸気の力に変換するという原理は、一七世紀末、フランス人物理学者で発明家のドニ・パパンによって実証された。パパンはロンドンでロバート・ボイルとともに圧力鍋を開発し、その後の一六九〇年に蒸気機関の原型を組み立てた。そのアイデアに基づいて一八世紀初め、コーンウォール在住の技術者トーマス・ニューコメンが実用的な蒸気機関を開発した。その「大気圧機関」のしくみは次のとおりだ。水蒸気を満たしたシリンダーの中に冷水を注入して水蒸気を凝縮させ、大気圧によって銅製のピストンを押し込む。その後、シリンダーを再び水蒸気で満たし、ピストンをゆっくりと押し出す。往復運動をするこの蒸気機関は、石炭を大量に消費するという欠点を抱えていたが、その欠点がいっさい問題にならない場所、すなわち炭坑から水を汲み出すのには理想的な代物だった。こうしてイギリスの石炭供給は、少なくともそれから五〇年間は確保され、そのおかげで産業化は続いたのだった。

王立協会の初期の勢いがいつまでも続くことはなかった。必然的に専門化していったことで勢いを失い、また貴族階級によってフックは徐々に追いやられていった。アイザック・ニュートンが会長に就任すると、「哲学者たる科学者」という理想に取り憑かれて応用科学は徐々に軽視され、一〇〇年以上にわたってイギリスの科学が社会に重要な役割を果たすことはなくなった。

さいわいにもその前に、応用科学はヨーロッパのほかの国、とくにフランスで発展しはじめ、ドゥニ・ディドロとジャン・ル・ロン・ダランベールが編纂した有名な『百科全書』をきっかけに無数の技術専門書が書かれて、世界中に知識が広まった。

一方のイギリスでは、工業の中心地がロンドンから、石炭に恵まれた地域へと移っていった。一八世紀には各地の叩き上げの人たちが、この新たなエネルギー源と、地質学的にブリテン島に豊富な別の資源とを組み合わせて、さまざまな工業を興し発展させることを狙った。サンダーランドでは、ウィア川を下って運ばれてきた石炭を窯の燃料とし、地元でとれる砂と苦灰石（ドロマイト）を原料に使う、新たなガラス産業が興った。ヨークシャーの海岸地方では、石炭で大桶の中の水を沸騰させ、地元でとれるジュラ紀の頁岩から取り出した化学物質を原料として、ミョウバンの製造がおこなわれた。ストークでは、地元スタッフォードシャー州の炭層から採掘した石炭を窯の燃料とし、その近くに堆積している粘土を原料とする、新たな窯業が発展した。スタッフォードシャー州の石炭は、チェシャー州南部の塩の町、ナントウィッチやミドルウィッチやノースウィッチの地下から採掘される岩塩の精製にも使われたし、バートン・オン・トレントの醸造業の燃料にも使われた。ウエストミッドランズ州の石炭は、バーミンガムの宝石細工工房や鍛冶場の炉の燃料に使われた。イギリスは都市を中心とした国への道を歩みはじめ、それぞれ独自の炭田から動力源を得て、それぞれ独自の知識人社会を抱える数々の工業都市が拡大していった。ウエストミッドランズ州ではルナー・ソサエティー（月光協会）という学術団体が設立され、エディンバラではいわゆるスコットランド啓蒙が進んだ[7]。

安価で数々の長所をそなえたこの新たなエネルギー源は、ロンドンから国じゅうに広まってさまざまな新技術の発展を後押しし、職人ギルドの力を削いでいった。産業経営者たちは安くて魅力的な製品が生産される世界を切り拓き、人々もそれまで満足しきっていた優れた木製品からそれらの製品に乗りかえていった。木製のボウルや皿にかわって、壊れやすいが安価な陶器が、木製のゴブレットにかわって、スズやガラスの大ジョッキが使われはじめた。そして、これらの壊れやすい新製品を低コストで円滑に市場に運ぶために、新たな輸送機関への投資がさかんになった。一八世紀後半にはいわゆるキャナル・マニア（運河に対する熱狂）が起こった。製品を工場から町の顧客のもとへ運んだり、石炭を鉱山から発展中の工業地帯へ輸送したりするために、国を縦横に走る新たな運河が次々と建設されたのだ。

石炭を使った製鉄

拡大中の都市にあらゆる産業を集約させるのを妨げて、イギリスの工業生産に制約をかける要因が一つだけあった。製鉄にはいまだに、木材から作られる木炭が必要だったのだ。当時のイングランドの製鉄業は驚くほど小規模だった。一七〇〇年になっても、鉄の年間生産量はわずか二万五〇〇〇トンほど、国内で消費される木工材と比べると重量で三〇分の一、体積では二〇〇分の一しかなかった[8]。

製鉄業の足枷（あしかせ）となっていたのは、木炭の供給量と価格である。イングランド南東部・ウィールド地方の広大な森では、集約的な萌芽更新をおこなって安価な木材を大量かつ安定的に生産していたが、イングランドでの木炭の価格はヨーロッパ大陸と比べていまだに高かった。しかも、工業中心地から三〇〇キロメートルほど離れたケント州やサセックス州の郊外に点在する製鉄所は、革新を起こしたりほかの産業と協力したりするのに向く場所柄ではなかった。国内産の鉄は競争力を失い、イギリスはスウェーデンやロシアから年間およそ二万トンの鉄を輸入するようになった。これらの国は森林や高純度の鉄鉱石が豊富で、そのため競争力が高かったのだ。

　鉄の価格を下げ、ほかの産業に近い場所で製鉄をおこない、生産量を増やすには、木炭でなく石炭で製錬するというのが当然の解決法だった。何しろ石炭は木炭よりもはるかに安価になりつつあったし、もともとほぼ純粋な炭素である。しかも石炭の塊は、縦方向に脆い木炭よりも強度が高いため、はるかに大きな溶鉱炉にくべても鉄鉱石の重さでつぶれることはない。しかし石炭を使った製錬には数々の問題点があった。木炭が多孔質であるのに対し、石炭は固く締まっていて表面積が小さいため、化学反応の速度が遅いのだ。さらに、ほとんどの石炭には硫黄などの不純物が含まれていて、それが鉄に混じって強度を下げてしまう。

　これらの難点を克服するために世界中でさまざまな手法が編み出され、石炭を用いた製鉄はすでに紀元前五世紀に中国の江蘇(こうそ)省でおこなわれていた。しかしヨーロッパではようやく一七〇九年になって、イングランド・シュロップシャー州コールブルックデールの製鉄業者エイブラハム・ダービー一世が、周囲に広がる炭田を活用する方法を考えついた。ダービーが編み出して特許をとったその方法では、大型の炉の中で、炭焼きと同様のプロセスで地元産の石炭を加熱する。

そうすると不純物が燃えつきて、強度と純度の高いざらざらした炭素の塊、コークスができる。そのコークスを大きくて背の高い新型の溶鉱炉の中に積み上げて燃やせば、鉄が完全に融けきる温度まで上げることができる。そうして生成する液体の鉄を型に流し込むと、銑鉄（せんてつ）ができる。

ダービーは、この銑鉄を再び加熱して、特許をとった砂型に流し込むことで、従来の銅製や真鍮製の調理器具よりも安価な鋳鉄（ちゅうてつ）製の鍋やフライパンを製造し、一財産を築いた。しかしその新たな製鉄法はなかなか普及せず、一七五〇年までコークス炉で生産される鋳鉄はきわめて少量だった。その最大の原因は、生成した鉄が脆くて硬く、使用に適さない場合が多いことだった。シュロップシャー州東部で採掘される石炭はきわめて純度が高く、硫黄を約二パーセントしか含んでいなかった。ダービーのコークス製造法では、さいわいにもそのタイプの石炭の硫黄分は取り除けたが、硫黄を最大で七パーセント含むそのほかの石炭ではそうはいかなかった。一七五〇年代になってようやくほかの製鉄業者が、硫黄を効率的に除去する技術を開発した。水蒸気で駆動させる鞴（ふいご）で鉄に空気を吹きつけて、炉の中の温度を上げるとともに、添加した石灰石と反応させて硫黄を除去するという手法である。

広大な森林のまっただ中で操業する必要性から解放された製鉄業は、あっという間に北や西へ広がり、シュロップシャー州や北ウェールズ、ヨークシャー州シェフィールド、およびバーミンガム近郊のブラックカントリーなど、炭田の広がる工業中心地へ移っていった。そして鋳鉄の長所を活かした新たな産業が次々に発展した。鋳鉄は型に入れて複雑な形に成型するのが容易だったため、あらゆるタイプの装飾品や柵、ガーデンファニチャーなどを作るのに理想的だった。また新たな世代の農業技術者たちは、大鎌や鍬などの農機具を作るのに鋳鉄が役立つことに気づいた。中でももっとも重要だったのが、湾曲した撥土板（へら）をそなえた犂で、これは従来の木製の犂に比べて少ない労力で土をかくことができ、単に地面を引っかくだけでなく、土を起こして畝を作ることもできた。一七八四年にはジェイムズ・スモールが、初の一体型の鉄犂、スコッツ・プラウを開発した。これはわずか二頭のウマで引いて一人で操縦することができ、農業労働の生産性を著しく向上させた。最後に、鋳鉄は融点が高くてほかの金属よりも耐熱性が高いため、鍋やフライパンや暖炉、そしてさまざまなタイプの加熱器具に適していた。木材を燃料とする溶鉱炉が、石炭を燃料とするもっと高温の溶鉱炉にとってかわられたことで、産業用の容器も鉛製から鉄製に替わった。

しかし鋳鉄がもっとも大量に使われたのは、大砲の製造においてである。とくに消費量が増えたのは、やはりコールブルックデールの製鉄業者ジョン・ウィルキンソンが、中の詰まった金属の円柱をくりぬいて内壁のなめらかな砲身を作る初の精密切削工具、中ぐり盤を開発し、従来のものよりも安全で精度の高い武器を作れるようになってからだった[9]。一八世紀も終わりに近づくと、各ヨーロッパ大国の海軍のあいだで軍拡競争が起こり、艦船が数を増して大型化し、搭載される大砲の数も増えていった。ナポレオン戦争のころになると、イギリス艦隊はおよそ一万四〇〇〇門の大砲を所有していた。大きいものは重量三トンを超える三二ポンド砲（重さ三二ポンド＝約一五キログラムの砲弾を発射する）から、一六ポンド砲や八ポンド砲、さらに小さい、ブドウ弾を発射する大砲や迫撃砲まで、さまざまな種類があった。これらの大砲だけで、一七〇〇年の年間生産量に匹敵する約二万五〇〇〇トンの鉄が使われた計算になる。

蒸気機関——産業革命の推進力

ジョン・ウィルキンソンの新たな中ぐり盤によって、産業革命のもう一つの発明品が改良され、さらに多量の石炭が消費されるようになった。その発明品とは蒸気機関である。一七六五年にジェイムズ・ワットが、蒸気機関の効率を劇的に向上させ、ニューコメンの大気圧機関を実用的な発動機に変貌させることとなる特許を取得した。ワットが工夫したのは、シリンダーを冷却することで熱が無駄にならないよう、シリンダーとはべつにそなえた凝縮器でシリンダー内から水蒸気を排出し、それによって真空を作り出してピストンを引き込むという点だった。しかしそのようなシリンダーを、水蒸気が漏れないよう完璧に作ることはできなかった。たえず水蒸気が漏れて、熱とパワーが無駄になってしまうのだ。

そこでワットがウィルキンソンに二台の蒸気機関の試作を依頼すると、ウィルキンソンはこの問題をあっという間に解決してしまう。大砲の砲身をくりぬくための中ぐり盤を使って、中の詰まった鉄の塊に円筒形の穴を精確に穿つことで、ピストンがぴったりはまって上下に自由に動ける、内面のなめらかなシリンダーを作ったのだ。こうして、蒸気機関の製造を阻む最大の技術的問題が克服された。

この新機軸の重要性は計り知れない。ワットが設計し、ウィルキンソンがシリンダーを切削し、ワットとマシュー・ボールトンが共同経営する工場で組み立てられた蒸気機関は、すぐにイギリスやヨーロッパ大陸のあちこちに何百台も出荷された。もはや鉄工所や工場を、流れの速い暴れ川のそばに建設する必要はなくなった。渇水時には止まってしまい、洪水が起こると壊れてしまう木製の水車のかわりに、天気に関係なく一日二四時間稼働させられる鉄製の蒸気機関を使えばいいのだ。そうして、田舎を流れる川のそばに点在していた各種工場が、次々と大きな街に密集して建てられるようになった。ウルヴァーハンプトンやバーミンガムを中心とするブラックカントリーには製鉄業が、ランカシャー州には綿織物業が、ヨークシャー州には毛織物業が集中した。

このように工業が集中することで、新たな工夫が速く普及するようになり、製造効率が上がり、物質的進歩が加速した。ただその裏で、工場労働者の労働環境や生活環境が犠牲になったことは押さえておかなければならない。製鉄と蒸気機関が組み合わさったことで、イギリスのエネルギー経済は一変した。一七〇〇年には三五〇万トンだった石炭生産量が、一七五〇年には六〇〇万トン、一八〇〇年には一七〇〇万トンに増え、一六五〇年に木材から得ていた二〇倍のエネルギーが生み出されるようになったのだ[10]。一八〇〇年までにイギリスでは、木材が燃料として使われることはほぼなくなっていた。

しかしそれ以外の国では石炭の影響がはるかに小さく、木の時代が続いた。イギリス以外のヨーロッパの国々では石炭の埋蔵量がはるかに少なく、また採掘や輸送もはるかに難しかったため、燃料のうち木材に依存する割合がはるかに高かった。フランスとドイツでは木材供給に対する懸念が深まっていったし、イギリスと違い、森林を国有化してもっと「科学的」な方針に沿って森林経営をおこなうよう求める声も強くなった。そこで両国政府は、はるかに体系的な方法で樹木を育てて森林を管理するための部署を設置した。また木材の供給を維持するために、丸太を川に流して都市まで運ぶための大規模な土木工事を急ピッチでおこなった[11]。

木材供給業は、とくにシュヴァルツヴァルトでどんどん規模を拡大させ、地元住民でなく資本家が経営するようになった。丸太をすべらせて大きな川まで運ぶすべり台も大型化し、丸太の筏もはるかに大きくなった。一八世紀末、ライン川を下るオランダの筏は、多数の小さな筏を連結させて最大およそ一四メートルの舵を七人で操る、まるで水上の村のような趣だった。メインの筏は長さおよそ三七〇メートル、幅およそ八〇メートル、その上に建てられた小屋の中では数百人がオールを漕ぎ、さらにさまざまな階級の乗客が乗っていた。一メートルほどの高さの監視台には船長が座っていた。木材はエネルギー密度が低いため、ヨーロッパ大陸の運河はイギリスの運河よりもはるかに幅が広く、輸送に使われた船も細長くて優美な平底船でなく巨大な艀（はしけ）だった。

需要のほうに目を向けると、ヨーロッパ大陸の科学者や発明家は木材の燃焼効率を上げることに没頭しはじめ、効率のよい新たな炉を次々に開発した。人々も暖炉のかわりに、はるかに多くの熱を発生させる鉄製の薪ストーブを使うようになった。暖炉では効率が一〇〜二〇パーセントだったのが、薪ストーブでは四〇〜六〇パーセントに上がった。この変化は大陸の森林にも大きな影響を与えた。薪ストーブは、細い枝でなく、かなり大きい木材をくべるのがいちばん効率がよかった。そのため一八世紀のフランスやドイツでは、萌芽更新の間隔が五〇年に、さらには八〇年に延ばされ、萌芽林が高木の造林地へと変貌していった。そのような条件では軟材のほうが速く成長し、しかも硬材よりも水に浮かびやすいため、広葉樹の森に針葉樹が植えられていった。

一方、急速に発展する北アメリカの各植民地や、独立したばかりのアメリカは、エネルギー供給の問題とはいっさい無縁だった。東部各州はほぼ尽きることのない森林に覆われていたし、発展する町や都市は海岸沿い、または大きな川や湖の岸辺に位置していたため、内陸部から水に浮かべて運んできた丸太や木材を簡単に入手できた。木材を使ってヨーロッパ風の集落が次々に作られ、優雅な「コロニアル様式」の巨大な木造の大邸宅も建てられた。

アメリカの実業家は石炭を掘るかわりに、木炭の品質を高める新技術を開発し、価格競争力のある鉄の生産を続けた[12]。木材を小さく積み上げて燃やすのでなく、巨大な円筒容器の中に入れて外から加熱することで、収率が高いだけでなく、割れが少なくてはるかに強度の高い木炭を製造した。この工程では何種類もの有用な化学物質も得られた。副生成物であるタールやメタノールやアセトンが商品になり、木炭製造業はさらに競争力を増した。また強度の高い木炭を使うことで、ヨーロッパのコークス炉に匹敵する背の高い炉で鉄を製錬することができた。コークスを用いる鉄の生産量が木炭を用いる鉄の生産量を上回ったのは一八五〇年になってからのことで、木炭を用いる鉄の生産がほぼ完全に終わったのは一九二〇年代のことである。またアメリカでは、石炭を燃やす蒸気機関の構造が、木材を燃やせるものに改良された。二〇世紀に入るまでアメリカは、ほかのどの工業国にも増して木の時代にとどまっていたのだ。

第12章

一九世紀における木材

一八世紀、工業と科学が劇的に発展してヨーロッパにいくつもの大帝国が出現し、アメリカが独立してフランス革命が起こったとはいえ、生活や経済の基盤がこれらの出来事から影響を受けることはほとんどなかった。いくら映画ファンでも、一八世紀初頭を舞台にした『女王陛下のお気に入り』や『ガリバー旅行記』と、一八世紀末を舞台にした『アマデウス』や『高慢と偏見』とで、背景にどんな違いがあるかを言い当てるのはなかなか難しい。それもそのはずで、新古典派の建築物はどれも大きさがほぼ同じだし、人間を基準にした同じスケールで建てられている。一八世紀末に造られた新たな工場も、わずか数階建てでそれほど大きくないし、外観は一八世紀初頭に建てられた倉庫とそっくりだ。街なかや国内の移動には相変わらず木製の馬車が使われ、外国へは木造船で旅していた。

いつの時代かを判断するためのヒントとなる大きな違いは、屋内に見られる。家具の素材が重いオーク材から美しいマホガニー材に替わり、磁器などの置物が増え、服装は東洋産の絹(きぬ)を使った上品なドレスから、もっとシンプルなヨーロッパ産の綿のガウンに替わったのだ。

　このような傾向は矛盾しているようにも思えるが、それにはれっきとした理由がある。イギリス人は薪や木炭を使うことによるエネルギー上の制約からは解放されたものの、いまだに技術や工学は木材に依存していて、限界があったのだ。木を育てて切り倒し、木材を切り出して乾燥させ、最終的に成形して有用な製品を作るのには時間がかかるため、生産性には上限があったし、木材の構造的な短所のために、作れる構造物の大きさと強度にも限界があった。前に説明したとおり、木材は割れやすくて接合が難しいし、屋外では反ったり腐ったりしやすいし、さらに燃えやすい。木製の車両は重くて乗り心地が悪かったし、木造船は小さくて狭苦しくて水漏れしやすかったため、移動するにしても限界があった。一八世紀末になってもいまだ、ロンドンからエディンバラまでのおよそ六五〇キロメートルの距離を進むのに三日から四日かかっていた。航海にかかる時間もほとんど短縮されなかった。ベンジャミン・フランクリンは一七二四年の初航海で大西洋を横断するのにおよそ七週間をかけたが、一七八六年の最後の航海でもかかった期間はまったく同じだった。支間長が三〇メートルを超えるような橋は稀だったし、建物の高さは六階建て、幅は二五メートル程度が限界だったし、工場を埋め尽くす木製の機械は重くて雑なつくりで扱いづらかった。

　一八世紀後半に鉄の生産量が大幅に増えたことを考えると、そのような状況は改善しただろうと思われるかもしれない。しかし残念ながら、製鉄所で作られる鋳鉄は木材のかわりにはならなかった。鋳鉄は炭素をおよそ四パーセントと高濃度で含んでいたし、鍛冶屋が作る鍛造棒鉄と違って強度を上げるスラグ繊維を含んでいなかったため、脆かった。強い圧縮力には耐えられたが、引き伸ばされると簡単にひびが入り、思いがけない形でちぎれてしまう。石と同じく、引き伸ばされても耐えられる鎖や、曲げの力に耐えられる桁梁を作るのには使えなかったし、衝撃にも耐えられなかった。工学材料としては、木材でなく石やレンガの代替品としてしか安全には使えなかったのだ。

それを見事に物語っているのが、産業革命初期の建造物の中でもおそらくもっとも有名な、コールブルックデールのセヴァーン川にかかるアイアンブリッジだろう。一七八一年、鋳鉄の発明者の孫であるエイブラハム・ダービー三世が鋳鉄の構材一七〇〇点を使って架けたこの見事な橋は、支間長がおよそ三一メートルある。しかし、木造橋と同じく構材どうしが蟻継ぎや枘継ぎで接合されているものの、構造全体がアーチ形で、鉄には圧縮力しかかからないようになっている。重量三九〇トンの鉄の骨組みが、もっとずっと重い石のアーチにとってかわっただけだ。アイアンブリッジの成功を受けてもっと短い道路橋にも鋳鉄のアーチが多数使われるようになり、偉大な技術者のトーマス・テルフォードは、ウェールズ北部・ランゴレン近郊のディー川に架かる壮観なポントカサステ水道橋の建設にも鋳鉄を使った。石の支柱のあいだに鋳鉄製のアーチ形の部材を渡し、その上に水を流す鋳鉄製の樋(とい)を走らせた構造である。

鋳鉄製のアーチの成功を受けて、一九世紀初頭の技術者たちは鋳鉄をさらに幅広く活用し、鉄道建設に使ったり、工場の木製の構材を鋳鉄製のものに置きかえたりした。しかし、それがさまざまな事故を引き起こすこととなる。初期の鉄骨造りの工場は、重い機械を設置したことによる曲げの力に床が耐えきれず、いともたやすく崩れてしまった。拡大しつつある鉄道網に使われた鋳鉄製のレールは、重い列車による動的負荷がかかってしょっちゅう壊れた。鋳鉄製の橋も次々と崩落した。たとえばロバート・スティーヴンソンが建設したディー橋が、一八四七年、ちょうど列車が通過している最中に崩落して五人の死者を出した。一九世紀半ばまでには、鋳鉄は圧縮力だけがかかる構材としてしか使えないことがはっきりした。一九世紀半ばの典型的な鋳鉄製の建築物と思われている鉄道駅や温室でも、実際に鋳鉄でできている構材は柱だけである。

錬鉄の発明

一九世紀の技術者が新たな産業界を構築し、それまでにない長さの橋を架け、かつてない大きさと斬新なデザインの建物を建て、巨大な船を建造できたのは、鋳鉄とはかなり異なる材料が発明されたおかげだった。その材料とは、錬鉄である。錬鉄は木材に比べて剛性が一〇倍、抗張力が最大三倍、靭性が一〇倍と、大きな塊で大量生産できる素材の中では初めて、木材よりも優れた力学的性質をそなえていた。

一七八三〜八四年にランカシャー州の製鉄業者ヘンリー・コートが発明した錬鉄は、昔ながらの鍛造棒鉄に似ていながらも、鍛造棒鉄に比べておよそ五〇倍のスピードで製造できた。コートが特許をとった「パドリング法」では、炉の中で鋳鉄の塊を融かして炉床に溜める。次に、炉の側面の穴から長い鉄の棒を差し込んで、融けた鋳鉄をかき回す。そうすることで、鋳鉄に含まれている炭素をあらかじめ炉床に撒いておいた酸化鉄と反応させ、気体の一酸化炭素として除去する。炭素の含有率が下がると融点が上がって固化しはじめるので、固化した部分を転がしたり折りたたんだりして、あらかじめ炉の中に入れておいたスラグの繊維を中に取り込ませる。最後にその塊を炉から取り出して、圧延機で徐々に延ばして強度を高め、長い棒や平らな板に成形する。スラグの繊維を含んだ錬鉄は、伝統的な鍛造棒鉄と同じく靭性が高くて錆(さび)にも強いうえに、一人の工員で一日一〇〇キログラムも作ることができた。錬鉄はすぐに大量に生産されるようになり、さまざまな新しい可能性を開いた。

それからまもなくして、錬鉄の抗張力の高さを活かした鎖で支える新たなタイプの橋が考案され、石造りや木製の橋を凌(しの)ぐ支間長の橋が架けられるようになった。吊橋である。一八一〇年にはアイルランド出身の技術者ジェイムズ・フィンリーが、アメリカ・マサチューセッツ州ニューベリーポートを流れるメリマック川に架かる支間長七四メートルの吊橋を架けた。

そしてその後も次々に大きな橋が建設されていった。イギリス海軍の元艦長だったサミュエル・ブラウンは、ツイード川に、特許をとった錬鉄製の鎖で橋床を支える構造のユニオンチェーン・ブリッジを架けた。支間長が一三七メートル、一八二〇年の完成当時は世界最長の橋で、現在でもイングランドとスコットランドを結んでいる。しかしまもなくしてトーマス・テルフォードが、ウェールズとアングルシー島を隔てる海峡に、ロンドンからホリーヘッドへの幹線道路が通るメナイ吊橋を建設したことで、この記録は破られた。一八二六年に完成した支間長一七〇メートルのこの橋は、使われている錬鉄の量がわずか一二五トンと、五〇年前に架けられたものとずっと短いアイアンブリッジに使われた鋳鉄の量の三分の一足らずだった。一八六四年にはイザムバード・キングダム・ブルネルによって、ブリストルを流れるエイヴォン川に、支間長二一四メートルと、それまで想像もできなかったような長さの当時世界最長の橋、クリフトン吊橋が架けられた。

鉄道・建築・船舶の発展

しかし錬鉄をもっとずっと大量に消費したのは、鉄道である。新たな蒸気機関車は、客車を牽引できるほどの馬力を持つと同時に、走れるよう小型軽量でなければならなかったため、高圧の水蒸気で作動させる必要があった。そこでボイラーが水蒸気の高い圧力に耐えられるよう、錬鉄の板をリベットで接合して耐圧性のシリンダーが作られた。しかし比較的軽量の蒸気機関車を開発できた一方で、線路にはいまだ解決すべき問題があった。木製のレールは昔の馬車道として使う分にはまったく問題なかったが、鉄の車輪が上に載るとたわんでしまうし、すぐにすり減ってしまう。一方で鋳鉄製のレールはとても脆く、列車が通過して動的な負荷がかかるとたやすく折れてしまう。そのため、コストはかかるものの錬鉄製のレールを使うしかなかった。そこで、錬鉄を正しい形に圧延して長いレールを作る新たな手法がまもなく開発され、そうして製造されたレールが枕石の上に敷かれるようになった。

鉄道が川や谷を渡るための橋にも、錬鉄が次々と使われるようになった。そしてすぐに、吊橋ではしなやかすぎることがわかった。重い列車が通過すると、吊橋はひどく揺れ動いて線路が傷んでしまうのだ。そのためほとんどの鉄道橋は桁橋として設計され、曲げられたときの張力と圧縮力に耐える錬鉄を使って造られた。初期の大きな桁橋としては、一八四六年にロバート・スティーヴンソンがメナイ吊橋からわずか数キロメートルの場所に建設した、海峡を渡るブリタニア橋がある。長い支間を渡すためにスティーヴンソンは、断面が長方形をした錬鉄製の箱桁を二本渡して、その中を列車が走るようにした。この橋は成功したが、スティーヴンソンはすぐに、閉じた箱桁までは必要ないと気づいた。そこでその後は、錬鉄の板と、交差させた筋交いからなる骨組みとを組み合わせて、現代風のトラス橋を造るようになった。その一つが、一八四九年に完成した、タイン川を渡るハイレベル・ブリッジである。まもなくして世界中で長短含め膨大な数のトラス橋[*1]が架けられ、その巨大な格子形の構造とX字に交差した筋交いのパターンは、一九世紀の工学の象徴となった。

錬鉄は建物の建築方法も変え、新たなタイプの建造物で都市の環境を一変させることとなる。

ダービーシャー州のベルパー・ノース工場が火災で倒壊したのを受けて、実業家のウィリアム・ストラットは、かわりに上階を水平の鉄の桁梁で支える建物を建て、それを手本にその後のヨーロッパの織物工場はすべて、錬鉄のみからなる骨組みで建設されるようになった。その新たな複合建築物は、柱どうしの間隔を従来よりもずっと大きくとって広々としたフロアにするとともに、高層にすることができた。二〇世紀の高層ビルの原型となったのだ。

錬鉄の骨組みは強度が高いため、石壁は雨風をさえぎる役割しか果たさなくなった。そこでそのかわりに、もう一つの驚異の新素材である板ガラスを使ってまったく新たなタイプの建造物が建てられるようになった。温室である。元庭師だったジョーゼフ・パクストンなどの建築家は、大英帝国が植民地から奪い取ってきたヤシや木生シダや巨大なスイレンなどを育てるために、次々と大きな温室を設計していった。鋳鉄製の柱で錬鉄製の大梁を支え、その上に屋根が載せられた。パクストンが設計した史上最大の組立工法の建築物、水晶宮（クリスタルパレス）は、一八五一年の大博覧会の会場としてハイドパークにわずか八か月で建てられた。床面積およそ九万平方メートル、高さ五一メートル、錬鉄を用いた工学技術の勝利だったが、木材も大量に使われていたことはいっておかなければならない。窓ガラスは、雨樋を一体化させた木製の窓枠（パクストンが特許をとった）にはめ込まれていたし、建物の中でももっとも高くて壮麗な区画である袖廊は、新たな素材である集成材（二九八ページ参照）で作った直径二二メートルの木製アーチ一六本で支えられていた。

この工法による建築物の中でも世界中でとりわけ数多く建設されたのが、この時代の大聖堂ともいえる、新たな鉄道駅のプラットフォームを覆う巨大な屋根である。中でももっとも壮麗なのが、かつてのミッドランド鉄道のターミナル駅で現在はユーロスターのイギリス側の起点となっている、ロンドンのセント・パンクラス駅。縦二一〇メートル、横七三メートルの広々とした空間が一体になっていて、一八六八年の完成当時は支柱のない屋根つきの開放空間として世界最大だった。二九本のアーチの支間長は、木造建築物として最長の支間長を誇るパドヴァにあるラジョーネ宮の三倍もある。

しかしあらゆる建造物の中で、錬鉄の登場によってもっとも様変わりしたのは、船舶である。第10章で述べたとおり、一九世紀初頭、木造船に斜めの筋交いが必要であることがようやく認識されはじめた。だがすぐに技術者たちは、それよりもはるかに単純かつ優れた方法で、剛性と耐水性の高い船体を造れることに気づいた。錬鉄の板をリベットでつなぎ合わせて筒状の船体を造り、その内側に隔壁[2]や縦通材（じゅうつうざい）[3]を入れて剛性を高めるという方法である。骨組みや外板が不要な

＊1　三角形を基本単位にして構材を結合させた構造の橋。
＊2　船体の強度を高めるための仕切り壁。
＊3　船体の前後方向に通した補強材（一六七ページの図参照）。

ため、大型の船をもっと速く安価に建造できる。たとえば、ヴィクトリア朝時代のイギリスでもっともカリスマ性をそなえていた技術者のイザムバード・キングダム・ブルネルは、生涯のうちに三隻の船を設計建造し、そのいずれもが先代よりも大型で空前の規模だった。最初に建造した外輪蒸気船グレート・ウエスタン号は、全長七二メートル、排水量二三〇〇トン、オーク材が使われていて、一八三八年に進水した。当時は世界最大の旅客船だったが、すぐに二隻めにその座を譲った。そのグレート・ブリテン号はスクリューで推進する初の鉄製の船で、一八四三年に進水し、全長九八メートル、排水量三七〇〇トンだった。ブルネルが最後に建造したグレート・イースタン号は、一八五九年に完成し、全長二一一メートル、排水量三万二〇〇〇トンだった。

新たな鉄製の船にはもう一つ長所があった。靭性の高い錬鉄のおかげで、砲弾に対してははるかに頑丈なのだ。一八五〇年代には、鉄板で装甲した甲鉄艦が無傷で木造艦を破壊できることが明らかとなった。それが最終的に実証されたのが、一八六二年、南北戦争におけるハンプトン・ローズ海戦である。南軍の甲鉄艦ヴァージニア号は北軍の木造艦を二隻破壊しながらも、北軍の甲鉄艦モニター号を撃破するまでは力およばなかった。ヨーロッパでは、フランスの甲鉄艦グロワール号とイギリスの甲鉄艦ウォリアー号をきっかけに両国間で軍拡競争が起こり、一九世紀末まで続いた。

錬鉄の時代の絶頂に位置するのが、見た目はまったく違うが同じ人物によって造られた、二つの象徴的な建造物である。自由の女神像はたしかに巨大ではあるが、ちらっと見ただけでは昔ながらの青銅製の像のように見える。中が詰まっているように見えるが、内部を登ったことのある人なら知っているとおり、外から見えるのは薄い銅板だけだ。この像が安定して立っている秘密は、その内部構造にある。フランスの工学の傑作である、錬鉄製の構材で造られた巨大な立体骨組みが、アメリカ人の築いた石の土台の上にわずか四点で固定されている。かのアレクサンドル・ギュスターヴ・エッフェルが設計したその骨組みは、彼が手がけた中でもっとも有名な建造物であるエッフェル塔を左右非対称にしたように見える。自由の女神像がアメリカの象徴だとしたら、エッフェル塔はフランスの象徴である。高さ三二四メートル、一万トンの錬鉄で建造されて一八八九年に完成し、世界でもっとも高い人工構造物の座を四〇年守った。

木製品の大量生産

一九世紀の錬鉄製の橋や鉄道駅や船があまりにも見事なだけに、この時点で木は鉄にお株を奪われてしまったと言いたくなるところだ。しかし本書の最初のほうで述べたとおり、歴史上、新素材を活かして木の使い方が改良されるということが何度も起こっていて、錬鉄もその例外ではなかった。その最初の例の一つが、あらゆる帆船にとって欠かせないある木製部品の製造がスピードアップしたことだ。その部品とは滑車である。

トラファルガー海戦でネルソン提督の旗艦だったヴィクトリー号や、イギリス海軍初の総鉄製

イングランド・ポーツマス海軍ドックヤードに展示されている究極の木造軍艦ヴィクトリー号は、1805年のトラファルガー海戦でネルソン提督の旗艦を務めた。巨大なマストはアメリカ産のストローブマツの幹で、船体はオークの梁や厚板で造られている。複雑な索具を操作するために、大量の木製滑車が使われている。

の船ウォリアー号が入港していた、イングランド・ポーツマスの古い海軍工廠（こうしょう）の目と鼻の先に、もはや使われていない古い工場がいくつか残されている。ブロック・ミルズと呼ばれるそれらの工場は、見た目はたいしたことないが、歴史的には右記の華麗な船よりもさらに重要である。錬鉄によって木に新たな命が吹き込まれた初期の一例というだけでなく、産業革命の大きな足がかりにもなったのだ。

一八世紀末までイングランドは、製材技術においてヨーロッパ各国やアメリカに後れをとっていた。木工職人や造船工は、切断面が美しい二人挽き鋸（のこ）を使って木材を切ることが多かった。この方法は、受注生産の竜骨など一点かぎりの部材を作るのには理想的だった。しかし一七九六年、海軍監察長官に就任した造船技師で有能な技術者のサミュエル・ベンサムが、革命の起こったフランスの脅威に対して軍備を増強すべきことを認識し、手作業で木材を切っていてはあまりにも遅すぎることに気づいた。そこで自ら陣頭指揮に当たり、ボールトンとワットの工場で製造された蒸気機関を動力とする製材所をブロック・ミルズに建設した。そうして、船の建造に必要な膨大な枚数の同じ形の小さな板材を、わずか二、三人で切り出せるようになった。しかしベンサムは、当時のあらゆる帆船にとって大量に必要な、規格化されたある部品が不足していることにも気づいた。枠つきの滑車である。

三本マストの戦列艦一隻だけで、帆を張るのに欠かせない複雑な索具に一〇〇〇個以上の滑車が使われていた。イギリス海軍は国じゅうの造船所でそれぞれ別々に何百人も雇って滑車を作らせていたが、費用がかかるうえに供給も当てにならなかった。そこでベンサムは技術者としての情熱をほとばしらせて、滑車の製造をスピードアップする機械を設計した。しかしその機械が形になる前に、ある別の工学者と出会って、その人物のアイデアのほうが優れていることに気づかされる。その人物とは、この章でたびたび登場したイザムバード・キングダム・ブルネルの父、マーク・イザムバード・ブルネルである。革命の起こったフランスから亡命したブルネルは、ニューヨークからヨーロッパに戻ってきたばかりだった。そんなブルネルは気づいた。滑車のような小さな品物を作るには、木材をほかの素材と同じように扱って、精密な生産工程で機械加工によって大量のまったく同じ部品を作り、それらを組み合わせればいいと。

そこでブルネルは、滑車を構成する三つの主要部品をそれぞれ正確に切り出して成形し、必ずぴたりと噛み合うようにする機械を設計した。その三つの部品とは、シェルと呼ばれる枠、シーブと呼ばれる回転部、そしてピンと呼ばれる軸である[1]。たとえばシェルを作るには、第一の機械が丸鋸を使って円筒形の木材のブロックを切り出す。第二の機械がピンを通す穴を開け、シーブが回転する溝の両端に相当する部分に、目印としてピン穴と直角の穴を二つ開ける。また、シェルが次の機械に正しく受け渡されるよう、位置決めのためのくぼみをつける。第三の機械は、向待鑿(むこうまちのみ)*を使って溝を最後まで切り、第四の機械がブロックの角を切り落としてなめらかにする。

海軍本部はこの提案を高く買って機械の試験を計画し、精度の高いドア鍵の製造ですでに名を上げていた若き技術者、ヘンリー・モーズリーを雇った。この二人の技術者による共同研究は実を結び、錬鉄製の完成機は完璧に動作した。計四三台の機械が二三の工程をこなし、三種類の大きさの滑車を製造した。これらの機械は初の工作機械というだけでなく、工程順に並んだ世界初の生産ラインを構成していたともいえる。当時の織物工場の紡績機や織機と同じく、蒸気機関で発生させた力を一連の滑車を介して動力とするこの工場は、大成功を収めた。一年間に必要な一三万個の滑車を、わずか一〇人で製造できたのだ。あまりにも完璧な出来で、それから一五〇年以上ものあいだ滑車を製造しつづけた。生産が終わったのは、一九六四年に帆船の軍艦が姿を消したときだった。

鉄と木を組み合わせる

ブルネルの滑車工場は、それまで手作業で作っていた木製品を機械で作れることを示した実例の一つだった。しかしそれからまもなくして、木材と錬鉄を組み合わせたまったく新しい構造体が開発される。その新たな形で木材が利用されるようになったことで、木の需要はますます増えた。木材が以前から持っていた長所である曲げ強度・軽さ・剛性・靭性を活かすとともに、木材の欠点である素材のばらつき・割れやすさ・仕口や継手を作る難しさをできるかぎり低く抑える新たな方法が見出されたのだ。ここで、地理的な視点を別の場所に移さなければならない。木材のその新たな利用法のほとんどは、鉄がブームだったイギリスではなく、広大な森に恵まれて木の時代にしっかりと踏みとどまっていた北アメリカやスカンディナヴィアで発明されたのだ。

枘継ぎや蟻継ぎなど強度の低い木工継手のかわりに、もっと強い金属製の接合具で構材どうしをつなぐうえでは、錬鉄がとくに有効だった。おそらくその最初の例が見られるのが、真束（キングポスト）という中央の柱に錬鉄製の吊り具をボルト留めし、その吊り具を小屋梁に下から巻きつけて支えることで効果的な三角形構造を実現した、真束組（キングポストトラス）である

＊枘穴を開けるための鑿。

（二三三ページの図参照）。それからまもなくしてアメリカ人技術者は、木製の構材に穴を開けて鍊鉄製のボルトでつなぐといいことに気づいた。たとえば早くも一八一二年には、ルイス・ワーンワグがその手法を使って、フィラデルフィア近郊のスクールキル川に架かる有名なコロッサス・ブリッジを建設した[2]。アーチの浅いこの橋は長さ一〇四メートルで、木造橋としては当時世界最長だった。三角形のトラスを構成して橋の長さ方向を支える木製の主要な構材が鉄のボルトで連結されており、枘継ぎはいっさい使われていなかった。人件費が高くて腕の立つ木工職人が少なかった移民の国にとって、それは重要な条件だった。

ヨーロッパでは鉄道には鉄と石が使われたが、アメリカでは大部分が木材で造られた[3]。もちろん蒸気機関車には鍊鉄製のボイラーが使われたが、それを走らせるレールは木製の枕木の上に敷かれたし、車両も木製で、木材の骨組みを鉄のボルトでつなぎ合わせた構造だった。木製のレールまでもが試験的に使われた。丸太を運搬するための列車の多くは、丸太を地面に二列平行に並べただけのポールロードの上を走り、巨大な滑車のようにリムをくぼませた車輪で脱線を防いでいた。その仮設の線路は、すぐに朽ちてしまうものの、一マイル（約一・六キロメートル）あたりわずか七五〜二五〇ドルで建設できた。初期の鉄道幹線の多くには、木製のレールの上に鍊鉄製の細長い板を留めたストラップレールが用いられた。

しかしアメリカの鉄道が誇りとしていたのは、峡谷を渡る壮観な木製の構脚橋（トレッスル橋）である。これは、ヨーロッパで好んで用いられた鉄製のトラスと土の築堤（ちくてい）のかわりに、もっと安

アラスカ州フォックス峡谷の奥に架かる構脚橋、TVRRブリッジ(1916年撮影)。アメリカでは峡谷を渡るために、石造りの高架橋や土の築堤よりも構脚橋のほうが多く造られた。錬鉄製のボルトで丸太をつなぎ合わせることで、複雑な構脚構造が組まれている。機関車の煙突が漏斗形をしていることから、石炭でなく木材を燃やしていたことがわかる。

価に短期間で作れる木製の桁梁と鉄製の接合具からなる骨組みを用いたものだった。このおかげでアメリカの鉄道の建設費は、一マイルあたり二万〜三万ドルと、ヨーロッパの典型的な鉄道の建設費一八万ドルの六分の一以下だった。これが最大の要因となって、アメリカでは一八三〇年代半ばという早い時期から長距離鉄道を建設することができた。新たな鉄道は入植者を西海岸に運び、オレゴン街道に列をなす古い幌馬車隊よりもはるかに速く安全であることが証明された。総錬鉄製のレールを使って線路が改良されるのは、もっとのちの世代のことである。

目新しい木造の構造物は、西海岸の経済的・政治的発展をも加速させた。一八五九年、ネヴァダ州の山岳地帯で大量の銀鉱石が発見されてシルバーラッシュが起こり、一〇年前のカリフォルニアのゴールドラッシュと同規模の影響をもたらした。中でもとくに大きな鉱床の一つがカムストック鉱脈で、ここにはシャベルで簡単に掘り出せる軟らかい銀鉱石が大量に含まれていた。しかし地表に近い横坑(よここう)はすぐに掘り尽くされてしまったし、死につながる落盤事故を避けながら安全に銀鉱石を掘り出すのは容易ではなかった。

昔から炭坑では、薄い炭層の中の採掘場を木製の坑道支柱によって支えていて、イギリスの鉱山ではカナダから輸入した長さ二メートル程度のトウヒの丸太が大量に使われていた。しかし厚さが数十メートルにも達するカムストック鉱脈では、単純な支柱は使えなかった。そこでドイツ人鉱山技師のフィリップ・ダイデスハイマーが、立方体に組んだ木材を利用するという解決法を思いついた。鉱石を掘り出して空いた空間に一辺約一・八メートルの立方体の木枠をはめ込み、木枠どうしを錬鉄製のボルトで連結して、鉱脈全体を支える巨大な枠組みを造るというものだ。廃石で埋め戻すこともできる。カムストック鉱脈は、影響力のあるハースト家などの有力者に莫大な富をもたらし、サンフランシスコの拡大のための資金を生み出し、ネヴァダの合衆国加盟を導いた。

アメリカ人はまた、さらに単純でなんの変哲もない接合具である釘も役に立つことにすぐに気づいた[4]。釘はそれまでずっと手作りで、手工業製品とされていた。たとえば、イングランド・バーミンガム近郊のブロムズグローブという町には、最盛期に九〇〇人もの釘職人が工房を構えていた。しかし手作りの釘は高価だったし、ヨーロッパにはそんな粗雑な材料をあえて使おうなどという気概のある木工職人など一人もいなかった。

だがアメリカでは状況がまったく違っていた。職人ギルドこそ存在していなかったものの、大勢の開拓移民が、住居とそれを建てるための大量の木材を必要としていた。そこで、機械によって切り出した釘の発明を追い風に、住宅の新たな建築法が用いられるようになった。一七九五年、マサチューセッツ州のジェイコブ・パーキンスが、錬鉄の板から釘を切り出す初の機械の特許を取得した。その角釘は、針金を切って作る現代の丸釘と違って断面が四角である。また、現代の丸釘では打ち込むときに木の細胞壁がばらばらになってしまうが、角釘は木材の中を切り込んで進むため、はるかに強く固定される。すぐに釘は大量生産されるようになり、価格も大幅に下がった。

一八三〇年までに、釘の強い固定力を活かして安価な住宅が大量に建てられはじめた。そこでは、精密な鉄鋸(てつのこ)をそなえた高度な製材機も活躍した。丸太を切って太く重い桁梁を作るだけでなく、均一な薄板や細い支柱を切り出すこともできた。大工はそのような均一な構材を釘留めして住宅の骨組みを作る。軽量で一見したところ壊れやすそうだったため、この工法はバルーン構法と呼ばれた[5]。床の土台から屋根の垂木まで届く細長い間柱(まばしら)*1、いわゆるツー・バイ・フォーの角材に、水平の楣(まぐさ)や根太掛(ねだがけ)*2を釘留めすることで主要構造を造る。その後、壁を地面の上で寝かせて完全に組み立ててから、正しい位置に起こして釘留めすればいい。根太だけは溝や仕口を

1877年、アメリカ西部でバルーン構法の住居を建てる10人の大工。中世の市庁舎（164ページの写真）と比べて木材が細いことに注目。機械によって切り出した釘を使って木材をつなぎ合わせ、内側と外側に板材を貼っている。

切って、間柱と間柱のあいだにはめ込んで釘留めし、根太掛けの上に固定する。最後に構造全体を、外側から厚板で、内側から板材で覆い、そのあいだに断熱材を入れて、冬は暖かく夏は涼しいようにする。アメリカの開拓移民が安価でそこそこの住宅に暮らせるようになったのは、何よりもバルーン構法のおかげだった。バルーン構法で建てた住宅は、見た目は華奢でも驚くほど堅牢だった。

今日でも多くのアメリカ人が木造住宅に暮らしているが、一九四〇年以降はほぼすべて、バルーン構法とはかなり異なるプラットフォーム構法で建てられている。この新たな構法では、垂直の間柱が一階分の高さしかない。中世ヨーロッパの木骨造りの住居と同じく、各階を別々の箱として組み、それを積み重ねていくという構法だ。レンガ造りや石造りの家を見慣れている私のようなイギリス人は、アメリカの住宅の薄い壁を見ると戸惑ってしまう。窓台が狭くて小間物や鉢植えをあまり置けないのはたしかだが、建材がはるかに少量ですむし、住み心地は変わらないし、室内がずっと速く暖まるのは認めざるをえない。

　釘が住宅建設に役立ったのに対し、錬鉄を使ったもう一つの発明品である機械製造の木ねじを使うことで、家具から柵まであらゆる構造物をさらに素早く安価に作れるようになった[6]。初めてねじが作られたのは中世のことで、鞴（ふいご）の木枠に革を張ったり、金属板どうしを接合して鎧を作ったりするのに使われた。しかし製造が困難で高価だったため、木工にはめったに使われなかった。一本一本に手作業でねじ山を刻むのは手間と時間がかかったし、製品も質が悪くてばらつきがあった。初の機械製造のねじは一七六〇年、イングランドのバートン＝オン＝トレント出身のジョブ・ワイアットとウィリアム・ワイアットの兄弟によって開発された。そうして信頼性の高いねじを作れるようになったが、ボルトのように円筒形だったため、あらかじめ木材に穴を開けておかないと食い込んでくれなかった。

　ようやく一八四〇年代になって、アメリカ人発明家のカレン・ホイップル、トーマス・J・スローン、チャールズ・D・ロジャーズが、先端の尖った実用的なねじの製法の特許を取得し、

＊1　大きな柱のあいだに立てて壁を作るための柱。
＊2　床板を支える根太を載せる横木。

それ以降、アメリカの企業がねじの製造を独占した。ついに素人でも、自宅で木材どうしを強く接合して役に立つ構造物を作れるようになったのだ。いまではねじは、組立式家具の各部材を接合するよう巧妙に設計されたさまざまな接合部にも使われている。世界中で何百万もの人が、そのような方法を使った木工の楽しさを知り、ＩＫＥＡの新製品を次々に組み立てている。

紙の発明とメディアの台頭

しかし私の母校の標語にも謳（うた）われているとおり、知恵が富よりも尊いとしたら、一九世紀の進歩の中でどんな橋や家よりも重要だったはずのものが一つある。木材パルプから紙を作る技術である[7]。紙は、網状にランダムに絡み合った植物繊維を押し固めて表面を硬くしたのちに、陶土などでコートして耐水性を持たせることで、インクが染み通らないようにしてある。初期の紙は師部*の繊維から作られていたが、ヨーロッパではおもに、細長い細胞からなるアマや綿花の繊維が使われていた。それらの繊維は、ヘミセルロースの基質の中にほぼセルロースだけが含まれている。アマも綿花もおもに布を作るのに使われていたため、かつて紙は回収されたぼろきれから作られていた。くず屋が回収してぼろきれ業者に卸すか、または直接、製紙業者に売っていた。読み書きが広まっておらず報道も厳しく検閲されていたころは、このようなシステムでも十分に機能していた。

しかし一七世紀から一八世紀に教育が普及して、新事業として新聞業がさかんになると、ぼろきれでは需要がまかないきれなくなってきて代替材料の探索が始まった。早くも一八世紀初めには、フランス人科学者のルネ・ド・レオミュールが木材からも紙を作れるはずだと提唱している。スズメバチが木柱の組織を嚙んで口に含んでいるのを見て、スズメバチはその組織を自分の分泌液と混ぜて紙の巣を作っているに違いないと考えたのだ。しかし木材を紙の繊維の原料として使うには、いくつか問題があった。木の細胞には綿花やアマの繊維と違って、セルロースやヘミセルロースに加えてリグニンも含まれている。本書の前のほうで述べたとおり、そのリグニンが細胞壁に剛性を与え、折れたり割れたりしにくくしている。また、残念ながらリグニンは光が当たると分解するため、木材を原料とした紙は年月とともに黄ばんでいく。

第一の問題が克服されたのは一八四〇年、ドイツのフリードリヒ・ゴットロープ・ケラーが、湿らせた石臼（いしうす）で木材をすりつぶす機械を発明したことによる。この方法によって一八七〇年ごろから世界中で木材パルプがさかんに生産されはじめたが、それから作られる紙はざらざらですぐに変色したため、新聞など数日間だけもてばいい文書にしか適さなかった。このように質は悪

＊葉で生産された養分を運ぶ師管などで構成される部分。

かったものの、機械製造の木材パルプの登場によってパルプの価格が大幅に下がり、報道の世界に革命が起こった。アメリカでのパルプの価格は、一ポンド（約四五〇グラム）あたり一三〜一四セントから、一八八〇年代には二〜三セントにまで下がった。

この価格下落によって新聞の紙面が劇的に大きくなり、発行部数も大幅に増えた[8]。たとえばニューヨーク・ワールド紙は、一八六三年から八二年までに、紙面のサイズが二倍になりながらも価格が五セントから二セントに下がり、発行部数が二万五〇〇〇部に急増した。アメリカで消費される新聞用紙の量は、一八八〇年から九〇年までに、年間四万五〇〇〇トン強から三二万トン弱へと約七倍になった。それに合わせて煽情（せんじょう）的な記事や下品なゴシップ記事が紙面を埋め尽くすようになったことで、時事評論家は警戒感を強め、市場原理よりもモラルの低下を憂えた。安い新聞用紙がすぐに黄ばむことなどから、アメリカでイエロージャーナリズムと呼ばれたこの報道姿勢は、大きな影響力を帯びていった。一八九八年にアメリカが米西戦争に踏みきった一因は、ジョーゼフ・ピューリッツァーがニューヨーク・ワールド紙で、またウィリアム・ランドルフ・ハーストがニューヨーク・ジャーナル紙で、アメリカ軍艦メイン号沈没事故をセンセーショナルに報じたことだといわれている。

しかし新たなメディアが台頭してくると、現状維持を望む金持ちや権力者からは決まって、恐怖心を煽（あお）るような発言が次々と出てくるものだ。新聞が普及し、新たな鉄道網によって全国に運ばれるようになると、字の読めるようになったアメリカ人のあいだに情報がますます速く伝わるようになった。ヨーロッパではとくに女性の識字率が上がって、市民権の拡大を求める声が大きくなり、婦人参政権運動が興った。

木材パルプから作られる安価な紙によって影響を受けたのは、新聞だけではなかった。二つの化学処理法がようやく開発されたことで、木材パルプから、あなたがちょうどいま読んでいるような本に適した紙を作れるようになったのだ。亜硫酸を使ってパルプからリグニンを除去する亜硫酸法は、一八五〇年代から六〇年代に開発され、一九〇〇年には木材からパルプを作る主要な方法になっていた。しかしその後、硫化ナトリウムと水酸化ナトリウムでリグニンとセルロースの結合を切断する硫酸塩法（クラフト法）がカール・ダールによって開発され、亜硫酸法にとってかわった。

安価で上質の紙が登場したことで本の価格が下がり、それまでよりもはるかに幅広い読者に本を届けられるようになった。安い藁紙（わらがみ）や新聞用紙に印刷された一九世紀半ばの人騒がせな通俗小説にかわって、上質の紙に印刷された新ジャンルの小説が次々に登場した。マーク・トウェイン『ハックルベリー・フィンの冒険』やロバート・トレッセル『ぼろぼろのズボンを穿（は）いた慈善家たち（*The Ragged-Trousered Philanthropists*）』は、社会問題をリアルに描いた。アメリカでは三文小説を通じて人々に西部の様子が伝わり、新たな国の勇ましい歴史が築かれた。ヨーロッパではジュール・ヴェルヌやH・G・ウェルズが、『海底二万里』や『タイムマシン』などのSF小説の中で科学技術の進歩の行く末を探った。アーサー・コナン・ドイルのシャーロック・ホームズシリーズなどの探偵ものや、アースキン・チルダーズ『砂洲の謎』などのスリラーもの、ジョゼフ・コンラッド『シークレット・エージェント』などのスパイものも登場した。さらには、日常生活を喜劇にして笑い飛ばす、ジョージ・グロウスミスとウィードン・グロウスミス『無名なるイギリス人の日記』やジェローム・K・ジェローム『ボートの三人男』なども書かれた。

一九世紀末になっても木の重要性が下がることはほとんどなかった。木材パルプを原料とする紙によって世界中の人々の考え方が変わったし、構造材としての木材もいまだに広く使われていた。しかし木材が物理的・経済的にもっとも大きな影響を与えたのは、新世界においてだった。依然としてイギリスなどヨーロッパの大国が世界秩序を牛耳っていて、今後もその地位を維持できると自信を抱いていた。ところがアメリカ各州が豊富な木材を利用して統一国家を築き、経済的にヨーロッパを追いかけはじめる。五大湖周辺で急速に伐採が進められて木材が供給され、近代国家のインフラが建設されていった。それはヨーロッパのものに似ていたが、木材だけで作られていた。短期間で安価に建設できる木製の線路、木造の住宅、木造の工場、木製の道路によって、アメリカはヨーロッパを追い抜きはじめたのだ。

しかしこの急激な成長には、いくつかマイナスの面があった。軽量の構造物は多くが長持ちせず、簡単に朽ちたり燃え落ちたりしてしまうことがわかってきたのだ。たとえばサンフランシスコは一九〇六年、地震に伴う火災によって焼け野原になってしまった。また急速な伐採によって広大な森林が消失した。私は、ミシガン州ロウアー半島、ケント郡のホワイトパイン・パークに八ヘクタールだけ残る、ストローブマツの森を訪れたことがある。かつては半島全体が広大な針葉樹林に覆われていたが、いまではそこだけにしか残されていない。そのときの旅行では、かつて林業の町だったマスキーゴンの由緒ある木造の家に一晩泊まった。反った板張りの床の大きな舞踏室があってとても味わい深かったが、マスキーゴンの最盛期から現在まで残っている建物はこの一棟くらいしかなかった。町自体は目的を失ってしまったかのようで、当時のことを思い起こさせるものはほとんど残っていなかった。

それに対してヨーロッパでは、産業化以後に築かれた町にも石造りやレンガ造りの古い建物が数多く残っているものだ。たとえばマンチェスターの私の自宅の周辺にあるのは、マスキーゴンで泊まった宿屋よりも古い家ばかりだ。ラテンアメリカ諸国でも、見事な石造りの古い建物が長い植民地時代の様子を物語っている。このあと見ていくとおり、二〇世紀にいくつかの新素材が発明されたことで、アメリカでもようやく、もっと長持ちするインフラが造られるようになった。そうして科学がますます進歩しながらも、二〇世紀を通じて木は、アメリカだけでなく世界中で重要な素材でありつづけた。

第13章 現代世界における木材

石炭と錬鉄によって生まれた一九世紀の工業の世界を体感したいなら、世界初の工業都市、イングランドのマンチェスターを訪れるのがいちばんだ。この街の科学産業博物館では、巨大な蒸気機関をそなえた綿紡績工場が復元されていたり、世界初の鉄道駅からレプリカの蒸気機関車に乗ったりできる。街の中心部のいたるところでは、煤で黒くなったレンガ壁や高くそびえる煙突をそなえた、鉄骨造りの巨大な工場や倉庫が幅を利かせている。鉄骨造りの巨大な鉄道駅やトラス橋、レンガ造りの高架橋とあわせて眺めていると、L・S・ラウリーの絵画に描かれているマッチ棒男になったかのような気分になってしまう。

しかし今日、このような一九世紀の都市は、二〇世紀に建設された北アメリカや中東やアジアの大都市よりも古風でこぢんまりしていると、好意的に受け止められている。二〇世紀の大都市では、巨大な塔が日の光で輝き、頭上を飛行機が通過し、そのスケールに圧倒されて、歩道に群がる人々や道路をふさぐ車はあまりにちっぽけでほとんど見えないくらいに思える。これらの変化は、鋼鉄・コンクリート・プラスチックというまったく新しい「現代的」な素材と、石油という新たなエネルギー源が登場したことで起こった。木を活かせる場所なんてどこにもないように思えるが、またしても思い知らされるとおり、この新技術によって木はますます活用されるようになったのだ。

鋼鉄とコンクリートの発明

錬鉄が発明されてからも材料技術は進歩しつづけ、一九世紀末に近づくと錬鉄もついに、鋼鉄とコンクリートという二種類の新素材にとってかわられはじめる。鉄を精錬して不純物である炭素とスラグを取り除くことの利点は、昔から知られていた。その純度の高い鉄に少量の炭素やほかの金属を決まった量混ぜると、硬度と強度が増し、錬鉄の二倍の強度を持った鋼鉄ができる。シェフィールド在住のベンジャミン・ハンツマンが早くも一七四〇年に坩堝鋼という鋼鉄を発明し、シェフィールドの鍛冶屋はそれを使って優れた道具やカトラリーを製作した。しかし坩堝鋼は一度に一五キログラム前後と少量しか作れず、そのため高価だった。一九世紀後半になるとようやくベッセマー転炉や平炉が登場し、錬鉄よりも強度が高くて安価な高品質の鋼鉄を大量に製造できるようになった。そうして一八八〇年代以降、鋼鉄が錬鉄にとってかわっていった。

錬鉄製の鎖のかわりに鋼鉄製のワイヤーで支えられた初の吊橋は、ジョン・オーガスタス・

ローブリングが設計したブルックリン橋である。支間長が四八六メートルと、それまでに架けられた最長の橋の一・五倍もあった。鋼鉄が見事に活かされた初期のもう一つの構造物が、一八八九年に完成した初の近代型の片持ち梁橋（カンチレバー）*、スコットランドのフォース鉄道橋である。

それからまもなくして、高い建物には当然のように鋼鉄製の骨組みが使われるようになり、一八八五年にはシカゴに初の一〇階建て以上の高層ビル、ホーム・インシュアランス・ビルが建設された。それ以降、アメリカのオフィスビルは高さを増すばかりだった。一九三〇年にクライスラービルがエッフェル塔から世界一高い建造物の座を奪い、アメリカの都市に立ち並ぶ高層ビルはこの国の富と工学技術の象徴となった。

高層ビルにはもう一つの新素材も利用された。鉄筋コンクリートである。現代のコンクリートが誕生したのは一九世紀半ば、ジョゼフ・アスプディンとウィリアム・アスプディンの親子が、いわゆるポルトランド・セメントを開発したことによる。石灰石と粘土を混ぜたものを一四〇〇℃以上の高温に加熱して、硬質レンガに似た焼塊（しょうかい）を作り、それをすりつぶして粉末にする。こうしてできたセメントに水を加えると、反応して硬くなる。このセメントに砂や礫（れき）を混ぜておくと、新素材のコンクリートができる。コンクリートは石の性質をそなえていながらも、型に注ぎ込んでほぼどんな形にも成型でき、苦労して手で彫る必要がない。

コンクリートは石やレンガと同じく張力に弱いため、それだけでは木材のかわりにはならない。しかし鋼鉄と組み合わせると、圧縮力と張力の両方に耐えられる構造物を造れることがわかった。

そのような素材として最初に作られたのが、鋼鉄の棒で組んだ骨組みにコンクリートを流し込んで作る、鉄筋コンクリートである。鋼鉄の棒のおかげで張力に強い一方、圧縮力を受けて鋼鉄の棒が曲がるのをコンクリートが防ぎ、また鋼鉄が錆びるのを防ぐ。鉄筋コンクリートの欠点は、鋼鉄の抗張力がごく一部分にしか働かないことである。張力がかかると、鋼鉄の破壊点に達するよりもずっと前にコンクリートにひびが入り、そこから水が染み込んで鋼鉄を腐食させてしまう。

この問題を受けてドイツ人技術者のC・E・ドーリングが、新素材、プレストレスト・コンクリートの特許を取得した。コンクリートに穴を開けてその中に細い針金を通し、針金をぴんと引っ張ったまま穴にコンクリートを流し込んで固める。こうすることで、コンクリートにあらかじめ圧縮力がかかる。ちょうど、ソールズベリー大聖堂の尖塔から吊り下げられた木製の足場によって、下の石組みに圧縮力（予応力（プレストレス））がかかっているのと同じだ。このプレストレスト・コンクリートは、コンクリートと鋼鉄のどちらよりも優れた性質を持っていて、張力と圧縮力の両方に耐え、これで造った桁梁は木製の桁梁よりもさらに曲げの力に強い。今日、大きな公共建築物の大部分および、ほとんどの橋の橋脚や橋桁（はしげた）は、短期間で安価に完成できるようプレストレス

＊片側だけで支えられた梁を用いる構造の橋。

ト・コンクリートで作られている。

一九世紀初めから二〇世紀中ごろまでに、私たちの世界の物理的外見はすっかり変わってしまった。木材が一連の新たな工業材料に置きかわったことで、ますます大きな建造物を建てられるようになった。今日では、とくに都市の中にいると、自分がこびとになったかのように思えてしまう。カナダのヴァンクーヴァーを初めて訪れたときのこと、ホテルの窓から外を眺めたら、大聖堂を見下ろす恰好になっていることに気づいてショックを受けたものだ。

世界を席巻するプラスチック

一九世紀に大規模構造物から木材が姿を消したうえに、二〇世紀にはある新素材の発明によって、小規模の器具においても木材の座は奪われた。その新素材とはプラスチックである。木材は単純な道具を作るのに適していて、鉛筆や爪楊枝（つまようじ）やマッチはいまでも木材で作られている。しかしもっと複雑な形を作るには、彫るのに時間がかかってしまい、機械化された現代の世界ではまったく割に合わない。木製玩具も作られてはいるが、荒削りなうえに高価で、昔を懐かしむ親や祖父母くらいにしか目を留めてもらえない。子供は決まってもっと安くカラフルで精巧なプラスチックのおもちゃを好むものだし、大人も高価な木製の歯ブラシやカミソリやペンでなく、使い捨ての安価なものを買いたがる。しかし、木材のように軽くて強度の高い素材の代用品を開発するのは容易ではない。一九世紀末には、型に流し込んで短時間で安価に製造できるブリキの兵隊が作られていたが、木材と同じくらい軽くて容易に成形できる素材が開発されたのは一九二〇年代になってからのことだった。

二〇世紀に石油が使われるようになると、化学者たちは原油に含まれる重い分子で有用な製品を作れないか、研究を始めた。ベルギー人化学者のレオ・ベークランドは、フェノールとホルムアルデヒドという二種類の化学物質を混ぜて加熱すると樹脂が生成し、それを型に入れて固化させると好きな形に成形できることを発見した[1]。この素材の唯一の欠点は、たしかに剛性は高いもののひどく脆いことだった。そこでベークランドは、この樹脂に木粉を混ぜることで、繊維によって強化された素材が生成し、この問題を克服できることを見出した。はからずも、木自体の細胞壁に使われている補強メカニズムをそっくり真似したのだ。この製法は見事成功し、あらゆる形や大きさの部品を作れるようになった。ベークライトと呼ばれるこの新素材で作られた部品は、ラジオや電話機など、技術的に高度なさまざまな新製品に用いられ、その流れるような丸みを帯びた形はアールデコの簡素な美学に大きな影響を与えた。

このようにしてできたプラスチック製品は、強度が高いだけでなく安価に製造できたため、あっという間に普及した。二度の大戦のあいだには、別のタイプの繊維強化素材として、セルロースによって強化されたフォーマイカなどの積層プラスチックが開発された。シート状のセルロースによって樹脂が強化されていて、美しい模様をプリントすることができる。これを木材やチップボード（二九七ページ参照）に貼れば、汚れを拭きとりやすいつやつやした表面になる。この素材を用いた製品は、とくに女性の生活を一変させた。キッチンが明るくなったし、木製の天板をゴシゴシこすらずにすむようになって衛生状態が劇的に向上したのだ。

ベークライトなどの熱硬化性プラスチックでは脆いという問題が完全には解決できなかったため、第二次世界大戦後、繊維で強化する必要のないさまざまなプラスチックが開発された。ポリエチレンやポリ塩化ビニルなどの熱可塑性プラスチックは、成形時に長鎖の分子が折りたたまれて、ベークライトなどよりもはるかに靭性の高い素材になる。たとえばポリエチレンを引っ張ると、折りたたまれていた分子がほどけて大量のエネルギーを吸収し、ひびが入るのを食い止める。プラスチックの包装がなかなか破れないのはそのためもある。あらゆる複雑な形に容易に成形できる熱可塑性プラスチックは、それまで木材やベークライトで作られていた小さい品物をほぼ完全に席巻した。そうして私たちははるかに暮らしやすくなったが、それが環境におよぼす影響は最近になって明らかになりはじめたばかりだ。川や海には、生分解されないプラスチックごみがどんどん溜まりつづけている。

いまから八〇年前、木材よりも剛性と硬度が高く、鉄や鋼鉄と違って木材と同じくらい軽い、もう一つのタイプの繊維強化プラスチックが開発された。そのプラスチックには、木材に含まれるセルロース分子よりもさらに剛性の高い長鎖の繊維が含まれている。グラスファイバーと呼ばれるそのプラスチック樹脂は、引き伸ばしたガラス繊維で強化されていて、小型船の船体や、最近では風力発電機の羽根に広く使われている。しかし複合素材の王様といえるのは、カーボンファイバーだろう。近年は、その剛性の高さゆえ木材だけでなく鋼鉄のかわりにも使われはじめている。剛性は木材の一〇倍、密度は半分で、何よりも性能の高さが優先される構造物を造るのにとくに有用である。もっとも多く使われているのがスポーツ用品で、合板製のボートや木製のスキー板、手作りの木製テニスラケットが、すでにカーボンファイバー製に置きかわっている。飛行機の機体やレーシングカーの車体にも、鋼鉄やアルミニウムのかわりに使われはじめている。

しかしカーボンファイバーにもまだ一つ問題がある。靭性が木材や鋼鉄よりも低いのだ。一九七〇年代、イギリスのエンジンメーカー、ロールス・ロイス社は、それで危うく倒産しかける羽目になる。新型のＲＢ２１１ジェットエンジンを軽量化するために、カーボンファイバー製のタービンブレードを開発した。性能は申し分なかったが、空気取り入れ口に鳥が吸い込まれるとブレードが粉々に砕け、致命的なエンジン故障に陥るのだ。そのためチタン製のブレードに戻さざるをえなくなり、カーボンファイバー製のブレードの開発にかかった莫大な費用によってロールス・ロイス社は破綻寸前に陥った。そしてイギリス政府に救済してもらうしかなくなった。

何度かつまずきはあったものの、この新たな工業材料によって世界は、一八世紀の人々が想像もしなかったような形に作り替えられた。人類はかつてないほど周囲の世界を支配するとともに、かつてないほど環境を汚染している。家の外に立ち並ぶ巨大な建造物や、家の中にある無数の小さな品々に囲まれていると、自分たちが作り上げてきたこの世界に圧倒されそうになってしまう。

この込み入った物質世界の中に、木のような昔ながらの素材が入り込む余地なんてどこにもないと思いそうになる。優れた剛性・強度・靭性をそなえた金属は、機械工学や土木工学の世界で木材にとってかわっている。強度が高くて作りやすいプレストレスト・コンクリートは、建築の世界で木材の座を奪っている。安価で容易に成形できるプラスチックは、日常生活に必要な幅広い品物に使われている。剛性で抜きん出ている繊維強化複合材料は、スポーツの世界を席巻している。しかし二〇世紀、じつはこれらの新素材を使うことで、木材をそれまでよりもますます活用できるようになったのだ。

合板で飛行機を造る

二〇世紀初頭にようやく生まれたある産業が成功を収めるうえで、木材は要としての役割を果たした。その産業とは飛行機製造である。飛行機のような高度な機械なら、剛性と強度の高い金属のような「現代的」な素材が最初から使われていたはずだと思われるかもしれない。しかしエンジンの出力が低かった初期の飛行機において、機体に何よりも求められたのは、できるかぎり軽量であることだった。前に述べたとおり、重量比で見ると木材は金属と同じくらいの剛性を持っているし、同じ重量の木材でより太い支材を作れるため、実際には同じ重さの金属よりも強度と剛性の高い機体を組み立てることができる。

そのため初期の飛行機は、木製の支材を金属板でつないで長方形の枠組みを作り、斜めに針金を渡して剪断力に耐えられるようにしていた。ライト兄弟のライトフライヤー号やブレリオの単葉機など初期の飛行機の中には、布で覆われた翼を除いて、骨組みがあらわになっているものもある。しかしその後、機体を流線形にするために、胴体も布で覆うようになった。第一次世界大戦で使われたソッピース・キャメル複葉機やその宿敵のフォッカー三葉機などは、軽量化の奇跡ともいえるが、それもおもに下請けの家具職人の手で何千機も製造されたのだった。

初期の飛行機には、木材から初めて作られたまったく新たな素材である合板も大量に使われた。前に述べたとおり、木材は木目に沿った方向とそれに垂直な方向とで性質が大きく異なるため、成形して利用するには必ずコツがいる。好ましくない方向に負荷がかかると木目に沿って割れてしまい、致命的な結果になりかねない。そこでこの短所を克服するために、一七九七年、先見の明のあるサミュエル・ベンサムが、何枚かの薄い板を木目が互いに直角になるように貼り合わせるというアイデアを思いついた。ベンサムが指摘したとおり、この合板はとくに船に有用で、厚板から造った従来の船体と比べてはるかに剪断力に強いはずだった。しかし当時は木の幹から薄板を切り出すしかなく、従来の厚板と同じ幅の合板しか作れなかったため、実用には供さなかった。

この問題が克服されたのは、ダイナマイトを発明して皮肉なことに平和賞の名祖（なおや）となったアルフレッド・ノーベルの父、イマヌエル・ノーベルが、一八五一年、効果的な丸剝盤（まるはぎばん）の特許をとったことによる。その巨大な工作機械の両端に丸太を固定し、丸太を回転させながら全体に長い刃物を当てて、トイレットペーパーをくり出すように薄板を切り出していく。ほぼ完全にまっすぐな丸太が必要だが、これによって初めて巨大な薄板を作れるようになった。初めのころは、薄板どうしを貼り合わせるための動物性や植物性の糊（のり）が耐水性が低くて腐りやすかったため、品質の悪い合板しか作れなかった。おもに屋内での利用に限られ、油絵用の板などシンプルな品物にしか使われなかった。しかしまもなくして、家具デザイナーが理想的な素材として目をつける。ニューヨークのジョン・ヘンリー・ベルターなどのデザイナーが、合板を曲げて二次元や、さらには三次元の形に湾曲させ、ロココ調の優美な家具を復活させたのだ。

　初期の飛行機設計者もその特長に目をつけ、合板を湾曲させれば従来のものよりなめらかで流線形の機体を造れると考えるようになった。一九一二年、ジュール・ヴェドリーヌが操縦するモノコック構造[*1]の単葉機ドゥペルデュサンが、ゴードン・ベネット・トロフィーという飛行機レースで優勝した。ユリノキの薄板三枚を貼り合わせた合板で造った円錐形の機体と、流線形の巨大なスピナー[*2]をそなえたこの優美な中翼単葉機は、時代をはるかに先取りしていて、未来の飛行機の進むべき道を指し示していた。しかしそれからまもなくして勃発（ぼっぱつ）した第一次世界大戦では、限られたドイツ人飛行機設計者にしか合板は使われなかった。少数だけ製造された、私の好きな美しいローラントC・IIヴァルフィッシュ偵察機や、アルバトロスD・V戦闘機は、機体の正面にサメの顎が描かれて流線形と獰猛（どうもう）さが強調された。しかし、従来の木枠で造った飛行機には数

イングランド・ケンブリッジシャー州のダックスフォード航空博物館で飛行するアルバトロスD.Va戦闘機。第一次世界大戦でドイツ軍が使用したこの戦闘機は、胴体が合板製で美しい流線形をしている。

でおよばなかった。合板製の飛行機のほうがわずかに重かったためか、または雨で腐りやすかったためだと思われる。

建築界を一変させた新たな素材

一九二〇年代、新たな高分子樹脂で薄板どうしを貼り合わせることによって、耐水性の問題がようやく克服された。屋内用の合板には尿素とホルムアルデヒドからなる安価な接着剤が使われたが、屋外用の合板は、フェノールとホルムアルデヒドからなる耐水性の接着剤を用いて作られた。まもなくして、縦八フィート（約二・四メートル）、横

＊1　外殻のみで応力に耐える構造。
＊2　プロペラの前端に取りつけるカバー。

四フィート（約一・二メートル）の建築用合板が大量生産され、プロの大工にも未熟なDIYマニアにも好まれるようになった。船舶用の高品質の合板も開発され、あらゆるタイプの小型船に使われた。とくにいまから六〇年前には、合板を使った安価な組立式小型ヨットによってセイリングの敷居が大幅に低くなった。イギリス製の二人乗りヨット、ミラーは七万隻以上、南アフリカ製の一人乗りヨット、ダブチックは四〇〇〇隻造られた。私の父は一九六〇年代末、週末を何度も費やしてガレージで合板製のヨット、ミニセイルを組み立てたが、思い返してみると容易な作業ではなかったと思う。

船舶用の合板は、湿気に強い特性を活かして楽器にも使われた。音楽のサマースクールで出会った、合板製バスリコーダーのマニアのことをよく覚えている。そのリコーダーは断面が正方形でひどく不格好だったが、いままでに聴いたことのある数少ないバスリコーダーと同じくらいよい音がした。

エンジンの出力が上がって飛行機のスピードが速くなったことで、重いぶん剛性の高い鋼鉄やアルミニウムなどの金属の利用が進んだが、そんな中でも、第二次世界大戦中に合板が劇的な復活を果たす。金属の不足を懸念したイギリスの飛行機設計者たちが、ノルマンディー上陸作戦などの空挺（くうてい）攻撃用の安価な木製グライダーや、さらには木製の超高速爆撃機を開発したのだ。乗組員のあいだで「ウドゥン・ワンダー（木の驚異）」というあだ名で呼ばれたデ・ハヴィランド社製モスキート爆撃機の胴体は、軽量なバルサ材の両面にカバノキの三層合板を貼り合わせた巧妙なサンドイッチ構造だった。左右半分ずつを別々に成形してから、それらを接着することで製造された。翼も合板で覆われていた。ロールス・ロイス社製マーリンエンジンを二発搭載していて、ドイツ軍のほとんどの戦闘機よりも速く飛行でき、八〇〇〇機近く製造された。そして偵察機から軽爆撃機、さらには夜間戦闘機と、幅広い役割を果たした。この製造手法は大成功を収め、デ・ハヴィランド社は戦後もジェット戦闘機ヴァンパイアのエンジン収容部を合板で作った。

合板は現在でも重要な素材で、年間一億五〇〇〇万立方メートル以上生産されているが、ここ七〇年でそれとは別のさまざまな加工木材が仲間に加わった。そのうちのほとんどはさまざまな性質に劣っていて、おもに不用な木切れを再利用するためのものである。中でももっとも単純なのが、木っ端やおがくずを樹脂接着剤と一緒に圧縮して板にした、チップボードである。チップボードは強度は低いが、サンドイッチ板の真ん中の層として安い家具に使われている。たとえばＩＫＥＡの代表的な本棚、ＢＩＬＬＹシリーズでは、チップボードを薄板で覆って強度を高めるとともに、見栄えをよくしている。アメリカやスカンディナヴィアの林産物の研究所では、木の組織を機械的にほぐして細胞をばらばらにし、圧縮して板状にしてから樹脂接着剤で耐水処理を施した、さまざまなファイバーボードが開発されている。ファイバーボードの用途は幅広く、高密度のハードボードから、テレビのリフォーム番組で内装によく用いられるＭＤＦ（中質繊維板）、さらには、安い梱包材として有用な軽量のボール紙までさまざまだ。今日では年間およそ二億五〇〇〇万立方メートル生産されている。

しかし今日、木の利用量がもっとも増えているのは、無垢材どころか合板よりもさらに優れた性質をそなえた素材の製造においてである。その素材とは、集成材*（グルーラム）およびCLT（直交集成板）である。切り出した厚板から作るために見た目が美しいだけでなく、大きな特長として、安価な短い厚板を何枚も接着することでほぼどんな形の桁梁や板でも作ることができ、樹木の大きさに制約を受けない建築物を建てることができる。

集成材を開発するうえで大きなブレークスルーとなったのが、フィンガージョイントの発明である。短い厚板の両端を機械で指のように波形に切り、ぴたりと噛み合うようにする。そして互いに接着させると、木材自体と同じくらいに強く接合できる。集成材の桁梁を作るには、縦方向につなぎ合わせた厚板を何枚か、フィンガージョイントが互いにずれた位置に来るように重ねる。これだけではトランプの束のように曲がってしまうので、全体を貼り合わせて油圧機械で圧縮する。CLTも同様の方法で作るが、合板のように厚板どうしを木目が互いに直角になるように重ね合わせて、全方向の強度が等しくなるようにする。

集成材は用途が広く、合板の強度や安さと木材の美しさを兼ねそなえた魅力的な家具にも使われている。しかしもっとも活用されているのは、建築においてである。コンピュータ制御で成形することで、あらゆる形や大きさの桁梁を作ることができる。その桁梁を鋼鉄製のボルトや板で接合すれば、建物の構造体を建てられる。これによって木造建築が再び脚光を浴び、従来の木材の持つ温かみに軽快さと優美さが加わった。イギリスでは、美しい庭園建築物に集成材が多く使

2003年にイングランド・シェフィールドに建設されたウインター・ガーデンは、現代の集成材建築の可能性を物語っている。カラマツの集成材で作られた梁一本一本が優美な放物線を描いていて、伝統的な温室に新たな命を吹き込んでいる。梁の基部が鋼鉄製の持ち送りで支えられていることに注目。

われている。たとえばシェフィールドにある新たなタイプの温室、ウインター・ガーデンは、カラマツの集成材で組んだ優美な放物線のアーチによってガラスのドームが支えられている。エセックス州にある王立園芸協会ガーデン・ハイド・ホールのビジターセンターは、古い十分の一税の穀物貯蔵用の納屋を現代風に焼きなおしたもので、巨大な柱と垂木が集成材でできており、ガラスで覆われた身廊に光が多く射し込むようになっている。

ほかの国々でも、集成材の芸術的・

＊比較的小さく厚い板を縦・横・厚さの三次元方向に接着したもの。

工学的な可能性はさかんに追究されている。芸術的な可能性がもっとも見事に活かされているのは、パリのポンピドゥー・センターの別館、フランス・ロレーヌ地方にあるポンピドゥー・センター・メスだろう。幅九〇メートルの六角形の屋根が、集成材の桁梁からなる六方格子状の骨組みで支えられていて、その桁梁を一列に並べると長さ一六キロメートルにも達する。また中央の尖塔は高さ七七メートルにもおよぶ。アメリカやカナダでは、軽量な集成材の桁梁の工学的長所を活かして巨大なスポーツ競技場が建てられている。イースタン・ケンタッキー大学のアラムナイ・コロシアムには、支間長が九四メートルを超える世界最大の木製アーチが使われている。二〇一〇年冬季オリンピックのスケート競技のために建てられたリッチモンド・オリンピック・オーバルの屋根は、ベイマツの集成材の桁梁二四〇〇立方メートルで支えられている。どちらの建造物も、錬鉄を用いたセント・パンクラス駅のアーチよりはるかに広い。

集成材を用いた建築の進歩の中でもおそらくもっとも刺激的なのが、新世代の高層ビルの建設である。ここ数年で次々に高い木造建築物が建てられている。二〇一二年にはオーストラリアのメルボルンに、木造建築として当時高さ世界一の三二メートル、一〇階建ての集合住宅、フォーテイが建設された。現時点で世界一の高さを誇るのは、ノルウェーのブルムンダールにある一八階建て、高さ八五メートルの複合ビル、ミョーストーネットである。木製の太い桁梁で支えられてCLTの厚板で覆われたこれらの高層ビルは、コンクリートと鋼鉄を用いた従来の建物に比べて重量はわずか五分の一ほど、内包エネルギー*はわずか半分ほどである。木材は燃えやすいとされているが、耐火性も従来の建物より優れている。巨大な木製の桁梁は表面が焦げるだけで内部まで火が回らないが、鋼鉄製の骨組みはいともたやすく融けて崩れてしまうのだ。

さらに高い木造建築物の計画もあり、アムステルダムでは二一階建てのビル、ストックホルムでは四〇階建てのタワー、ロンドンのバービカン地区では八〇階建てのタワーが計画されている。近いうちにあなたのまわりにも、木造の高いタワーが出現するかもしれない。

ノルウェー・ブルムンダールに立つ高さ85メートル、18階建ての複合ビル、ミョーストーネットは、現在のところ世界でいちばん高い木造建築物である。中世のホールやバルーン構法の住居のように、内側から集成材やCLTの桁梁の骨組みで支えられている。

増えつづける木材の使用量

パルプ製造に頼る幅広い産業にも、木材が原料として用いられている。一九三〇年にG・H・トムリンソンが、クラフト法で用いる無機物質を残らず再

＊建設と運用に伴って消費される総エネルギー。

利用する回収ボイラーを開発して、効率を大幅に高めた。現在ではほぼすべてのパルプがクラフト法で製造されていて、年間およそ四億五〇〇〇万トンの紙が生産されている。もちろんそのすべてが本や新聞に使われるわけではない。ここ八〇年のあいだに、包装紙からトイレットペーパーや生理用品にいたるまで、幅広い紙製品が開発された。木材パルプのうちかなりの量は、さらに処理されて純度の高いセルロースになり、さまざまな繊維やシート、フィルムやラッカーの原材料として使われている。セルロースの最初の用途は、先ほど登場した、骨組みが木材製である初期の飛行機の布地に塗る不燃性の塗料、ドープの原料としてだった。

さらに一九二〇年代から三〇年代にかけて、木材パルプを用いるさまざまな産業が発展した。キサントゲン酸セルロースからはビスコース繊維（レーヨンやセロハンの原料）が、酢酸セルロースや硝酸セルロースからはさまざまなプラスチックが、三酢酸セルロースからは映画のフィルムが作られている。コンピュータの登場によって歴史の中に忘れ去られるはずだった紙自体も、ますます使用量が増えている。ペーパーレスオフィスなんてまだ夢物語で、プリンタやコピー機が並んでいない仕事場なんてどこにもない。電子書籍端末も思惑と違って、ハードカバーやペーパーバックの本にかわる存在にはなっていない。みんな、紙の本の手軽さと手触りが好きなようだ。

もはや木を時代遅れの古臭い素材とみなすことはできない。競合するほかの素材を生産するために開発されたのと同じ工業的手法を使って木を加工し、現代の金属やコンクリート、プラスチックや複合材料に引けをとらない幅広い新製品が作られている。木材の生産量と使用量は年ごとに増えていて、二〇一八年には約一四億立方メートルだったのが、二〇三〇年には約一七億立方メートルまで増えると予想されている。すでに、最大のライバルであるセメントの年間生産量、一三億立方メートルよりも多いのだ。

しかし、私たちが木材を必要として木を利用することによって、世界中の森林や樹木がすさまじい影響をこうむっている。次の章で見ていくとおり、私たちと木との関わりによって、環境が影響を受け、地球は姿を変えてきたのだ。

第4部

木の重要性と向き合う

第14章 森林破壊の影響

私たちがこれまでどれだけ大量の木材を使ってきたかを考えると、木が人類の歴史に何らかの影響を与えてきたことは間違いない。しかし、たとえばエネルギーと石炭が産業革命に果たした役割など、木と関係のある事柄については考察されているものの、木の役割自体についてはほぼ無視されている。もちろんこのテーマを掘り下げようにも、文献を漁るという通常の歴史研究の方法ではうまくいかない。木を扱う真の専門家だった木こりや木工職人は、おおむね地位が低くて文章による記録をほとんど残していないし、大プリニウス*やジョン・イーヴリンといった、木に関する文書を残している数少ない人たちは、実際に直接木を触ったことのない貴族や紳士だっ

*古代ローマの博物学者（二三年ごろ―七九年）。

た。彼らは木が切り倒される場面を見て心動かされたようだが、その劇的な工程に比べると、人間の一生のうちにほとんど気づかないくらいの速さで樹木が成長する様子なんて、ほとんど記憶に残らなかったはずだ。

そのため当然ながら、定評のあるほとんどの歴史書には、森林が「根こそぎ倒された」とか木が「朽ちた」とかいったように、破壊の話しか取り上げられていない。その結果、新たな力で頂点に上りつめた人類が、木材を得るためにいかに森林を乱開発してきたか、森林破壊によっていかに土壌流出や気候変動や旱魃、そして文明崩壊を引き起こしてきたかといった、教訓めいた話の本が巷(ちまた)にあふれかえっている。森林破壊をめぐるこのような逸話は、歴史上何度も出てきた。古代メソポタミアの帝国、ミュケナイ文明のギリシャ、マヤ帝国、ヴェネツィア共和国は森林破壊の犯人扱いされ、イースター島の人々は森林破壊によって自らの文明を崩壊させたとされてきた。中でももっとも頻繁に取り上げられるのが、大英帝国の建国にまつわる逸話だろう。海軍の創設によって広大なオークの原生林が破壊されたというのだ。

真実はそれとはまったく違う。たしかに、人類が世界中の森林にとてつもなく大きな影響を与えてきたのは間違いない。森林面積は減少しつつあるし、残されている森林の構成も変化しつつある。それでも人々は長年にわたり、森林の減少に対処して、環境破壊を防ぎながら十分な木材を調達しつづける方法をいくつも見出してきた。だがいまから見ていくとおり、人類の影響は全地球規模にいたるまであらゆるスケールにおよんでいて、私たちと木との関係は世界の歴史に深い影響をおよぼしている。

森林伐採による土壌流出への影響

森林破壊に関する逸話は、表面的には人を惹きつけるものの、間違った前提に基づいている。第一に、木を切り倒すと壊滅的な土壌流出が起こるという点が間違っている。これに関しても人々は、感覚的な証拠や、現代の産業的な林業のやり方に目を奪われてしまっている。森林が切り拓かれると、そこから流れ出す川があっという間に泥水でにごる。しかしそれが強く印象に残っているあまり、この問題が歴史上どの程度の問題を引き起こしてきたのかを見誤ってしまう。かつて、森林はもっとずっとゆっくりと切り拓かれていたし、現代と違って重機を使わないため土壌のダメージもはるかに小さかった。森林伐採自体の影響ははるかに小さかったのだ。

多くの人が土壌浸食を実際よりも速く進むものと感じている。とくに熱帯雨林は土壌がとりわけ崩れやすく、伐採用の重機がとりわけ大きな破壊をもたらし、とりわけ激しい雨が降るため、あっという間に土壌が流出するものだと思われている[1]。私が一九九〇年代初め、ボルネオ島のサバ州にあるダヌムヴァレー研究センターで、熱帯雨林の樹木が巨大な板根を生やす理由を研究していたとき、ほかの二つの研究グループは森林伐採が土壌流出におよぼす影響を調査していた。一方のグループは、伐採拠点周辺の試験区で小スケールにおける浸食を調べ、もう一方のグループは、セガマ川流域全体から流れ出す土壌の量を測定して、大スケールにおける浸食を調べていた。

長さ二〇メートル、幅二メートルの小さい伐採区画の調査では、一回の嵐で土壌が九〇キログラム、厚さ約一・五ミリメートル失われて、激しく浸食されることがわかった。これと同じ嵐によってセガマ川には一万六〇〇〇トンの泥が流れ込んだが、セガマ川の流域面積は三〇〇〇平方キロメートルもあるため、単純計算では、流出した土壌の平均の厚さはわずか〇・〇〇四ミリメートル、小試験区の四〇〇分の一ということになる。なぜこのような食い違いが生じたのか？小試験区から流出した土壌は斜面を数メートルすべり落ちただけですんだし、その分、斜面の上のほうから土壌が流れ込んできたため、実際に森林から川に流れ込んだ土壌は非常に少なかったのだ。

農耕のために土地が開墾されると、たしかに浸食が加速する。考古学者なら何度も思い知らされているとおり、斜面を土壌が徐々にすべり落ちていくことで、斜面の麓(ふもと)では表土が頂上よりも多少分厚くなっている。しかしそれは何百年や何千年もかけて起こったのであって、実際の浸食はゆっくりとしか起こらない。とくに浸食されやすいことで知られるシルト質の黄土ですら、一夜のうちに浸食されるものではない。中国中央部に広がる、黄河の名前の由来にもなった黄土は、年間最大一ミリメートルのスピードで浸食され、それが風に飛ばされると中国北部の広大なエリアに悪名高い土埃(つちぼこり)をもたらす。しかしこの地域の砂漠化は、何千年ものあいだ集約的な農耕がおこなわれていた時代よりもあとから始まったのだ。

人類はまた、土壌を何千年にもわたって管理して、過度に浸食されないようにする方法も身につけてきた。草や栽培植物の根は、樹木の根と同じくらいよく土壌を保持する。適度な気温と降水量の温帯地方では、適切な厩肥（きゅうひ）や堆肥（たいひ）を施すことで、土壌を容易に肥沃に保つことができる。土壌が水浸しになって酸性化し、生産力を失ってしまうような地域は、降水量が栽培植物からの蒸散量よりもはるかに多い高地に限られる。同様に、熱帯雨林では豪雨によってさらに栄養分が流出してしまいそうなものだが、近年の研究によると、アマゾンや西アフリカの熱帯雨林に暮らしていた人々は、農地の生産力を維持するためにさまざまな方法を編み出していたという。たとえば、一段高い土壇（どだん）を築いて大規模に施肥（せひ）をすることで、アマゾン黒色土と呼ばれる土を作っていた。

さらに、浸食がとりわけ速く進行して、嵐により壊滅的な土砂崩れが起こりかねない傾斜のきつい斜面は、農耕地としては避けられる傾向が世界中で見られる。今日でも、険しい峡谷や急斜面の多くは半天然林で覆われている。土地需要が大きくて急斜面でも農耕をおこなわざるをえない、起伏の激しい人口密集地では、土壌流出を防ぐために昔から段々畑や棚田が築かれてきた。この方法がとくに広く用いられたのが、地中海沿岸の石灰岩の丘陵地帯や、カナリア諸島の火山島、東南アジアの水田地帯である。いまでもこれらの地域では、山の斜面があたかも巨大な地図の等高線のように段々畑や棚田に覆われていて、土留（どど）めや畔（あぜ）によって土壌が支えられている。

土壌流出によってある意味大きな影響を受けていたのは、伐採地域から流れる河川だけである。流出した土によって川が変色するだけでなく、泥が堆積して下流に問題を引き起こすのだ。イーストアングリア地方の沼沢地（しょうたくち）は、新石器時代、上流の森林伐採によって流れてきた土がウォッシュ湾に注ぎ込む川をふさいでしまったことで形成された。昔から人々は、港を維持するのに腐心してきた。下流に流れてきた泥が河口に堆積して、水路をふさいでしまうからだ。航路がふさがれないようたえず浚渫（しゅんせつ）しなければならないし、極端な場合には泥が堆積して陸地ができ、港が海から切り離されてしまうこともある。たとえば、古代には大きな港町だったトルコのエフェソスは、クチュク・メンデレス川から流れてきた泥によって港がふさがれて何キロメートルも内陸に取り残され、一五世紀にオスマン帝国によって見捨てられてしまった。

森林を伐採しても通常なら土壌が失われないことを示す極めつきの証拠は、強い森林回復力にある。森を切り拓いたからといって、永遠に森が失われるわけではないのだ。農民や自然監視員や庭師なら誰でも知っているとおり、農地や庭に木が侵入してきて森が再生しないようにするには、たえず戦いつづけていなければならない。作付けをやめるとすぐに若木が根づいて、驚くほど速く雑木林から森へと甦ってしまう。このプロセスを生態学では二次遷移（せんい）という。それを誰よりもはっきりと目にしているのは、ニューヨークやロンドンの郊外に暮らす裕福な通勤者たちだろう。コネティカット州やサリー州の痩せた土地に広がっていた小規模な農場が、ここ二〇〇年のあいだに放棄されて二次林*に戻り、いまでは通勤者の暮らす村の周辺を覆っているのだ。

森林破壊そのものに関する逸話も、くわしく調べていくとほころびが見えてくる。例として、もっともよく取り上げられているイースター島の環境破壊について見ていこう[2]。イースター島の住民はたしかに森を切り拓いたが、それはまったく理にかなっていた。森の大部分を占めていたヤシは単子葉植物で、木工材としては使いようがなかったのだ。しかもヤシの葉は毛布のように林床の上にかぶさって、林床植物の成長を妨げる。イースター島の人々は、ヤシを切り倒すことで森を肥沃な農地に変え、石組みによって栽培植物を風から守り、溶岩原の窪地(くぼち)の中に農園を造った。一七二二年にヨーロッパ人が初めてやって来たときにはまだ繁栄していたが、ヨーロッパから持ち込まれた病気によってほとんどの人が命を落とした。真の環境破壊が起こったのは、二〇世紀になってチリの山師がヒツジを持ち込んできてからだった。それによって自生の植物がほぼ完全に失われ、激しい土壌流出が起こったのだ。ヒツジが手当たり次第に植物を食い尽くしたイースター島は、昔からイギリスの国立公園や世界中の温帯地域の山地に広がっていたのと同じ、「緑の砂漠」に変貌してしまったのだ。

＊二次遷移によって再生した森林。

広葉樹と針葉樹の違い

このように、森林伐採によって壊滅的な土壌流出と環境破壊が起こるという単純なストーリーは、論拠に欠けている。それでも人類と木との関係は、たしかに文明と地球環境にすさまじい影響をおよぼしてきた。文明の歴史地理学的側面と、私たちが現在置かれている状況をはるかによく理解するには、その関係性をもっと現実的な生物学的視点からとらえなければならない。とくに考える必要があるのが、木はすべて同じではないということだ。分類学上の二大グループである広葉樹と針葉樹とでは、生物学的特徴が大きく異なるのだ。

広葉樹は針葉樹に比べて道管の効率が高く、若木のときに速く成長できるため、気候と土壌が適した地域では針葉樹を圧倒して植生を支配する。樹冠が枝分かれしていて大きく、枝が湾曲しており、多くの種類は切り倒されても切り株から新芽を生やしたり根から再生したりする。また広葉樹林は、枯れ葉によって土壌が肥沃になる傾向がある。それに対して針葉樹が原生するのは、北方や高山や半砂漠といった、霜や旱魃によって広葉樹が枯れてしまう、植物の成長に適さない条件の地域と、土壌が薄くて痩せている地域に限られる。また針葉樹の葉は土壌を酸性化し、もともと少量しかなかった栄養分を土の中に閉じ込めてしまう。さらに、針葉樹は広葉樹よりも枝分かれがはるかに少ないため、幹がまっすぐで節が少なく、均一である。ほとんどの種類は切り倒されると枯れてしまい、苗木からしか再生しない。

近年になって環境歴史学者たちが、この生物学的視点と、樹木の分布に関する実験的証拠を収集する手法とを組み合わせることで、実際の出来事とその原因を明らかにしつつある。古地図や教区の記録を調べることで、ここ一〇〇〇年におよぶ植生の変化を特定するとともに、花粉の分析によって、文書の記録が残されているよりも以前の時代、最終氷期の終わりにまでさかのぼる、森林面積と森林の組成の変化を定量化している。これらの証拠を踏まえたうえで、木の生物学的・生態学的特徴を舞台の中心に据えると、世界史が突如としてはるかに筋の通ったものになってくる。森が人類にどのような影響をおよぼしたか、そしてひるがえって、人類が世界中の森だけでなく地球全体の生態系や環境にどのような影響をおよぼしたか、それが見えてくるのだ。

時代を問わず、世界中で同じパターンが何度もくり返されてきた。その中でももっとも顕著なのが、農耕民が新たな地域に入植するときには必ず、広葉樹に覆われている場所に最初に定住するという傾向である。広葉樹林はもっとも生産力の高い、定住に最適の土地なのだ。彼らが木を切り倒したのは、薪や木工材を得るためではなく、作物を植える場所を確保するためだった。広葉樹林の中でも新石器時代にヨーロッパで最初に開墾されたのは、地中海沿岸の常緑樹林と、中央および西ヨーロッパの落葉樹林である。アジアでは、中国中央部の落葉樹林と、中国南部やインドや東南アジアの常緑樹林である。南北アメリカではメキシコ南部やカリブ海沿岸のモンスーン林で、アマゾンの先住民も広大な熱帯雨林を切り拓いて耕作を始めた。アフリカでは、西部の熱帯雨林と、中央部、東部、さらには南部のサバンナが開墾された。もっとあとの時代になると、カナリア諸島に定住したスペイン人が山地に広がる月桂樹の森を切り拓き、北アメリカに入植したヨーロッパ人がニューイングランド地方の落葉樹林や、カリフォルニアのセントラルヴァレーに広がる地中海性常緑樹林を最初に開墾した。ニュージーランドでは、マオリ族や、のちにイギリス人入植者が、南部の低地に広がるブナ林をおもに切り拓いた。

一方で針葉樹林は、その地域が痩せていて農耕に適さないことがはっきりしているため、農耕民はほとんど近寄らなかった。そのため新石器時代には、スカンディナヴィアやアルプス、シベリアや北日本の針葉樹林はほぼ手つかずで残された。新世界でも、カナダや五大湖沿岸、合衆国の南部や太平洋岸北西地域の針葉樹林には、一九世紀までほとんど手が入らなかった。北アメリカに入植した初期のヨーロッパ人は、肥沃な広葉樹林だけを開墾して針葉樹には手をつけるなという具体的なアドバイスを受けていた。たとえばオハイオ州では、広葉樹のブナはその場所の土壌がよい状態にある証しとされていた。

このようなパターンで入植が進められた結果、もともと広葉樹林で覆われていた地に、とりわけ裕福で安定していてとりわけ長続きする国々が発展した。ギリシャ、ローマ、中国の古代文明は、いずれもそのような地域にあった。それに対し、中東のメソポタミア文明や、ニューメキシコ州のアナサジ文化、アンデス山脈一帯の数多くの文明など、もともと草原や砂漠だった地に築かれて灌漑地で食料をまかなっていた国々は、おおむね滅亡した[3]。旱魃に弱かっただけでなく、灌漑用水が蒸発すると塩分が残されて土壌中に蓄積していき、塩害が発生して長期的には作物の収穫量が劇的に下がっていったからだ。同じ理由で、アメリカのグレートプレーンズでの農業も長い目で見ると持続できそうにない。一九三〇年代の黄塵地帯の状況に戻るのは間違いないだろう。古代エジプトの灌漑地は例外で、ナイル川が毎年氾濫することで水が供給されるだけでなく、塩分を流し去ってくれた。エジプトの大文明が何千年も続いたのはそのためだ。

広葉樹林だった場所に暮らす農耕民にとって一つ問題があったとすれば、それは、森を切り拓いてしまったせいで木材を調達できなくなったことである。しかしそれは大きな問題ではなかった。広葉樹が若枝を伸ばして復活する能力を当てにして、小さい面積の森林を残し、薪や木工材を得るために管理するだけでよかったのだ。南ヨーロッパでは数年おきに、幹や樹冠を残して側枝だけを切り落としていた。そうすることで若枝が伸び、やがて新たな木材を調達できる。

北ヨーロッパや日本では、本書の前のほうで紹介した萌芽更新によって広葉樹林を管理していた。一〇年から一二年ごとに木の幹を地面のすぐ上のところで切り倒し、成長の速い新芽がたくさん生えるようにしたのだ。世界中の森林ではウシやウマやブタなどの家畜も飼われていたため、再び生えてきた新芽が傷つけられないよう、家畜に新芽を食べられてしまう高さよりも高い位置で木を切り倒していた。これをポラードという。それでも家畜は、林床に生えている草や、秋にはどんぐりやブナの実を食べることができたし、木から切った枝を餌としてもらうこともできた。農耕民はこれらの手法を用い、萌芽林や木材調達林のための土地を少し残すだけで必要な薪をすべて調達できた。そしてそのうち何本かの木を成熟するまで自然に成長させるだけで、必要以上の木工材を手に入れることができた。逆のように聞こえるが、人口密度が高くて集約的に農耕がおこなわれていた地域では、木材が必要とされたことでかえって広葉樹林が維持されたのだ。

技術発展により広がる森へのダメージ

このような文明が繁栄するにつれ、薪や木炭や木工材の需要がいずれも増えていった。そして第10章で述べたとおり、薪はかさばってコスト的に遠くの町まで輸送できず、薪の供給を増やせなかったことで、やがて経済成長が頭打ちになった。しかし木工材についてはそのようなことはなく、青銅器時代以降、木工材の交易は発展していった。そうして大きな木工材が国内外で運搬された。大きな建物を建てるのに必要な構材や、造船に必要な木材は、針葉樹林の広がる地域や国から森林伐採の進んだ裕福な地域へ供給された。たとえばフェニキアのテュロスやシドンからは、名高いレバノンスギがエジプトに輸出されたほか、有名どころとしてはソロモン王の神殿の屋根梁として使われた。地中海沿岸北部のマケドニア、レバノン、テッサリアからは、三段オールのガレー船の建造に必要なモミがアテナイに輸出された。ドロミテ・アルプスから川を下って運ばれた針葉樹の軟材の丸太は、ヴェネツィア共和国で造船に使われた。北ヨーロッパでは、バルト海沿岸の国々からハンザ同盟の各都市（リューベック、ハンブルク、ブレーメンなど）へ、のちにオランダやイングランドへ、トウヒやモミやマツが輸出された。

このような貿易のおかげで、人口密度の低くて貧しい国が発展し、もっと人口密度が高くて裕福な国から外貨や食料を得ることができた。そうしてヨーロッパじゅうに富が広がった。注目すべきことに、軟材を輸出していたこれらの国のうちのいくつかは、のちに自力で大国となる。フェニキア人は、大都市カルタゴなど地中海沿岸の交易都市で構成される帝国を築いた。マケドニアは、ピリッポス二世やその息子アレクサンドロス大王によってギリシャ全土を、さらには当時知られていた世界の大部分を征服した。スウェーデンは一七世紀から一八世紀初めにかけて頭角を現し、しばらくは北ヨーロッパ一帯を支配して中央ヨーロッパの大国を脅かすまでになった。

熱帯地方では、高温多湿の気候と多雨によって樹木が速く成長するし、移動も重労働も困難である。そのため、乾期には落葉するモンスーン林でも、開墾して土地を管理するのは昔から難しかった。そこで、一六世紀から熱帯地方や亜熱帯地方に入植しはじめたヨーロッパ人は、温帯地方とはかなり異なる方針をとった。カナダやオーストラリア、ニュージーランドや南アフリカ、チリやアルゼンチンなど、ヨーロッパに似た気候の地域では、素早く入植して農地を開き、旧世界の国々とそっくりの入植地を築いた。それに対して、マホガニーやチークなど高価な木材をとっていたモンスーン林は、自らの手で開墾するつもりはなかった。かわりに支配層は、換金作物を栽培する大規模プランテーションを開くことにした。カリブ海沿岸ではサトウキビやカカオが、ブラジルではコーヒーが、アメリカ南部の入植地では綿花やたばこが、インドでは茶が、東南アジアではゴムがおもに栽培された。

入植者は自分たちで畑仕事をするかわりに、熱帯の病気に強い労働力を利用した。インドやアフリカでは先住民が使われたが、地元の人々がほぼ死に絶えてしまった新世界の植民地では、かわりに新たな労働力があてがわれた。アフリカから奴隷が、インド亜大陸から契約労働者が船で運ばれてきて、ブラジルやカリブ海沿岸やアメリカ南部の農場で働かされた。東南アジアにも、何千人ものインド人や中国人が労働力として送られた。

その結果、かつてないほど大勢の人間が世界中を移動し、熱帯地方の低地の森林があっという間に破壊されていった。たとえばバルバドス島は、かつてこの島を覆っていた森の大半を占めていたイチジクの木、フィクス・シトリフォリアが顎髭を生やしているように見えたことから、オス・バルバドス(髭の生えたもの)と名付けられたが、いまでは森林面積は島の五パーセントにも満たない。少数の入植者が経営する熱帯地方や亜熱帯地方の巨大プランテーションは、ヨーロッパの実業家に大量の原材料や高級食材を供給するとともに、実業家が製造する最終製品の市場として機能した。

ここ一五〇年、工業化と人口増加によって、木材と土地の需要はますます増えてきた。そしてその需要を満たすように、技術発展のおかげでかつてないほどの面積の森林を切り拓いて開墾できるようになった。産業ベースの伐採事業の手に最初に落ちたのは、北アメリカの広大な針葉樹林である。一九世紀末から二〇世紀初めにかけて、まずは五大湖周辺のストローブマツの森が、続いて南部のスラッシュマツの森が、最後に太平洋岸北西地域のシトカトウヒの森が、巨大林業会社、とりわけウェアーハウザー社によって切り倒され、その木材が新たに開通したパナマ運河を通って北東部の工業地帯に船で輸送された。

一九四〇年以降、木材調達のための森林破壊の中心地は熱帯地方へ移り、強力なチェーンソーや現代式の運搬手段によって、アフリカ中央部や東南アジアやアマゾンの、それまでたどり着けなかった熱帯雨林の奥深くまで分け入って伐採できるようになった。木材としての価値の高い木だけが切り倒されたせいで、森林が幅広いダメージを受けた。それ自体の影響はたいしたことがない。熱帯雨林は温帯林よりもさらに速く回復し、伐採されたエリアも、最初はバルサやセクロピアやオオバギなど巨大な葉を持つ先駆種が、やがて極相種[*]が、あっという間に再び繁茂する。熱帯雨林で栽培植物が発見されたとか、近年になってアマゾン黒色土が見つかったといった話があるが、じつは原生林のように見える多くの地域が二〇世紀以前にすでに開墾されて農地

1902年、オレゴン州のコロンビア川を航行する丸太の筏。チェーンソーや伐木搬出のための重機が発明される以前から、大規模な林業がおこなわれていたことがわかる。何百年ものあいだ、このような丸太の筏が川を下って世界中の都市に運ばれていた。

＊遷移の最終段階に達した森林を優占する樹木種。

になっていたというだけだ[4]。

近年の森林伐採における最大の問題は、熱帯雨林に丸太運搬用の道路が通されたことで、四〇〇〇年前のヨーロッパや、一八世紀から一九世紀のカリブ海沿岸や北アメリカと同じように、農地のための開墾が容易になったことである。森林がかつてないスピードで開墾されて、自給農業だけでなくもっとずっと大規模な、アブラヤシや大豆などの換金作物の栽培および、安い牛肉を生産するための放牧に転用されつつある。

森林面積と気候変動の関係

樹木や森林がどこでどのようにしてなぜ利用されたのか、そのパターンが理解できた以上、私たちの行動が局地的には森林自体に、世界的には地球全体の生態系にどのような影響をおよぼすかを、もっとはっきりと把握できるはずだ。環境歴史学者によって、産業革命前にも人類はすさまじい影響をおよぼしていたことが明らかになりつつある。その中でももっとも直接的な第一の影響が、森林面積、とくに広葉樹の優占する地域の面積が縮小したことである。

たとえばヨーロッパの中緯度地方では、花粉の分析によって、森林面積が六〇〇〇年前の約八〇パーセントから三〇〇〇年前には六〇パーセントに、さらに中世末には四〇パーセントに縮小したことがわかっている[5]。気候の温暖なイングランドでは森林の減少がさらに著しく、またさらに早いうちに起こった。オリヴァー・ラッカムが歴史記録の分析から明らかにしたところによると、かつて広葉樹林に覆われていたイングランドの森林面積は、土地台帳が作成された一〇八六年にはすでに一〇パーセントにまで減少していて、一四世紀初めにはさらに約七パーセントまで減少したという[6]。中国では、一五世紀までに森林面積が約二〇パーセントに減少した。それとは対照的に、花粉の記録によると、スカンディナヴィアやアルプスの針葉樹林はいまから二〇〇〇年前まではいっさい減少傾向が見られないし、三〇〇年前でもかろうじて減少したのが認められるにとどまっている[7]。

人類がおよぼした第二の影響は、自然のままの原生林、いわゆる老生林の面積が劇的に減少したことである。ヨーロッパでは現在、手つかずの森林は片手で数えられるほどしかないし、残っている数少ない森林、たとえばポーランドとベラルーシの国境地帯に広がる有名なビャウォヴィエジャの森も、伐採の脅威につねにさらされている。このような原生林が失われたところで、それだけでは必ずしも、森林がもたらす多様性や恩恵が大きく低下したり、絶滅する樹木種が出てきたりすることはないらしい。しかし人の手が入った森には、かつてヨーロッパの森林を支配していた高くそびえる木は一本も生えていない。アメリカに入植した初期のヨーロッパ人は、新大陸の樹木の大きさに度肝を抜かれた。伐採後に再び生えてくる木は、もともと生えていた木に比べて背が低くて細く、幹が曲がっているため、木材としての質が落ちる。とくに萌芽林では、森林生態系の多様性や、蓄積される炭素の量も低下する。

また何千年にもわたって森林に手が加えられたことで、残された森でも樹木種の構成が劇的に変化している[8]。たとえば花粉の分析によると、新石器時代以前のイングランド南部ではシナノキが、北部ではオークやハシバミが、アイルランドではハシバミやニレが、スコットランド高地地方ではカバノキやマツが優占していた。シナノキは切り倒されても萌芽を出さないし、組織が白くて軟らかいため、初期の農耕民にとってはあまり役に立たなかった。そこで彼らはかわりに別の種の木を育て、シナノキは急速に数を減らした。そして木工材や薪として有用な木が何百年にもわたって選択されてきたことで、オークやハシバミが生育範囲を南部へ大きく広げた。萌芽から育った枝が道具の柄に使われるトネリコも広まったし、南東部にはローマ人によってブナやクリが持ち込まれた。その結果、ブリテン島における現代の森林の構成は、もともとの原生林とはまったく異なっている。オークの広大な原生林は、一八世紀にイギリス海軍構築のために切り倒されたそうで、いまではもう残っていないのだ。

森林面積の縮小量と、樹木の大きさや植物の生物量(バイオマス)*の減少量とを組み合わせることで、森林に蓄えられている炭素の量が人類の作用によってどの程度の影響を受けてきたかが算出されている。オックスフォード大学の森林歴史学者マイケル・ウィリアムズの推計によると、一七〇〇年までに約四〇〇〇万平方キロメートルの広葉樹林が失われ、これは陸地の総面積の三パーセント弱、世界中の森林面積の一〇パーセントにおよぶという[9]。ヴァージニア大学のウィリアム・ラディマンによれば、これによって二八〇ギガトン程度の炭素が大気中に放出され、二酸化炭素濃度がおよそ四〇ppm上昇したはずだという[10]。そこにさらに、水田や家畜から放出されるメタンの量が増加したことも相まって、平均気温が約〇・八度上昇したとラディマンは論じている。現在の間氷期がこのまま続いて、世界が新たな氷期に突入するのを食い止めるのに十分な量である。また注目すべき点として、この気温上昇の大きさは、二〇世紀におもに化石燃料の燃焼によって起こった気温上昇とおおよそ同程度である。

このラディマンの計算には異論も多く、炭素放出量はせいぜい一一〇ギガトン程度だったと主張する花粉学者もいる。とはいえその後におこなわれた研究によって、歴史上の数々の出来事が森林面積や二酸化炭素濃度や気候にどんな影響をおよぼしたかが調べられ、産業化時代よりもはるか以前に森林伐採が地球温暖化に寄与していたとする説は裏付けられている。たとえば花粉の分析によって、過去二〇〇〇年のあいだにヨーロッパの森林面積が二度、大幅に増えたことがわかっている。一度目は、紀元四〇〇年のローマ帝国の滅亡から数百年間、二度目は、ヨーロッパ人の三分の一を死に追いやった黒死病の流行後の一四世紀末である[11]。

また現在では、一七世紀から一八世紀まで続いた地球寒冷化、いわゆる小氷期の原因として、

＊特定の生態系における、生物を有機物に換算したときの単位面積あたりの総重量。

もう一つの大きな出来事が浮上してきている[12]。環境歴史学者たちによれば、一四九二年の新世界の発見からしばらくのあいだは、かつて考えられていたのと違って南北アメリカの森林破壊は起こっておらず、逆に広範囲で森林が再生したという。はしかやインフルエンザや天然痘など、ヨーロッパ人が持ち込んだ感染症によって、先住民が大勢死んだ。六〇〇〇万もあった人口が一六〇〇年にはわずか六〇〇万ほどにまで減少したと考えられていて、この出来事は「大量死」と呼ばれている。

この人口減少によって、メキシコの耕作地やインカ高地の段々畑、カリブ海沿岸やアマゾンの農園がことごとく森林に戻り、それによって大気中の炭素量が約九ギガトン減少して二酸化炭素濃度が約三・五ppm下がった。それから二〇〇〇年のあいだに地球の平均気温が〇・一五℃低下したが、そのうちの三分の二はこの人口減少によって説明できる。一七世紀から一八世紀にかけてヨーロッパが凶作に見舞われて内乱が激しくなり、最終的にフランス革命につながったのは、そこから何千キロメートルも離れた土地で森林が再生したことが原因だったのだ。

植林がもたらす問題

産業化以前の時代にも人類は地球全体に大きな影響をおよぼしていたが、産業化以降、私たちが世界中の森林におよぼす影響は急激に加速している[13]。一七〇〇年から一九四〇年のあいだに、温帯地方の森林、おもに針葉樹林がさらに四〇〇万平方キロメートル減少した。また一九四〇年以降には、熱帯雨林が毎年一二万平方キロメートルずつ失われ、累計では七八〇万平方キロメートル減少している。現在の世界中の森林面積は陸地の三一パーセントと、六〇〇〇年前の約四三パーセントから下がっている。それによって放出された二酸化炭素は、現在起こっている地球の気温上昇のおよそ二〇パーセントに寄与していると考えられている。

森林が急速に失われていくことで、林業に携わる人たちも懸念を募らせて行動に出た。一九世紀のドイツでは、産業ベースの森林伐採を受けて、植林という新たな木の管理法が発明された。これは、広葉樹の萌芽が自然に伸びたり針葉樹が若木から自然に再生したりするのに任せるよりも、森を切り拓いて苗木を植えるほうが木が速く成長するし利益にもつながるという考え方である。要するに樹木を栽培するということだ。この新たな「科学的」方法は、何百年も活用されてきた萌芽更新などの手法にあっという間にとってかわった。ドイツからヨーロッパ全土に、さらに二〇世紀には北アメリカや熱帯地方へ広まった。

残念ながら、植林の普及はさまざまな面で重大な問題を引き起こした。第一の問題は、木工材だけが有用な資源であると決めつけて、針葉樹やユーカリやチークなど、成長が速くて幹がまっすぐな樹木ばかりが植えられたことである。広大な面積の広葉樹の原生林が切り拓かれて、かわりにこれらの木が植えられたことで、生物多様性が低下した。温帯地方では、多くの広葉樹林が破壊されて針葉樹が植えられたことで、土壌が痩せるとともに、林床に日光が当たらず、下層の低木や草花が枯れていった。イベリア半島ではユーカリの広大な森が広がって、在来の樹木が駆逐され、森林火災が起こりやすくなった。

植林がもたらしたもう一つの問題は、たった一種類の樹木からなる広大な純林が増えたことである。そのような森は強風や菌類の病気や病害虫にとりわけ弱く、森全体が破壊されることもある。選択交配によって病気に強い系統を作ろうにも、木の寿命が長すぎるため、ほとんどなすべがない。そもそも樹木は従来の科学的育成法には適さないのだ。さらに困ったことに、よく好まれる外国産の木はとくに病気に弱いし、在来の動植物を脅かす。たとえば、カリフォルニア沿岸地域を原産地とするモントレーマツは、南アフリカからチリ、オーストラリア、ニュージーランドにいたるまで世界中に植えられている。カナリア諸島には現地の環境に見事に適応したカナリアマツという在来種が生育しているが、ここにもモントレーマツが生えているのを見たことがある。

さらに、外来種とともに運ばれてきた新たな病害虫や病気が抵抗力のない在来種を枯らしてしまうこともある。世界中の森林にとって、これが最大の脅威だろう。近年、ヨーロッパや北アメリカに新たな病気が驚くほどのスピードで侵入してきている。ヨーロッパでは、幹に穴を開ける甲虫やカララ属の菌類によってトネリコが次々と枯れている。この立枯病は、アジアに生育するヤチダモという広葉樹とともにロシアに偶然持ち込まれて、ヨーロッパ在来のトネリコに急速に広がり、いまでは壊滅的な被害をもたらしている。アメリカでは、日本から木とともに持ち込まれた胴枯れ病によって、いまから一〇〇年前にクリが絶滅した。そして現在、ナラタケ病が世界中に急速に広がって何百もの種の樹木を脅かしており、トウヒなどの有用な針葉樹やユーカリなどの広葉樹を次々と枯らしている。ナラタケ病に耐性がありそうなのは、カラマツとカバノキくらいなのだ。

極めつきの問題は、短いタイムスケールで走りつづける現代の産業界に植林という手法がそぐわないことである。新たに植えた木が五〇年後にどれだけ成長するかを予測するのは難しいし、最終的に生産される木材の価格を予測するのは不可能だ。その木材をほしがる人がいるかどうかすら予測できない。そのため至るところの森で、投資をいっさい回収できない木が育ってしまう。イギリスでは、第二次世界大戦後に植えられたカラマツのほとんどが強風のために大きく曲がってしまって木材としては使えないし、しかも多くの植林地が新たに侵入してきた疫病にやられている。また、坑道の支柱にするために頑丈なシトカトウヒが育てられたが、残念ながらいまでは現役の炭鉱は一つもないし、支柱を必要とする坑道もなくなっている。一九世紀初頭にはヨーロッパ全土で、造船用の木材を確保するためにオークが植えられ、いまでは十分すぎるほど成熟している。ただし一五〇年以上前から、船は鉄や鋼鉄で建造されるようになってしまった。

世界中の森林が困難に直面している。地球上にはいまだに三兆本を超える木が生えていて、地表の三〇パーセント以上を覆っている。人類が過去および現在に樹木にどのような影響をおよぼしてきたかをもっと深く理解したうえで、私たちの受け継いだその遺産が多国籍企業の工場団地によってこれ以上脅かされたり、残された森林が植林によってこれ以上傷つけられたりしないよう、対策をとらなければならない。最後の章で述べるとおり、その活動に欠かせない第一歩は、樹木や森林、そしてそれが生み出す木材と私たちとの壊れた関係を修復することである。

第15章

木との関係を修復する

本書で伝えたかったのは、人類が一つの生物種として成功するうえで、私たちと木との関係が重要な役割を果たしてきたということである。そのおかげで人類は、木から下りて最強の捕食者となり、南極を除くすべての大陸に入植し、最終的に地上を自分たちのために独占した。そうして地球を改造してきた。広大な森を切り拓いて、残された森林の構成を変化させてきたが、数百年前まではほぼ持続可能な方法にとどめていた。しかしいまでは、誰が見てもけっしてそんなことはない。

いまから振り返ると、歴史上の転換点は一六〇〇年ごろ、薪や木炭から得ていたエネルギーが徐々に化石燃料に置きかえられていったときだろう。これによって都市化が進み、科学が生まれ、資本主義と工業化が始まった。石炭・天然ガス・石油という、無尽蔵に思える新たなエネルギー源を使って人口を増やし、この世界の理解を深める科学機関を次々と作り、新たな知識とパワーを組み合わせて新素材を大量生産してはさまざまな製品を製造した。その結果、四〇〇年にわたってかつてない物質的進歩と経済成長が実現した。以前なら、これほど多くの人口を支え、これほど長く健康的な一生を送り、これほど大量の品物を生産しては消費することなどけっしてできなかった。木に頼るのをやめるという発想は、すばらしいものだったに違いない。

しかし、よいことばかりではなかった。私たちは束縛から解放されるたびに、決まって欲望を暴走させ、快楽に浸りすぎて自分自身や周囲を傷つけるものだ。物質的快適さを高め、目新しいもので感覚を刺激しようと必死になりつづけた結果、過去二〇〇年でエネルギー消費量は二〇倍に増えてしまった。しかもその大部分は化石燃料を燃やすことで得たため、大気中の二酸化炭素濃度が二八〇ｐｐｍから四〇〇ｐｐｍを超すレベルにまで上昇し、急激な気候変動によって人類の未来に危機が迫っている。

工業化によって、環境を破壊するような林業があらゆる国に広まり、世界中の森林がさらなる危機に陥っている。さらにもっとも困ったこととして、工業化によって私たちは自然界から切り離され、人類誕生からずっと続いてきた、木材やそれを生み出す樹木との関係が乱されている。私たちの祖先である狩猟採集民が狩猟のために木製道具を作ったり、焚き火のために薪を集めたりしていたいつもの日々は、もはや過去のものだ。初期の農耕民が木を育てたり加工したりしながら蓄積していった木細工の技術も、とうの昔に失われてしまった。代々の木工職人が実際に木材を成形したりつなぎ合わせたりして住宅や家具を作っていた経験も、絶えて久しい。いずれも、四〇〇年におよぶ無謀な工業化によって、昔ながらの木材とともに見捨てられてしまっている。さまざまな娯楽に囲まれた、電子機器の支配するハイテク世界で暮らす私たちは、祖先たちが持っていた自分でものを作る能力をどんどん失っているのだ。

そのことを何よりも痛感させてくれたのが、研究助手のミッチ・クルックがボルネオ島のジャングルで経験した出来事である。板根の力学的役割に関する研究を進めていたミッチは、小ぶりな木を地上三メートルあたりのところで切り倒すことにした。そこで、綱を引っかけて小型の手回しウインチで引っ張ることまでは思いついた。しかしミッチも、都会育ちの若いインドネシア人現場助手エムランも、幹に登って鋸を入れるにはどうすればいいか見当もつかなかった。そこで、研究センターの年上のガイドに助けを求めた。近くの村で育った先住民で、四〇歳くらいのそのガイド、サブランは、すぐに状況を把握して蔓を一本切り取り、それを木に巻きつけて即席の梯子を作った。木を実用的に扱う能力を身につけていて、木の力学的性質を肌で理解していたのは明らかだ。ミッチは実際に手を動かす研究者としてきわめて有能で、複雑な電子機器の組み立てや保守、力学的試験の経験も豊富だったが、実用的な木細工技術にかけてはサブランのほうがはるかに上手だったのだ。

どんな関係性が壊れたときでもそうだが、実際的な林業と木工の世界から疎遠になり、手を動かして細工をする能力を失った結果、私たちの生活はさまざまな面で質が下がり、不安定で不幸せになってしまった。心理学者は、樹木や木材との関係がどのような恩恵をもたらすかを定量化して、私たちがうすうす感じているとおり、それが重要であることを証明しようとしている。そして彼らの研究から、人は森の中で過ごすことによって恩恵を受けるだけでなく、森の中でたとえば木を植えたり薪を切ったりするといった作業をおこなうことで、さらに大きな恩恵を受けることが明らかになりつつある。焚き火や薪ストーブを燃やすと、おのずと夜の静けさに集中して、デンマーク人のいうヒュッゲ、すなわち満足感が得られる。

また、木材を扱ったり木でものを作ったりしていると、穏やかで幸せな感情が湧いてくる。たとえば私の担当編集者は、原稿を修正したり自らスリラー小説を書いたりする合間に、旅行先で見つけた木材で箱を作っている。私の長兄は、世界中にはびこる木の病気に関する研究で溜まったストレスを、ヨット模型の設計と製作で晴らしている。実際に手を動かしてこのようなものを作り終えると、受け身の娯楽では得られない静かな満足感に包まれる。さらには、木製品に囲まれたり、木造住宅で暮らしたりすることもためになる。化粧壁やコンクリート壁の教室よりも木の壁の教室で学ぶ子供のほうが、授業妨害も少ないし成績もよいのだ。

日常生活からこれらの恩恵が奪われた私たちは、さまざまな点で祖先たちよりも貧しい暮らしをしているといえる。しかも、自分自身を不幸にするのと同じくらい確実に、この地球を破壊している。ではどうしたらこの流れを逆転させられるのか？　木をどのように使えば、地球を癒やして自分たちの生活に意義を取り戻すことができるのか？

さまざまな緑化運動

科学技術がそこに重要な役割を果たせるのは間違いない。第13章で述べたとおり、現代のさまざまな技術によって、鋼鉄やコンクリートなどエネルギーを大量に消費する素材のかわりに木材を利用できるようになりつつある。集成材やＣＬＴ（直交集成板）で建てられた新たな高層ビルやマンションの重量は、従来の鉄筋コンクリートの建物の五分の一ほどである。それによって、建築時に消費されるエネルギーも少なくてすむし、基礎も浅くてすむため、内包エネルギーの量を通常の建物の二〇パーセントに抑えられる。世界中の二酸化炭素排出量のうちコンクリートの寄与が約五パーセント、鋼鉄の寄与が三パーセントであることを考えると、木材を使って未来の世界を構築すれば気候変動の抑制に大きく貢献できるはずで、王立協会の最近の推計によれば気候変動全体のおよそ二・三パーセントに相当するという。

また、世界中の木材科学の研究施設で、木材をほかの素材のかわりに用いる新技術が次々に開発されている。メリーランド大学のリャンビン・フー教授は、木材を圧縮強化することで剛性の低さを克服できることを示した。製紙に用いるのと同様の工程でリグニンを一部除去してから、高温で圧縮して固める。すると木目に沿ってセルロース繊維が並んで、強度が無垢材の一二倍、靭性が三倍の新素材ができ、それを鋼鉄やアルミニウムのかわりに利用できる。スウェーデン・ヴァレンベリ木材科学センターの科学者たちは、ガラスにかわる変性木材を開発した。リグニンをすべて除去して無色にし、細胞壁と同じ屈折率の樹脂を染み込ませることで、透明な素材を作ったのだ。フィンランドでは、木材から生分解性プラスチックを作る手法も開発中である。これらの新奇な木材製品を用いた、まったく新しい低炭素経済への道が開かれていきそうだ。

しかし、このようなハイテクを用いる方法にもいくつか問題がある。第一に、これらの木材製品はいずれもカーボンニュートラルではない。たとえば、木材の伐採・輸送・機械加工にはエネルギーが必要だ。現代の木材製造工程の中でもっともエネルギーを消費するのが、炉乾燥である。切り倒したばかりの木には大量の水分が含まれていて、水分を蒸発させるには一ポンド（約四五〇グラム）あたりおよそ一メガジュールのエネルギーが必要だ。そのため炉乾燥によってどんな木製品にも、乾燥木材一ポンドあたりおよそ四・五メガジュールの内包エネルギーが追加されることになる[1]。再生可能エネルギーを使うか、廃材を燃やして燃料にしないかぎり、このエネルギーはすべて温室効果ガスの排出につながってしまう。

ハイテクを用いる方法のもう一つの欠点は、木材の需要がさらに増えて、前の章で取り上げた破壊的な伐採と植林を拡大させてしまうことである。しかもいくらハイテクで取り繕ったところで、私たちは際限のない経済成長へとますます盲目的に突き進んで、さらなる環境破壊を引き起こすだろう。すでに林業は、土地をめぐって農業や自然保護と競合せざるをえなくなっている。木産業ベースの木材生産が増えれば、食料の安全保障と生物多様性が損なわれるだろう。また、木材を工業製品の一つとして扱ったところで、人々の心の傷は癒えないし、私たちと木との個人的関係も修復されない。木造住宅で暮らせば少しは幸せになれるかもしれないが、私たちと森林との関係も木細工の技術も戻ってはこないだろう。

　もっと小さいスケールで見ると、私たちと木との関係を再構築するために身近でできることはたくさんある。都市の人工的な環境を再緑化する計画が世界中で始まっていて、都市に暮らしている人はすでに恩恵を受けはじめている。都市で樹木を育てる取り組みが始まったのは、早くも一八四〇年、鉄骨建築の先駆者の弟で実業家のジョーゼフ・ストラットが、初の都市公園であるダービー樹木園を建設したことによる。一八五八年には、世界一有名な都市公園、セントラルパークがマンハッタンに造られた。ジョルジュ＝ウジェーヌ・オスマンが建設したパリの大通りには枝の絡み合ったシナノキが立ち並んでいたし、ヴィクトリア朝時代にロンドンに植えられた、芯止めされたプラタナスは、いまでも街なかを飾り立てている。最近の都市計画者たちは、さらなる歴史的遺産を築こうとしている。一五年前から、ロサンゼルスやニューヨークの街なかを緑化する「百万本の木」運動が進められているし、世界中で同様の計画が立ち上げられている。

　また三〇年前から、アメリカ農務省林野部が立ち上げたシカゴ都市林プロジェクトのもと、科学者や経済学者や心理学者が都市樹木のもたらす恩恵を定量化しようとしている。この研究によって、都市樹木の恩恵はかなり大きいことが示されつつある[2]。日陰ができることで、体感気温が一〇～一五℃、都市のヒートアイランドで上昇した気温が一～二℃下がり、暑い日の冷房コストが一五～三〇パーセント下がる。また、煤の粒子が樹木に捕らえられて粒子状汚染物質がおよそ一五パーセント減少し、豪雨の際に地表を流れる水の量が平均二〇パーセント減り、都市の騒音がさえぎられる。土地価格も上昇し、破壊行為も減少する。木々の立ち並ぶ街で暮らすと、たとえ木が好きでなくても幸福感が増して近所づきあいが深くなる。

しかし都市樹木は、成長中にはたしかに人々に恩恵をもたらすが、一生の最後に切り倒されるときにはけっしてそうではない。切り倒された都市樹木は細かく切り刻まれて木っ端やおがくずになり、せいぜい地面に敷きつめる根覆いとして使われるだけなので、炭素を蓄えてくれるという利点だけでなく、木材を加工して利用できるという利点も失われてしまうのだ。このため、せっかく都市緑化をしても、都市の住民が樹木との実用的な関係を学ぶことはできない。人々は樹木を、人生のパートナーとしてではなく、美しいが基本的に役に立たない生物、そして薪や木工材になりうる存在としてとらえつづけることになる。

この問題を克服するための単純な方法として考えられるのが、もっと広大な荒地に、萌芽更新で管理できるハシバミやヤナギなどを植えるというものだ。これらの木はあっという間に成長して、たくさんの野生生物が暮らす地域を生み出すとともに、都市の冷却と洪水の防止に大いに寄与する。また従来の萌芽林と同じく、定期的に伐採することもできるはずだ。ボランティアの手で若枝を刈りとって薪にしたり、籠を編むなどの手工芸や生木細工に利用したりもできるだろう。

都市林でも、大きな街路樹から切り出した木材を可搬式の製材機で加工して、さらなる木細工に用いることもできるだろう。すでにこのような都市緑化計画がバングラデシュで試みられていて、住民は近所に植えられたチークの若木を有給で管理し、約二〇年後に木が成熟して伐採されると最終的に報酬をもらう。ボトムアップ的な方法が成功したもう一つの例が、ノーベル平和賞受賞者の故ワンガリ・マータイが一九七七年にケニアで立ち上げたグリーンベルト運動である。草の根運動を通じて、女性たちに自宅の周辺に苗木を植えて育ててもらう。その木は、家族のための薪や木工材や食料を提供してくれるとともに、土壌を固定して雨水を蓄え、何よりも人々の経済的自立を促してくれる。

これらの都市運動は規模が小さすぎて、世界全体どころか地域の木材生産量にも影響を与えないため、もっと大きなスケールの取り組みによって補完する必要がある。近年、エチオピアでは、郊外の六万平方キロメートル近い土地に木を植えるという、とりわけ野心的な森林再生計画が進められている。二〇一九年には地元の人たちを駆り出して、たった一日で三億五〇〇〇万本もの木を植えた。

しかし、住民が周辺に生える木と実用的で直接的な関係を持ちつづけている地域、たとえばアメリカ太平洋岸北西地域の針葉樹林や、アパラチア山脈、アルプスやスカンディナヴィアの国々などからも、地球全体の森林再生に関して学べることが多い。これらの地域では昔から、もっぱら環境に優しい林業がおこなわれてきた。そして現在では、針葉樹が生える薄い土壌が流出しやすいことを踏まえて、先人たちの方法が徐々に復活してきている。その継続植生林業（CCF）という方法では、森林を一気に切り拓かずに、一度に切る木の本数を減らすことで、土壌の流出が抑えられ、次の伐採までにもっと早く森が再生し、成熟した木の下で若木が成長できるようになる。これによって森林がより健全になり、自然のままの土地が増え、木目がまっすぐな質のよい木材がとれる。

この方法を主導している、森林管理協議会（FSC）や「持続可能な森林イニシアチブ」などの国際NGOは、持続可能とみなされる森林から伐採した木材に認証を与えている。現在はスカンディナヴィア産や北アメリカ産の木材が大半を占めているが、途上国の行政管理が進むにつれて林業政策も改善される兆しがある。野放図に伐採権を売り払うかわりに、もっと持続可能な形の森林管理が広まっているのだ。現在、さまざまな方法が試されている。低負荷の伐木搬出では、ゾウを使って木材を運び出していた植民地の木こりと同じように、蔓植物を刈り払って作った特別な道を通って一本一本の木を慎重に運び出す。補植と呼ばれる方法では、伐採した地域にさまざまな林冠木*の苗木を植える。これらの方法を組み合わせれば、環境破壊が抑制されて熱帯雨林が短期間で再生し、熱帯産の木材も認証を受けられるようになる。

再自然化運動の高まり

しかしスカンディナヴィアでは、林業に携わっていない人たちも木との関係を築いている。ラーシュ・ミッティングは最近の著書『ノルウェーの森（*Norwegian Wood*）』の中で、薪を切って割り、保存して燃やすという文化が、すべてのノルウェー人にとっていかに大切であるかを、熱を込めて語っている。

　ヨーロッパ各国の中で森林文化がとりわけさかんなのは、いまでも国土の七五パーセント以上が針葉樹林に覆われているフィンランドである。二〇〇一年にマンチェスター科学産業博物館がフィンランドに関する移動博覧会『森と私』を主催し、私もその一環として木に関する講演を何度かおこなった。この博覧会では、林業に関して知っておくべきあらゆる事柄が網羅されていた。見事な伐木機械が展示され、木材パルプの製造に関する情報が得られ、仮想現実（VR）で製材機を操作することもできた。フィンランド人が森を自分たちの生活の中心に据えて、自分たちのアイデンティティにしているのは間違いない。フィンランド人の若者ならこの博覧会を観て、大人の世界、木造住宅を建てたり燃料を供給したりする産業、そして憧れの仕事にいざなわれたことだろう。しかし残念ながら、テイク・ザットの歌やマンチェスター・ユナイテッドの勝敗のほうに関心のある平均的なマンチェスター市民の目には、この博覧会は的外れに映ったらしい。マンチェスターは大都市で、周辺に広がっていた広葉樹林は何千年も前に切り拓かれて豊かな農地に変わっているし、人々は何百年ものあいだ薪でなく石炭を燃やしていた。この博覧会は不調に終わ

＊林冠を構成する背の高い木。

り、入場者数も少なかった。

とはいえ、大部分の土地が農耕のために開墾されてしまっている地域にも（さらにはマンチェスター近郊にも）、二〇世紀初頭以降、とくにプラスチックの発明によって木製品が時代遅れになってからも人の手がほぼ入らずに残されてきた、小規模な広葉樹林が無数に点在している。大規模植林の呪縛に縛られた人々は、そのような森を小さすぎて生産的でないとみなし、世話もせず目も向けずにそのまま放ってきた。そうしていまでは、林冠が暗い日陰を作って、かつて咲き誇っていた野の花は死に絶えてしまっている。

だがさいわいにも、小規模な協同組合やいくつかの大企業がようやくそのような森に手を加えて、数百年前の祖先たちと同じく薪や木工材や木炭のために管理しはじめた。薪は、数を増している薪ストーブの燃料として地元の住宅所有者に販売され、木工材は地元の製材所で加工されて職人に売却される。生木細工や木工や旋盤加工が急速に普及して、家具やオーク材の建物、そして祖先たちが慣れ親しんでいたあらゆる道具や品物が作られている。森は再び、小規模な循環経済の礎（いしずえ）としての役割を担いはじめようとしているのだ。

また、広大な辺境農地を自然林や雑木林に戻す再自然化運動も始まりつつある[3]。試験的な事業によって、著しく手が加えられたイギリスの田園地方でもきわめて大きな効果があることが示されている。比較的小規模のものとして、イングランド・サセックス州のネップ農園など重い粘土質の土壌が広がる低地地方では、耕作をやめると雑木林や落葉樹林が再生するし、ウシやブタを低密度で導入すると中世さながらの森林放牧地が復活する。スコットランドの南部丘陵地帯や高地地方など、何百年にもおよぶヒツジの放牧によって土地が痩せてしまった標高の高い草地では、放牧をやめることで、緑の砂漠だったところに再び木が成長する。ヨーロッパ大陸では、若者が都市へ移動することで広大な辺境農地が次々に放棄されているため、再自然化できそうな土地はさらにたくさんある。二〇三〇年までに三〇万平方キロメートルほどの森林が再生する計算だ。北アメリカではさらに広大な土地がすでに再自然化されていて、中でも「イエローストーン=ユーコン保護イニシアチブ」という最大規模の団体は、長さ三〇〇〇キロメートル、幅六五キロメートル、面積およそ一三〇万平方キロメートルの細長い地域を再自然化しようとしている。

世界に目を向けると、ジンバブエの生態学者アラン・セイヴォリーは、五〇〇〇万平方キロメートルもの痩せた草地を再生できると推計している。再自然化した場所に出現する新たな森林や雑木林は、生物多様性を高めて野の花や昆虫や鳥の棲み処となるだけでなく、二酸化炭素を吸収して気候変動の逆転にも寄与する。二〇世紀には、ニューイングランドやニュージーランドの放棄された農地でもちょうど同じことが起こった。これらの広大な土地の再自然化によって、樹木や土壌に何十億トンもの炭素が吸収され、二酸化炭素濃度が最大二〇ppm下がり、地球の気温上昇が一・五〜二℃という対処可能な程度に抑えられるだろうと見積もられている。

森に戻してもかまわないような土地を持っている人は数少ないが、誰しも、まずは木や森について自らもっと学んで子供たちにも学ばせれば、変化を起こすことができる。すでに、子供たちを自然の中で遊ばせて環境について学ばせる林間学校のネットワークが、世界中に広がっている。しかし大人から教われることには限界がある。昔のように森の中で自由に遊ばせて、楽しさや危険、木の種類や力学的性質を自ら学ばせたらどうだろう？　あるいは野外博物館に連れていっては？　少なくとも、新鮮な空気のもとでいっぱい走って、エネルギーを発散させ、ふつうの博物館よりもずっと楽しめるはずだ。木の種類を同定する方法や、野生の食料を探す方法を教えたらどうだろうか？　そして、私たちの祖先の日常生活について面白いことを学べるはずだ。自分の手で木製の模型や役に立つものを作る方法を教えるのは？

私も手先が器用なほうではないが、子供の時分は虫籠や巣箱を何とかこしらえたものだし、木工の授業で作った「現代彫刻」は、いまでも父の家でキッチンペーパーホルダーとして立派に役立っている。出来がよかったとは言えないかもしれないが、ただ買ってくるのに比べたらずっと意味があった。だから、出来合いの製品を次から次へと買いあさるのはやめて、シンプルな木製品を何点かだけ買ってくるか、できれば自分で作るようにしたらどうだろうか？　何も極端に走って、私の元同僚のように新石器時代風の円形の小屋で暮らしたり、私が指導していた博士課程の学生エイドリアン・グッドマンのように、自分の子供たちに弓矢の作り方を教えたりしなくてもいい。しかし買ってくる品物の量を減らせば、地球におよぼす影響を抑えることができる。第一歩を踏み出して、木の時代にあったもっと静かな喜びを人類に取り戻すことができるかもしれない。

謝辞

本書は、何よりもマンチェスター大学とハル大学の教官としての責任に突き動かされた、何年にもおよぶ放浪と思索の産物である。大学教官であることの特権を活かして、教育と研究という名目で世界中の森を旅して回り、生体力学や進化論、植物生物学や樹木学といったさまざまな分野を優秀な学生たちに教えた。何にも縛られずに、こつこつと集めた知見を残らず組み合わせてみた。私の突飛なアイデアを試してくれた学生たち、とくに本文中で名前を挙げた人たちに感謝する。彼らの才能と情熱がなかったら、けっしてストーリーを築き上げることはできなかっただろう。

私の話に乗って企画提案書を一貫したストーリーにまとめ上げ、学者ならではの意味不明な表現をほぼ残らず取り除いてくれた、代理人のピーター・タラックに感謝する。本書をまとめ上げるのに力を貸してくれるとともに、アメリカ史について教えてくれた、サイモン&シュースターの編集者コリン・ハリソンとサラ・ゴールドバーグに感謝する。快く本書の一部を読んで意見を寄せてくれた兄のリチャード・エノスと、私の友人で同僚のピーター・ルーカス、アダム・ヴァン・キャステレン、デイヴィッド・アームソン、そして恬淡（てんたん）としたリンゼイ・ウッドに感謝する。

さまざまな結びつきを見出して身の回りの世界を理解するという、生涯の旅路にいざなってくれた家族に感謝する。一般通念に異議を唱える自信と心構え、そして知的道具を与えてくれたハンプトン・グラマースクール（現ハンプトン・スクール）に感謝する。そして、三〇年にわたって私を支え、愛情を注ぎ、寄り添い、また陶芸のさまざまな恩恵を教えてくれた、パートナーのイヴォンヌに誰よりも感謝する。

訳者あとがき

本書は、Roland Ennos, *THE AGE OF WOOD: Our Most Useful Material and the Construction of Civilization* の全訳である。著者のローランド・エノスは、イギリスにあるハル大学の生物科学部の客員教授。専門分野は多岐にわたるが、とくに樹木の力学的性質、類人猿の移動方法、初期人類の道具製作法などの研究を進めている。森林管理や建築に関しても造詣が深い。一般の人々に科学を分かりやすく説くことをライフワークとしていて、書籍や雑誌での執筆のほか、英BBCや米PBSのラジオなどにも出演している。

本書のテーマは、まさにタイトルで謳っているとおり、木という素材を軸に新たな視点から人類史を見つめなおすことである。身近だがどこか儚(はかな)げな木が、人類の進化や発展において中心的な役割を果たし、歴史の道筋を方向づけ、私たちの社会を陰で支えていることを、生物学・建築学・材料工学・地理学などの科学的立場から説得力のある形で論じている。ほかに類のない歴史書で、読み進めるごとに目からうろこが落ちて世界史に対する見方が大きく変わると思う。

一般的な世界史の教科書をひもとくと、人類はもっぱら石や金属で道具や構造物を造りながら発展してきたように思える。いまでも身の回りを見渡せば、鉄筋コンクリートのビルやアスファルトの道路、金属製の乗りものや機械、プラスチック製の道具や小物が並んでいて、これらの素材がなかったら現代生活は成り立たないだろう。確かに木製品も数多く目に入ってくるが、堅牢な構造物や長持ちする道具類に使われているというイメージはなく、どちらかというと脇役のように見える。機能を最優先にするのなら、すべて金属やプラスチックなどの素材で作ってしまえば済むのではないかと思えてしまう。

ところが本書によれば、そのような印象は大きく間違っているそうだ。木はほかの素材にない優れた特長をいくつも備えていて、人類は太古からずっとそれを活かして進化・発展し、文明や社会を築いてきた。そして木の需給関係や地政学的条件が、さまざまな文明・国家・都市の発展や衰退を左右してきた。そのうえ、鉄鋼などの素材や石炭などのエネルギー源が身近に使われるようになったのは、ほかならぬ木が活かされていたからこそだったという。従来の考古学や歴史学で木の役割が軽視されているのは、木が朽ちやすくて史料として残りにくい、それだけの理由だというのだ。

世界史の大転換点となったアメリカの独立は、実は背の高いまっすぐな木をめぐる攻防がその引き金だった。そんなエピソードから本書は始まる（プロローグ）。すでに鉄も石炭も広く使われていた時代、そのような一見些細な原因から歴史が大きく変わったというのにはなんとも驚かされた。

本編に入って第1部では、人類が猿人から進化する上で木がいかに重要な役割を果たしたかを、生物学や考古学の視点から解き明かしている。意外にも初期人類は、樹上生活を送っているうちから直立二足歩行の能力を進化させたそうだ。木の上でいったいなぜ、どのようにして二本足で立ったのか、著者自身の体験も踏まえて謎解きをしていく。また、古代人の道具というと真っ先に石器が思い浮かぶものだが、実は木製道具のほうがはるかに広く使われていたという。いかに工夫を凝らした洗練された木製道具が使われていたか、本文でぜひ感じ取っていただきたい。

第2部は古代から中世までをカバーしている。古代にもストーンヘンジなど巨大な石造りの構造物があったが、実はそのような建物には木がどうしても欠かせなかったという。木と石のそれぞれの長所・短所を見極めてうまく活用していた古代の人たちには、深く感心させられた。また、中世ヨーロッパの建物といえば石造りの荘厳な大聖堂を思い浮かべるが、そこにも木が見えない形で活かされているそうだ。現代の住居にも通じるその工法や工夫はぜひ頭に入れておきたい。

第3部では、近代になって石炭や鉄鋼といった新素材が使われ、蒸気機関や飛行機などが発明される上でも、木は欠かせない役割を果たしたと説いている。各地域での発展度の違い、とくに世界の覇権がイギリスからアメリカに移ったことも、木や森林に基づいて説明できるというのには驚かされた。また、これらの新素材の普及によって木の需要は減ったようにも思えるが、実はその逆だそうだ。鉄によってかえって木が活かされるようになったというのは、意外に感じられた。

ところが現代、長年にわたる人間と木との良好な関係が大きくこじれているという。第4部では、そのこじれた関係を修復する方法を模索している。木という優れた素材を十分に活かすために、ひいては環境を守るために、著者の言葉に耳を傾けて一人一人にできることをやっていかなければと思った。

本書を通じて見えてきたのは、私たちにとって木は絶対に欠かせない存在であるということだ。木がさまざまな特長を備えていたからこそ、人類はサルから進化し、文明を築き、社会を発展させ、豊かな生活を送れるようになった。木はけっしてローテクな素材ではなく、これからも文明を支える大切な存在でありつづけるだろう。

日本は先進国の中でもとくに木を多く活用してきたほうだと思う。一般住宅はいまでも木造がほとんどだし、何しろ世界最古の木造建築物は我らが法隆寺である。この国に暮らす私たちには、木との正しい関係性を守る責任があるのではないだろうか。歴史に木が果たしてきた役割を学び、木の特長や性質を活かす術を身につけ、持続的に木を利用する未来を切り拓かなければならない。そんなことを感じさせられた一冊である。

付記　日本語版では理解の助けになるよう、著者の許諾を得た上で図版をいくつか追加した。

二〇二一年八月

水谷　淳

第11章　薪や木炭にかわるもの

1. Evelyn (1661).
2. de Zeeuw (1978).
3. Wrigley (2010).
4. Bacon (1627).
5. Moxon (1703).
6. Evelyn (1664).
7. 詳細はUglow (2002)を参照。
8. Wrigley (2010).
9. ウィルキンソンの功績に関する詳細は、Winchester (2018)を参照。
10. Pollard (1980).
11. 中央ヨーロッパの状況に関する詳細は、Radkau (2012)を参照。
12. アメリカの製鉄業に関する詳細は、Schallenberg (1981)を参照。

第12章　一九世紀における木材

1. ブルネルの滑車製造装置に関する詳細は、Winchester (2018)を参照。
2. 詳細はNelson (1981)を参照。
3. アメリカの鉄道をめぐる状況に関しては、White (1981)を参照。
4. Rybczynski (2000).
5. Green (2006).
6. ねじとねじ回しに関する詳細は、Rybczynski (2000)を参照。
7. 紙の歴史に関する詳細は、Kurlansky (2017)を参照。
8. Smith (1964).

第13章　現代世界における木材

1. プラスチックに関する詳細は、Gordon (1968)を参照。

第14章　森林破壊の影響

1. Ennos and Bailey (1995), Problem 5.1.
2. 従来の見方に関しては、Diamond (2011)を参照。
3. 情報に関してはDiamond (2011)に記されているが、関連性に関する記述はない。
4. Heckenberger and Neves (2009).
5. Roberts et al. (2018).
6. Rackham (2006).
7. Roberts et al. (2018).
8. 詳細はRackham (2003)およびRackham (2006)を参照。
9. Williams (2002).
10. Ruddiman (2003).
11. Roberts et al. (2018).
12. 詳細はKoch et al. (2019)を参照。
13. 詳細はWilliams (2002)を参照。

第15章　木との関係を修復する

1. Jones (2019).
2. Hirons and Thomas (2018)に掲載されている、都市樹木の物理的利点に関する私の短い総説を参照。
3. Tree (2017).

*URLは2020年12月の原書刊行時のものです。

Grail (1996)を参照。
9. Jenkins (1980).
10. Pulak (1998).
11. Parry (2004).
12. Hoadley (2002).
13. 初期の車輪の構造に関しては、Anthony (2007)を参照。
14. Anthony (2007).
15. 新世界における板張り船の起源に関する総説は、Gamble (2002)を参照。
16. たとえばDiamond (1997)を参照。南北アメリカで車両が使われなかった理由として、有用な役畜がいなかったことを挙げている。

第7章 共同体を築く

1. 詳細に関しては、Gordon (1978)およびEnnos (2016)を参照。
2. 詳細に関しては、Zhou et al. (2018)を参照。
3. これらの建物に関する詳細は、Pryce (2005)を参照。
4. ヴァイキング船の構造に関する詳細は、Christensen (1996) およびDurham (2002)を参照。
5. 伝統的な木工道具の構造と用途に関する詳細は、Bealer (1996)を参照。
6. ウィンザーチェアに関する詳細は、Green (2006)を参照。
7. Logan (2005).
8. 詳細はGordon (1968)を参照。

第8章 贅沢品のための木工

1. 木材の適応に関する詳細は、Ennos (2016)を参照。
2. オークの木材がこのように特別な組織構造を持っている理由に関する詳細は、Ennos (2016)を参照。

第9章 まやかしの石造建築

1. Carter (2012)を参照。これは構造考古学に関する彼の数多いブログ記事の一つ。
2. ギリシャ神殿の屋根の構造に関する詳細は、Hodge (1960)を参照。
3. 列王記、第7章第23-36節。
4. Channel 4のドキュメンタリー番組(https://www.facebook.com/Channel4/videos/secrets-of-chinas-forbidden-city/10154510336817330/)を参照。

第10章 文明の停滞

1. Casson (1996).
2. Casson (1996).
3. Wrigley (2010).
4. Warde (2007).
5. Rackham (2003).
6. van der Woude et al. (1990).
7. Jouffroy-Babicot et al. (2013).
8. Yorke (2010).
9. ホギングとホギングトラスに関する詳細は、Gordon (1978)を参照。

6. Warren (1911).
7. McNabb (1989) およびFluck (2007).
8. 結果に関してはEnnos and Chan (2016)を参照。
9. 槍の発見に関してはThieme (1997)を、その後の分析に関しては、*Journal of Human Evolution*に掲載された一連の論文、Conard et al. (2015)を参照。
10. Milks et al. (2019).
11. たとえばWaguespack et al. (2009)を参照。
12. Westcott (1999), 192–94.
13. Westcott (1999), 195–99.
14. Westcott (1999), 200–209.
15. Westcott (1999), 210–24.
16. Lombard and Haidle (2012).
17. Kolbert (2014).

第5章　森を切り拓く

1. Miles (2016).
2. Fowler (1962).
3. Yerkes and Koldehoff (2018).
4. Waddington (2007).
5. Milner et al. (2013).
6. Momber et al. (2011).
7. 皮張りの舟に関する詳細は、Elmers (1996)を参照。
8. 丸木舟に関する詳細は、Elmers (1996)を参照。
9. Jørgensen (1985).
10. 結果に関しては、Ennos and Oliveira (2017)を参照。
11. Mytting (2015).
12. Taylor (1998).
13. Harding (2014)による再現を参照。
14. Bugrov and Galimova (2017).
15. Fowler (1962).
16. Elburg et al. (2015).
17. Slater et al. (2014).
18. Elburg et al. (2015).
19. Harding (2014).
20. Miles (2016).
21. Tegel et al. (2012).
22. スカラ・ブレイの家屋とダーリントン・ウォールズに関する詳細は、Miles (2016)を参照。
23. Ozden and Ennos (2018).
24. Coles and Coles (1988).
25. 完全な作り方に関しては、Law (2015)を参照。
26. Elmers (1996).
27. Diamond (1997).

第6章　金属の融解と製錬

1. Vandiver et al. (1989).
2. Yasuda (2012).
3. Woods and Woods (2000).
4. Whitehouse (2012).
5. Gordon (1968).
6. Fleckinger (2018).
7. Mathieu and Meyer (1997).
8. 青銅器時代の船に関しては、Mc-

第2章 木から下りる

1. Kappelman et al. (2016).
2. Sellers et al. (2005).
3. Crompton et al. (2011).
4. Kappelman et al. (2016).
5. Green and Alemseged (2012).
6. Ruff et al. (2016).
7. DeSilva et al. (2018).
8. Wrangham (2009).
9. 旱魃に対する植物の適応と植物の根に関するさらなる詳細は、Ennos and Sheffield (2000)を参照。
10. 初期のヒト族の食料に対する適応に関するさらなる詳細は、たとえばLeakey (1996)を参照。
11. Hernandez-Aguilar et al.(2007).
12. 根に関するこの研究の要約は、Ennos (2000)を参照。
13. Aranguren et al. (2018).
14. 詳細はVincent (1984)を参照。
15. 木材の力学的性質に関するさらなる詳細は、Gordon (1968)を参照。
16. ヒト族の脳の大きさに関するさらなる詳細は、Wrangham (2009)を参照。
17. Samson and Shumaker (2015)およびSamson and Nunn (2015).
18. このことを初めて証明したのは、19世紀、流体力学を打ち立てたオズボーン・レイノルズである。
19. Wrangham (2009), chap. 6.
20. Wrangham (2009), chap. 3.
21. Wrangham (2009), chap. 4.
22. Wrangham (2009), chap. 4およびGowlett (2016).

第3章 体毛を失う

1. Morris (1967).
2. Rogers et al. (2004).
3. たとえばWheeler (1992)を参照。
4. Morris (1967).
5. Attenborough (2009).
6. Queiroz do Amaral (1996). この分野では珍しい女性の筆による論文で、これまで男性にはほとんど無視されてきた。
7. Ruxton and Wilkinson (2011).
8. この分野の総説としては、Rantala (2007)を参照。
9. Dean and Siva-Jothy (2012).
10. Rantala (2007).
11. van Schaik (2004).
12. たとえば、Turnbull (1961) およびSamson et al. (2017)を参照。
13. Leakey (1971).
14. Armson et al. (2012).
15. Samson et al. (2017).

第4章 道具を使う

1. Lubbock (1865).
2. Leakey (1996).
3. Keeley and Toth (1981).
4. Dominguez-Rodrigo et al. (2001).
5. Haidle (2009).

原注

本書に示した情報の大部分、とくに歴史的事実や統計値は、ウィキペディアなどのウェブサイトを通じてネットで自由に入手できる。しかし事実は、真の知識や理解のための部品にすぎない。以下に挙げた原論文や総説論文や書物は、そのような情報を互いに結びつけて、何がわかっているのか、どうしてそのようなことがわかるのか、そしてなぜそれが真実だと考えられるのかを示そうとしている。

プロローグ　どこにもつながっていない道

1. くわしくはMalone (1979)を参照。
2. マツの木暴動に関してはDanver (2011), 183–90を参照。

第1章　樹上生活の遺産

1. 創世記、第1章第26節。
2. 摩擦と指腹の構造に関しては、Ennos (2012)およびWarman and Ennos (2009)を参照。
3. 私たちの研究に関しては、Warman and Ennos (2009)を参照。
4. 指の爪の巧妙な力学的構造に関しては、Farren et al. (2004)を参照。
5. Stephan et al. (1981).
6. 最近の論文に関しては、DeCasien et al. (2017)を参照。
7. これに関してはロビン・ダンバーが詳細に論じている。たとえばDunbar (2009)およびDunbar (2016)を参照。
8. Povinelli and Cant (1995).
9. Thorpe et al. (2007a).
10. Thorpe et al. (2007b).
11. Samson and Shumaker (2015)およびSamson and Nunn (2015).
12. 木材の組織構造に関する詳細は、Ennos (2016)を参照。
13. 木材の性質と若木破砕に関しては、Ennos and van Casteren (2010)およびvan Casteren et al. (2012a)を参照。
14. この研究に関してはvan Casteren et al. (2012b)に記されている。ジュリアの動画の最終パートはYouTubeに上がっているようだ（https://www.youtube.com/watch?v=g6gfG4aCUyw）。
15. van Schaik (2004)およびvan Schaik and Knott (2001).
16. Boesch et al. (2009).
17. Hernandez-Aguilar et al. (2007).
18. Pruetz and Bertolani (2007).
19. Thorpe et al. (2007a).
20. van Casteren et al. (2013).
21. Johannsen et al. (2017).
22. Henke et al. (2007).
23. Lovejoy et al. (2009).
24. Böhme et al. (2019).

2010年）

Wrigley, E. A. 2010. *Energy and the English Industrial Revolution*. Cambridge: Cambridge University Press.

Yasuda, Y. 2012. *Water Civilization: From Yangtze to Khmer Civilizations*. Berlin: Springer Science & Business Media.

Yerkes, R. W., and B. H. Koldehoff. 2018. "New Tools, New Human Niches: The Significance of the Dalton Adze and the Origin of Heavy Duty Woodworking in the Middle Mississippi Valley of North America." *Journal of Anthropological Archaeology* 50:69– 84.

Yorke, T. 2010. *Timber Framed Buildings Explained*. Newbury, UK: Countryside Books.

Zhou, H., J. Leng, M. Zhou, Q. Chun, M. F. Hassanein, and F. Wenzhou. 2018. "China's Unique Woven Timber Arch Bridges." *Civil Engineering* 171:1–21.

bridge, MA: Harvard University Press.
van Schaik, C. P., and C. D. Knott. 2001. "Geographic Variation in Tool Use on *Neesia* Fruits in Orangutans." *American Journal of Physical Anthropology* 114:331–42.
Vincent, A. S. 1984. "Plant Foods in Savanna Environments: A Preliminary Report of Tubers Eaten by the Hadza of Northern Tanzania." *World Archaeology* 17:131–47.
Waddington, C. 2007. *Mesolithic Settlement in the North Sea Basin. A Case Study from Howick, North-East England*. Oxford: Oxbow Books.
Waguespack, N. M., T. A. Surovell, A. Denoyer, A. Dallow, A. Savage, J. Hyneman, and D. Tapster. 2009. "Making a Point: Wood- versus Stone-Tipped Projectiles." *Antiquity* 83:786–800.
Warde, P. 2007. *Energy Consumption in England and Wales, 1560–2000*. Rome: Consiglio Nazionale Delle Ricerche.
Warman, P. H., and A. R. Ennos. 2009. "Fingerprints Are Unlikely to Increase the Friction of Primate Finger Pads." *Journal of Experimental Biology* 212:2015–21.
Warren, S. H. 1911. "On a Palaeolithic (?) Wooden Spear." *Quarterly Journal of the Geological Society of London* 67:xciv.
Westcott, D. 1999. *Primitive Technology: A Book of Earth Skills*. Salt Lake City: Gibbs-Smith.
Wheeler, P. E. 1992. "The Influence of the Loss of Functional Body Hair on the Eater Budgets of Early Hominids." *Journal of Human Evolution* 23:379–88.
White, J. H. Jr. 1981. "Railroads: Wood to Burn." In *Material Culture of the Wooden Age*, edited by B. Hindle, 184–226. Tarrytown, NY: Sleepy Hollow Press.
Whitehouse, D. 2012. *Glass: A Short History*. London: British Museum Press.
Williams, M. 2002. *Deforesting the Earth: From Prehistory to Global Crisis*. Chicago: University of Chicago Press.
Winchester, S. 2018. *Exactly: How Precision Engineers Created the Modern World*. London: William Collins.
Woods, M., and M. B. Woods. 2000. *Ancient Construction: From Tents to Towers (Ancient Technology)*. Minneapolis, MN: Twenty-First Century Books.
Wrangham, R. 2009. *Catching Fire: How Cooking Made Us Human*. London: Profile Books.（リチャード・ランガム『火の賜物——ヒトは料理で進化した』依田卓巳訳、NTT出版、

115–60. Swindon, UK: English Heritage.
Tegel, W., R. Elburg, D. Hakelberg, H. Stauble, and U. Buntgen. 2012. "Early Neolithic Water Wells Reveal the World's Oldest Wood Architecture." *PLOS ONE* 7:e 51374.
Thieme, H. 1997. "Lower Palaeolithic Hunting Spears from Germany." *Nature* 385: 807–10.
Thorpe, S. K. S., R. L. Holder, and R. H. Crompton. 2007a. "Origin of Human Bipedalism as an Adaptation for Locomotion on Flexible Branches." *Science* 316:1328–31.
Thorpe, S. K. S., R. H. Crompton, and R. McN. Alexander. 2007b. "Orangutans Use Compliant Branches to Lower the Energetic Cost of Locomotion." *Biology Letters* 3:253–56.
Tree, I. 2017. *Wilding*. London: Picador.（イザベラ・トゥリー『英国貴族、領地を野生に戻す——野生動物の復活と自然の大遷移』三木直子訳、築地書館、2019年）
Turnbull, C. 1961. *The Forest People*. London: Jonathan Cape.（コリン・M・ターンブル『森の民 ——コンゴ・ピグミーとの三年間』藤川玄人訳、筑摩書房、1976年）
Uglow, J. 2002. *The Lunar Men*. London: Faber and Faber.
van Casteren, A., W. Sellers, S. Thorpe, S. Coward, R. Crompton, and A. R. Ennos. 2012a. "Why Don't Branches Snap? The Mechanics of Bending Failure in Three Temperate Angiosperm Trees." *Trees: Structure and Function* 26:789–97.
van Casteren, A., W. Sellers, S. Thorpe, S. Coward, R. Crompton, J. P. Myatt, and A. R. Ennos. 2012b. "Nest Building Orangutans Demonstrate Engineering Know-How to Produce Safe, Comfortable Beds." *Proceedings of the National Academy of Sciences* 109:6873– 77.
van Casteren, A., W. Sellers, S. Thorpe, S. Coward, R. Crompton, and A. R. Ennos. 2013. "Factors Affecting the Compliance and Sway Properties of Tree Branches Used by the Sumatran Orangutan (*Pongo abelii*)." *PLOS ONE* 8:7.
van der Woude, A., A. Hayami, and J. de Vries. 1990. *Urbanisation in History: A Process of Dynamic Interactions*. Oxford: Oxford University Press.
Vandiver, P. B., O. Soffer, B. Klima, and J. Svoboda. 1989. "The Origins of Ceramic Technology at Dolní Věstonice, Czechoslovakia." *Science* 246:1002–8.
van Schaik, C. P. 2004. *Among Orangutans: Red Apes and the Rise of Human Culture*. Cam-

(11): e0166095.

Ruxton, G. D., and D. M. Wilkinson. 2011. “Thermoregulation and Endurance Running in Extinct Hominins: Wheeler's Models Revisited.” *Journal of Human Evolution* 61:169–75.

Rybczynski, W. 2000. *One Good Turn: A Natural History of the Screwdriver & the Screw*. New York: Simon & Schuster.（ヴィトルト・リプチンスキ『ねじとねじ回し——この千年で最高の発明をめぐる物語』春日井晶子訳、早川書房、2003年）

Samson, D. R., A. N. Crittenden, I. A. Mabulla, and A. Z. P. Mabulla. 2017. “The Evolution of Human Sleep: Technological and Cultural Innovation Associated with Sleep-Wake Regulation among Hadza Hunter-Gatherers.” *Journal of Human Evolution* 113:91–102.

Samson, D. R., and C. L. Nunn. 2015. “Sleep Intensity and the Evolution of Human Cognition.” *Evolutionary Anthropology* 24:225–37.

Samson, D. R., and W. R. Shumaker. 2015. “Orangutans (*Pongo spp*.) Have Deeper, More Efficient Sleep than Baboons (*Papio papio*) in Captivity.” A*merican Journal of Physical Anthropology* 157:421– 27.

Schallenberg, R. H. 1981. “Charcoal Iron: The Coal Mines of the Forest.” In *Material Culture of the Wooden Age*, edited by B. Hindle, 271–99. Tarrytown, NY: Sleepy Hollow Press.

Sellers, W. I., G. M. Cain, W. Wang, and R. H. Crompton. 2005. “Stride Lengths, Speed and Energy Costs in Walking of *Australopithecus afarensis*: Using Evolutionary Robotics to Predict Locomotion of Early Human Ancestors.” *Journal of the Royal Society Interface* 2:431–41.

Slater, D., R. S. Bradley, P. J. Withers, and A. R. Ennos. 2014. “The Anatomy and Grain Pattern in Forks of Hazel (*Corylus avellana L*.) and Other Tree Species.” *Trees* 28:1437–48.

Smith, D. C. 1964. “Wood Pulp and Newspapers, 1867–1900.” *Business History Review* 38:328–45.

Stephan, H., H. Frahm, and G. Baron. 1981. “New and Revised Data on Volumes of Brain Structures in Insectivores and Primates.” *Folia Primatologica* 35:1–29.

Taylor, M. 1998. “Wood and Bark from the Enclosure Ditch.” In *Excavations at a Neolithic Causewayed Enclosure near Maxey, Cambridgeshire*, 1982–7, edited by F. Pryor,

Age, edited by B. Hindle, 159–83. Tarrytown, NY: Sleepy Hollow Press.
Ozden, S., and A. R. Ennos. 2018. "The Mechanics and Morphology of Branch and Coppice Stems in Three Temperate Tree Species." *Trees* 32:933–49.
Parry, D. 2004. *Engineering the Pyramids*. Stroud, UK: Sutton Publishing.
Pollard, S. 1980. "A New Estimate of British Coal Production, 1750–1850." *Economic History Review* 33:212–35.
Povinelli, D. J., and J. G. H. Cant. 1995. "Arboreal Clambering and the Evolution of Self-Conception." *Quarterly Review of Biology* 70:393–421.
Pruetz, J. D., and P. Bertolani. 2007. "Savanna Chimpanzees, *Pan troglodytes verus*, Hunt with Tools." *Current Biology* 17:412–17.
Pryce, W. 2005. *Architecture in Wood*. London: Thames and Hudson.（ウィル・プライス『世界の木造建築』グラフィック社、2005年）
Pulak, C. 1998. "The Uluburun Shipwreck: An Overview." *International Journal of Nautical Archaeology* 27:188–224.
Queiroz do Amaral, L. 1996. "Loss of Body Hair, Bipedality and Thermoregulation. Comments on Recent Papers in the *Journal of Human Evolution*." *Journal of Human Evolution* 30:357–66.
Rackham, O. 2003. *Ancient Woodland*. 2nd ed. Dalbeattie, UK: Castlepoint Press.
——. 2006. *Woodlands*. London: HarperCollins.
Radkau, J. 2012. *Wood: A History*. Cambridge: Polity Press.
Rantala, M. J. 2007. "Evolution of Nakedness in *Homo sapiens*." *Journal of Zoology* 273: 1987–89.
Roberts, N., R. M. Fyfe, J. Woodbridge, M.-J. Gaillard, B. A. S. Davis, J. O. Kaplan, L. Marquer, F. Mazier, A. B. Nielsen, S. Sugita, A.-K. Trondman, and M. Leydet. 2018. "Europe's Lost Forests: A Pollen-Based Synthesis for the Last 11,000 Years." *Scientific Reports* 8:716.
Rogers, A. R., D. Iltis, and S. Wooding. 2004. "Genetic Variation at the MC1R Locus and the Time Since Loss of Human Body Hair." *Current Anthropology* 45:105–8.
Ruddiman, W. F. 2003. "The Anthropogenic Greenhouse Era Began Thousands of Years Ago." *Climatic Change* 61:261–93.
Ruff, C. B., M. L. Burgess, R. A. Ketcham, and J. Kappelman. 2016. "Limb Bone Structural Proportions and Locomotor Behavior in A.L. 288-1 ('Lucy')." *PLOS ONE* 11

Lombard, M., and M. H. Haidle. 2012. "Thinking a Bow-and-Arrow Set: Cognitive Implications of Middle Stone Age Bow and Stone-Tipped Arrow Technology." *Archaeological Journal* 22:237–64.

Lovejoy, C. O., G. Suwa, L. Spurlock, B. Asfaw, and T. D. White. 2009. "Pelvis and Femur of *Ardipithecus ramidus*: The Emergence of Upright Walking." *Science* 326:71.

Lubbock, J. 1865. *Prehistoric Times*. London: Williams and Norgate.

Malone, J. J. 1979. *Pine Trees and Politics*. New York: Arno Press.

Mathieu, J. R., and D. A. Meyer. 1997. "Comparing Axe Heads of Stone, Bronze, and Steel: Studies in Experimental Archaeology." *Journal of Field Archaeology* 24:333–51.

McGrail, S. 1996. "The Bronze Age in Europe." In *The Earliest Ships*, edited by R. Gardiner, 24–38. London: Conway Maritime Press.

McNabb, J. 1989. "Sticks and Stones: A Possible Experimental Solution to the Question of How the Clacton Spear Point Was Made."*Proceedings of the Prehistoric Society* 55:251–71.

Miles, D. 2016. *The Tale of the Axe: How the Neolithic Revolution Transformed Britain*. London: Thames and Hudson.

Milks, A., D. Parker, and M. Pope. 2019. "External Ballistics of Pleistocene Hand-Thrown Spears: Experimental Performance Data and Implications for Human Evolution." *Scientific Reports* 25:820.

Milner, N., B. Taylor, C. Conneller, and T. Schadla-Hall. 2013. *Star Carr: Life in Britain after the Ice Age*. York, UK: Council for British Archaeology.

Momber, G., D. J. Tomalin, R. G. Scaife, and J. Satchell. 2011. *Mesolithic Occupation at Bouldnor Cliff and the Submerged Prehistoric Landscapes of the Solent*. York, UK: Council for British Archaeology.

Morris, D. 1967. *The Naked Ape*. London: Jonathan Cape.（デズモンド・モリス『裸のサル——動物学的人間像』日高敏隆訳、角川書店、1979年）

Moxon, J. 1703. *Mechanick Exercises or the Doctrine of Handy-Works*. Wilmington, NC: Toolemera Press.

Mytting, L. 2015. *Norwegian Wood*. London: MacLehose Press.

Nelson, L. H. 1981. "The Colossus of Philadelphia." In *Material Culture of the Wooden*

Johannsen, L., S. R. L. Coward, G. R. Martin, A. M. Wing, A. van Casteren, W. Sellers, A. R. Ennos, R. Crompton, and S. K. S. Thorpe. 2017. "Human Bipedal Instability in Tree Canopy Environments Is Reduced by 'Light Touch' Fingertip Support." *Scientific Reports* 7:1135.

Jones, C. 2019. "Ice Database of Embodied Energy and Carbon." https://circularecology.com/embodied-carbon-footprint-database.html#:~:text=Embodied%20carbon%20comes%20from%20the,grave%20(end%20of%20life).

Jørgensen, S. 1985. *Tree-Felling with Original Neolithic Flint Axes in Draved Wood. Report on the Experiments in 1952–1954*. Copenhagen: National Museum of Denmark.

Jouffroy-Babicot, I., B. Vanniere, E. Gauthier, H. Richard, F. Monna, and C. Petit. 2013. "7000 Years of Vegetation History and Land-Use Changes in the Morvan Mountains (France): A Regional Synthesis." *Holocene* 23:1888–902.

Kappelman, J., R. A. Ketcham, S. Pearce, L. Todd, W. Akins, M. W. Colbert, M. Feseha, J. A. Maisano, and A. Witzel. 2016. "Perimortem Fractures in Lucy Suggest Mortality from Fall out of Tall Tree." *Nature* 537:503–7.

Keeley, L., and N. Toth. 1981. "Microwear Polishes on Early Stone Tools from Koobi Fora, Kenya." *Nature* 293:464–65.

Koch, A., C. Brierley, M. M. Maslin, and S. L. Lewis. 2019. "Earth System Impacts of the European Arrival and Great Dying in the Americas after 1492." *Quaternary Science Reviews* 207:13–36.

Kolbert, E. 2014. *The Sixth Extinction: An Unnatural History*. London: Bloomsbury.（エリザベス・コルバート『6度目の大絶滅』鍛原多惠子訳、NHK出版、2015年）

Kurlansky, M. 2017. *Paper: Paging Through History*. New York: W. W. Norton.（マーク・カーランスキー『紙の世界史――歴史に突き動かされた技術』川副智子訳、徳間書店、2016年）

Law, B. 2015. *Woodland Craft*. Lewes, UK: Guild of Master Craftsmen.

Leakey, M. D. 1971. *Olduvai Gorge, III: Excavations in Beds I and II, 1960–1963*. Cambridge: Cambridge University Press.

Leakey, R. 1996. *The Origin of Humankind*. New York: Basic Books.（リチャード・リーキー『ヒトはいつから人間になったか』馬場悠男訳、草思社、1996年）

Logan, W. B. 2005. *Oak: The Frame of Civilization*. New York: W. W. Norton.（ウィリアム・ブライアント・ローガン『ドングリと文明――偉大な木が創った1万5000年の人類史』山下篤子訳、日経BP社、2008年）

setts Archaeological Society 23:29–40.

Gamble, L. H. 2002. "Archaeological Evidence for the Origin of the Plank Canoe in North America." *American Antiquity* 67:301–15.

Gordon, J. E. 1968. *The New Science of Strong Materials, or Why You Don't Fall Through the Floor*. London: Penguin.（J・E・ゴードン『強さの秘密――なぜあなたは床を突き抜けて落ちないか』土井恒成訳、丸善、1999年）

――. 1978. *Structures, or Why Things Don't Fall Down*. London: Penguin.（『構造の世界――なぜ物体は崩れ落ちないでいられるか』石川広三訳、丸善、1991年）

Gowlett, J. A. J. 2016. "The Discovery of Fire by Humans: A Long and Convoluted Process." *Philosophical Transactions of the Royal Society B* 371.

Green, D. J., and Z. Alemseged. 2012. "*Australopithecus afarensis* Scapular Ontogeny, Function, and the Role of Climbing in Human Evolution." *Science* 338(6106): 514–17.

Green, H. 2006. *Wood*. New York: Viking Penguin.

Haidle, M. 2009. "How to Think a Simple Spear." In *Cognitive Archaeology*, edited by S. de Beaune, F. Coolidge, and T. Wynn, 55–73. Cambridge: Cambridge University Press.

Harding, P. 2014. "Working with Flint Tools: Personal Experience Making a Neolithic Axe Haft." *Lithics* 35:40–53.

Heckenberger, M., and E. G. Neves. 2009."Amazonian Archaeology." *Annual Review of Anthropology* 38:251–66.

Henke, W., I. Tattersall, and T. Hart. 2007. *Handbook of Paleoanthropology, III: Phylogeny of Hominids*. Berlin: Springer-Verlag.

Hernandez-Aguilar, R. A., J. Moore, and T. R. Pickering. 2007. "Savanna Chimpanzees Use Tools to Harvest the Underground Storage Organs of Plants."*Proceedings of the National Academy of Sciences* 104:19210–13.

Hirons, A. D., and P. A. Thomas. 2018. *Applied Tree Biology*. Oxford: John Wiley.

Hoadley, R. B. 2002. *Understanding Wood*. Newtown, CT: Taunton Press.

Hodge, A. T. 1960. *The Woodwork of Greek Roofs*. Cambridge: Cambridge University Press.

Jenkins, N. 1980. *The Boat Beneath the Pyramid: King Cheops' Royal Ship*. New York: Holt, Rinehart, and Winston.

lution." *Annals of Human Biology* 36:562–72.
——. 2016. *Human Evolution: Our Brains and Behavior*. Oxford: Oxford University Press.（ロビン・ダンバー『人類進化の謎を解き明かす』鍛原多惠子訳、インターシフト、2016年）
Durham, K. 2002. *Viking Longship*. Oxford: Osprey.
Elburg, R., W. Hein, A. Probst, and P. Walter. 2015. "Field Trials in Neolithic Woodworking." In *Archaeology and Crafts-Experiences and Experiments on Traditional Skills and Handicrafts in Archaeological Open-Air Museums in Europe*, edited by R. Kelm, 62–77. Husum, Germany: Husum Druck-und Verlagsgesellschaft.
Elmers, D. 1996. "The Beginnings of Boatbuilding in Central Europe." In *The Earliest Ships*, edited by R. Gardiner, 11–23. London: Conway Maritime Press.
Ennos, A. R. 2000. "The Mechanics of Root Anchorage." *Advances in Botanical Research* 33:133–57.
——. 2012. *Solid Biomechanics*. Princeton, NJ: Princeton University Press.
——. 2016. *Trees*. 2nd ed. London: Natural History Museum and University Press.
Ennos, A. R.,and S. E. R. Bailey. 1995.*Problem Solving in Environmental Biology*. Harlow, UK: Longman's Higher Education.
Ennos, A. R., and M. Chan. 2016. " 'Fire Hardening' Spear Wood Does Slightly Harden It, but Makes It Much Weaker and More Brittle." *Biology Letters* 12.
Ennos, A. R., and J. A. V. Oliveira. 2017. "The Mechanics of Splitting Wood and the Design of Neolithic Woodworking Tools." Exarc.Net.
Ennos, A. R., and E. Sheffield. 2000. *Plant Life*. Oxford: Blackwell Science.
Ennos, A. R., and A. van Casteren. 2010. "Transverse Stresses and Modes of Failure in Tree Branches and Other Beams." *Proceedings of the Royal Society B* 277:1253–58.
Evelyn, J. 1661. *Fumifugium*. London: His Majesties' Command.
——. 1664. *Sylva, or a Discourse of Forest Trees*. Minneapolis, MN: Filiquarian.
Farren, L., S. Shayler, and A. R. Ennos. 2004. "The Fracture Properties and Mechanical Design of Human Fingernails." *Journal of Experimental Biology* 207:735–41.
Fleckinger, A. 2018. *Ötzi the Iceman: The Full Facts at a Glance*. Czech Republic: Folio Verlagsges. Mbh.
Fluck, H. L. 2007. "Initial Observations from Experiments into the Possible Use of Fire with Stone Tools in the Manufacture of the Clacton Point." *Lithics* 28:15–19.
Fowler, W. S. 1962. "Woodworking: An Important Industry." *Bulletin of the Massachu-*

Christensen, A. E. 1996. "Proto-Viking, Viking and Norse Craft." In *The Earliest Ships*, edited by R. Gardiner, 72–88. London: Conway Maritime Press.

Coles, B., and J. Coles. 1988. *Sweet Track to Glastonbury: Somerset Levels in Prehistory (New Aspects of Antiquity)*. London: Thames and Hudson.

Conard, N. J., C. E. Miller, J. Serangeli, and T. van Kolfschoten. 2015. "Special Issue: Excavations at Schöningen: New Insights into Middle Pleistocene Lifeways in Northern Europe." *Journal of Human Evolution* 89:1–308.

Crompton, R. H., T. C. Pataky, K. Savage, K. D'Aout, M. R. Bennett, M. H. Day, K. Bates, S. Morse, and W. I. Sellers. 2011. "Human-Like External Function of the Foot, and Fully Upright Gait, Confirmed in the 3.66 Million-Year-Old Laetoli Hominin Footprints by Topographic Statistics, Experimental Footprint-Formation and Computer Simulation." *Journal of the Royal Society Interface* 9:707–19.

Danver, S., ed. 2011. *Revolts, Protests, Demonstrations, and Rebellions in American History: An Encyclopedia*. ABC-CLIO, LLC, s.v., "Pine Tree Riot," 183–90.

Dean, I., and M. T. Siva-Jothy. 2012. "Human Fine Body Hair Enhances Ectoparasite Detection." *Biology Letters* 8:358–61.

DeCasien, A. R., S. A. Williams, and J. P. Higham. 2017. "Primate Brain Size Is Predicted by Diet but Not Sociality." *Nature Ecology and Evolution* 1:0112.

DeSilva, J. M., C. M. Gill, T. C. Prang, M. A. Bredella, and Z. Alemseged. 2018. "A Nearly Complete Foot from Dikika, Ethiopia, and Its Implications for the Ontogeny and Function of *Australopithecus afarensis*." *Science Advances* 4:7723.

de Zeeuw, J. W. 1978. "Peat and the Dutch Golden Age. The Historical Meaning of Energy-Attainability." *A.A.G. Bijdragen* 21:3–31.

Diamond, J. 1997. *Guns, Germs and Steel*. London: Jonathan Cape.（ジャレド・ダイアモンド『銃・病原菌・鉄――一万三〇〇〇年にわたる人類史の謎』倉骨彰訳、草思社、2000年）

――. 2011. *Collapse: How Societies Choose to Fail or Survive*. London: Penguin.（『文明崩壊――滅亡と存続の命運を分けるもの』楡井浩一訳、草思社、2012年）

Dominguez-Rodrigo, M., J. Serrallonga, J. Juan-Tresserras, L. Alcala, and L. Luque. 2001. "Woodworking Activities by Early Humans: A Plant Residue Analysis on Acheulian Stone Tools from Peninj (Tanzania)." *Journal of Human Evolution* 40:289–99.

Dunbar, R. 2009. "The Social Brain Hypothesis and Its Implications for Social Evo-

参考文献

Anthony, D. A. 2007. *The Horse, the Wheel, and Language: How Bronze-Age Riders from the Eurasian Steppes Shaped the Modern World*. Princeton, NJ: Princeton University Press.（デイヴィッド・W・アンソニー『馬・車輪・言語――文明はどこで誕生したのか』東郷えりか 訳、筑摩書房、2018年）

Aranguren, B., A. Revedin, N. Amico, F. Cavulli, G. Giachi, S. Grimaldi, N. Macchioni, and F. Santaniello. 2018. "Wooden Tools and Fire Technology in the Early Neanderthal Site of Poggetti Vecchi (Italy)." *Proceedings of the National Academy of Sciences* 115:2054–59.

Armson, D., P. Stringer, and A. R. Ennos. 2012. "The Effect of Tree Shade and Grass on Surface and Globe Temperatures in an Urban Area." *Urban Forestry and Urban Greening* 11:245–55.

Attenborough, D. 2009. *Human Mammal, Human Hunter: Life of Mammals*. BBC.

Bacon, F. 1627. *The New Atlantis*.

Bealer, A. W. 1996. *Old Ways of Working Wood*. Edison, NJ: Castle Books, 1996.

Boesch, C., J. Head, and M. M. Robbins. 2009. "Complex Tool Sets for Honey Extraction among Chimpanzees in Loango National Park, Gabon." *Journal of Human Evolution* 56:560–69.

Böhme, M., N. Spassov, J. Fuss, A. Tröscher, A. S. Deane, J. Prieto, U. Kirscher, T. Lechner, and D. R. Begun. 2019. "A New Miocene Ape and Locomotion in the Ancestor of Great Apes and Humans." *Nature* 575:489–93.

Bugrov, D., and M. Galimova. 2017. "Antler Sleeves from the Neolithic Lake-Dwelling Sites of Switzerland (the 'Swiss Collection' of the National Museum of Tatarstan Republic, Kazan)." *Povolzhskaya Arkheologiya* 1:26–37.

Carter, G. 2012. "Twelve Reasons Why Stonehenge Was a Building." *Theoretical Structural Archaeology*, March 23. http://structuralarchaeology.blogspot.com/2012/03/twelve-reasons-why-stonehenge-was. html.

Casson, L. 1996. "Sailing Ships of the Ancient Mediterranean." In *The Earliest Ships*, edited by R. Gardiner, 39–51. London: Conway Maritime Press.

図版クレジット

〈イラスト〉

P35, 37, 55, 121, 158, 231 © Roland Ennos
P120 © Duncan Slater

〈写真〉

P92 © The Natural History Museum / Alamy
P108 © Clearview / Alamy
P122 © Philip Bishop / Alamy
P124 © Tegel W. et al. 2012. "Early Neolithic Water Wells Reveal the World's Oldest Wood Architecture." Plos One 7 (12): e51374
P144 © Stefan Lippmann / OneworldPicture / Alamy
P148 © Andrej Peunik / Museum and Galleries of Ljubljana
P162 © Andreas Werth / Alamy
P163 © Boris Baggs / Arcaid Images / Alamy
P164 © Markus Lange / Alamy
P166 © City of Bayeux
P168 © Jorge Tutor / Alamy
P177 © Metropolitan Museum of Art, Purchase, Bequest of John L. Cadwalader, by exchange, and Peek Family Foundation Gift, 2016
P187 © Werner Forman Archive / Egyptian Museum, Cairo / Heritage Images
P193 © Metropolitan Museum of Art, Purchase, Robert Alonzo Lehman Bequest, 2012
P210 © Adam Woolfitt / Alamy
P214 © Zhang Shuo / TAO Images Limited / Alamy
P268 © Greg Balfour Evans / Alamy
P273, P321 © Library of Congress
P276 © National Anthropological Archives / Smithsonian Institution
P295 © Antony Nettle / Alamy
P299 © eye35.pix / Alamy
P301 © Nina Rundsveen / Courtesy of Wikimedia Commons

〈参考文献〉

P48 更科 功『絶滅の人類史』, NHKスペシャル「人類誕生」制作班『大逆転！　奇跡の人類史』（ともにNHK出版）

〈参考資料〉

P128 "A reconstruction of the Sweet Track"©Henry Rothwell / Wikimedia Commons, "Sweet Track" Diagram by Richerman / Avalon Marshes Centre
P159 陳 沛山（九州工業大学）「中国宋代虹橋の構造原理についての研究」
P167 "Norse lapstrake"©2020 Jørn Olav Løset / vikingskip.com

著者

ローランド・エノス（Roland Ennos）

生物学者。イギリス・ハル大学生物科学部の客員教授。動植物の工学的なしくみを研究する生体力学の研究者として、霊長類の木の使用法などを探究する。植物、生体力学、統計学に関する教科書を執筆するほか、自然史学、考古学、工学、建築などを幅広く研究。おもな著書に、ロンドン自然史博物館から出版された*Trees*、おもな共著に*Plant Life*がある。イギリスのBBCやアメリカのPBSなどのラジオ科学番組に出演し、木に関する講演も多数行っている。

訳者

水谷 淳（みずたに・じゅん）

翻訳家。訳書に、セン『宇宙を解く唯一の科学 熱力学』（河出書房新社）、スタンレー『アインシュタインの戦争』（新潮社）、ザッカーマン『最も賢い億万長者』、チャム他『僕たちは、宇宙のことぜんぜんわからない』（以上、ダイヤモンド社）、デイヴィス『生物の中の悪魔』、アル＝カリーリ『量子力学で生命の謎を解く』（以上、SBクリエイティブ）、テグマーク『LIFE3.0』（紀伊國屋書店）などがある。

校正：酒井清一　本文組版：アップライン株式会社

「木」から辿る人類史
ヒトの進化と繁栄の秘密に迫る

2021年9月25日　第1刷発行

著　者　ローランド・エノス

訳　者　水谷 淳

発行者　土井成紀

発行所　NHK出版
〒150-8081　東京都渋谷区宇田川町41－1
TEL　0570-009-321（問い合わせ）
0570-000-321（注文）
ホームページ　https://www.nhk-book.co.jp
振替　00110-1-49701

印　刷　亨有堂印刷所／大熊整美堂

製　本　ブックアート

Printed in Japan ISBN978-4-14-081874-9 C0098